LE LIBRAIRE DE KABOUL

ÅSNE SEIERSTAD

Le Libraire de Kaboul

RÉCIT TRADUIT DU NORVÉGIEN PAR CÉLINE ROMAND-MONNIER

JC LATTÈS

Titre original :

BOKHANDLEREN I KABUL ET FAMILIEDRAMA

J.W. Cappelens Forlag, Oslo, 2002

À mes parents

Avant-propos

Sultan Khan est l'une des premières personnes que j'ai rencontrées à mon arrivée à Kaboul en novembre 2001. Je venais alors de passer six semaines en compagnie des commandants de l'Alliance du Nord, du désert frontalier du Tadjikistan aux steppes du nord de Kaboul en passant par les montagnes de l'Hindou Kouch et la vallée du Panshir. J'ai suivi leurs offensives contre les taliban, dormi sur des sols en pierre, dans des cahutes en terre, près du front et voyagé à bord de véhicules militaires, à cheval et à pied.

Lors de la chute des taliban, je me suis rendue à Kaboul avec l'Alliance du Nord. Dans une librairie, j'ai rencontré un homme élégant aux cheveux gris. Après des semaines dans la poudre à canon et les cailloux, où les conversations n'avaient été que tactique de guerre et progression militaire, feuilleter des livres et s'entretenir de littérature et d'histoire avait un parfum de libération. Les étagères de Sultan Khan débordaient d'ouvrages en de nombreuses langues, de recueils de poésie, de légendes afghanes, de livres d'histoires, de romans... Marchand habile, il m'a vue ressortir de ma première visite avec sept volumes. Souvent, quand j'avais du temps libre, j'entrais pour regarder quelque ouvrage et converser avec ce curieux libraire, patriote afghan souvent déçu par son pays.

— D'abord, les communistes ont brûlé mes livres, puis les moudjahidin les ont pillés, avant que les taliban ne les brûlent de nouveau, racontait-il.

Un soir, il m'a invitée à dîner chez lui. À même le sol, autour d'un repas fastueux, était rassemblée sa famille : l'une de ses femmes, ses fils, ses sœurs, son frère, sa mère, quelques cousins. Sultan racontait des histoires, ses fils riaient et plaisantaient. L'atmosphère était détendue et le contraste marqué entre ce dîner et la frugalité des repas partagés avec les commandants dans les montagnes. Très vite, je notai cependant que les femmes parlaient peu. Silencieuse, la belle épouse adolescente de Sultan se tenait près de la porte, son bébé dans les bras, sans souffler mot. Son autre épouse était absente ce soir-là. Les autres femmes répondaient aux questions, aux compliments sur leur cuisine, mais ne prenaient jamais l'initiative d'une conversation.

En quittant les lieux, je me suis dit : ça, c'est l'Afghanistan. Cela vaudrait la peine d'écrire un livre sur cette famille.

Le lendemain, je suis allée trouver Sultan dans sa librairie et lui ai exposé mon idée.

— Merci beaucoup, s'est-il contenté de dire.

— Oui, mais ça implique que je vive avec vous.

— Je t'en prie.

— Je devrai vous accompagner, vivre comme vous vivez, toi, tes épouses, tes sœurs, tes fils.

— Je t'en prie, a-t-il répété.

Par un jour brumeux de février, je me suis donc installée chez les Khan, avec pour tout bagage mon ordinateur, des blocs-notes, des stylos, un téléphone-satellite et les vêtements et chaussures que je portais. Le reste avait disparu pendant le voyage, quelque part en Ouzbékistan.

J'ai été accueillie à bras ouverts. Je me sentais bien dans ces robes afghanes que les femmes de la maison n'ont pas tardé à me prêter. Pour dormir, on m'a donné une natte à côté de Leila, dont la mission était de constamment veiller à ce que je ne manque de rien.

— Tu es mon petit bébé, m'a dit cette jeune fille de dix-neuf ans le premier soir. Je vais m'occuper de toi, m'a-t-elle promis, bondissant chaque fois que je me levais.

Le moindre de mes vœux devait être exaucé, Sultan l'avait ordonné. Je n'ai appris que plus tard qu'il avait ajouté que quiconque contreviendrait à cet ordre serait puni.

Toute la journée, on me servait de la nourriture et du thé. Peu à peu, j'ai été intégrée à la vie des Khan. Les membres de la famille parlaient quand ils en avaient envie, et non quand je leur posais des questions. Quand j'avais mon carnet de notes, ils n'étaient pas nécessairement d'humeur loquace, ce pouvait être lors d'une promenade dans le bazar, dans le bus, ou tard dans la nuit. La plupart du temps, ils répondaient spontanément à des questions qu'il ne me serait pas même venu à l'esprit de poser.

Je n'ai pas eu le temps d'apprendre le dari, le dialecte persan de la famille, mais j'ai eu de la chance, parce que plusieurs de ses membres parlaient anglais. Inhabituel ? Certes, toutefois j'ai découvert Kaboul à travers une famille très inhabituelle : dans un pays où les trois quarts de la population sont analphabètes, les libraires sont rares.

Ce récit est avant tout l'histoire d'une famille afghane. Il en existe des millions d'autres et celle-ci n'est pas même représentative. Elle est issue d'une sorte de classe moyenne, si l'on peut parler d'une telle classe dans la société afghane. Certains de ses membres ont fait des études, plusieurs savent lire et écrire. Ils ne manquent pas d'argent et ne meurent pas de faim.

Si j'avais dû vivre dans un foyer afghan tout à fait typique, j'aurais habité à la campagne, au sein d'un clan où nul n'aurait su ni lire ni écrire et où chaque jour aurait été une lutte pour la survie. Je n'ai pas choisi la famille Khan parce qu'elle représentait toutes les autres, mais car elle m'inspirait.

J'ai voulu donner à ce récit l'aspect de la fiction, il repose cependant sur tout un vécu dont j'ai été témoin ou que les protagonistes m'ont raconté. Quand j'écris ce que les personnes pensent ou ressentent, c'est en me fondant sur ce qu'elles m'ont dit avoir pensé ou ressenti dans la situation en question. Des lecteurs m'ont demandé comment je pouvais deviner ce qui se passait dans leur tête. Il va sans dire que je ne suis pas un écrivain omniscient : quand je consigne un dialogue intérieur, une réflexion, c'est qu'on me les a rapportés.

Sultan n'autorisait personne d'autre à habiter dans l'appartement, mes interprètes étaient donc Sultan lui-même, Mansur et Leila. Cela leur a bien sûr donné un grand ascendant sur le récit de l'histoire familiale, mais j'ai confronté les différentes versions et posé les mêmes questions, tantôt avec Sultan comme interprète, tantôt avec Mansur ou Leila.

Sultan avait appris d'un diplomate auquel il donnait des cours de dari un anglais riche et inventif ; sa sœur Leila parlait un excellent anglais, appris en cours du soir lorsqu'elle était enfant et, à l'instar de Mansur, à l'école lorsque la famille était réfugiée au Pakistan.

Le fils aîné de Sultan pouvait, dans un anglais courant, me confier ses doutes, évoquer ses amours, ses conversations avec Dieu. Il m'a ainsi raconté comment il voulait recevoir une purification religieuse et m'a emmenée au pèlerinage, j'étais alors un invisible quatrième compagnon de route.

J'ai aussi participé au voyage d'affaires à Peshawar et Lahore, à la chasse à Al-Qaida, aux emplettes au bazar, à la séance de hammam, au mariage et à ses préparatifs, aux visites à l'école, au ministère de l'Éducation, au commissariat et à la prison.

En revanche, il est d'autres choses que je n'ai pas vécues personnellement, comme le destin tragique de Jamila ou les frasques de Rahimullah. On m'a aussi relaté la demande en mariage de Sultan, cette histoire étant narrée par ses acteurs : Sultan, sa mère, Sonya, ses parents, les sœurs, le frère et Sharifa.

Tous savaient que je vivais chez eux dans le dessein d'écrire un livre ; quand ils souhaitaient que je taise un propos, ils m'en avertissaient. J'ai cependant choisi de les rendre anonymes ainsi que les autres personnages de ce récit. Nul ne m'en a fait la demande, mais il me paraissait juste d'agir ainsi.

Mes jours étaient ceux de cette famille. Réveillée à l'aube par les cris des enfants et les ordres des hommes, je faisais ensuite la queue devant la salle de bains ou m'y glissais quand tous y étaient passés. Par chance, certaines fois, il restait de l'eau chaude, mais j'ai vite appris les vertus rafraîchissantes d'une tasse d'eau froide sur le visage. Je passais mes journées soit avec les femmes, dans l'appartement, en visite chez des parents ou au bazar, soit avec Sultan et ses fils, à la librairie, en ville ou en voyage. Le soir, je partageais le repas familial et buvais du thé vert jusqu'à l'heure du coucher.

Si j'étais une invitée, la maison ne m'en est pas moins vite devenue familière. Généreux et ouverts d'esprit, tous m'ont réservé un accueil extraordinaire. Nous avons ainsi partagé de nombreux moments de gaieté, cependant je me suis sans doute rarement mise autant en colère contre quelqu'un, je me suis rarement autant disputée et jamais je n'ai ressenti une telle envie de frapper quelqu'un que pendant mon séjour chez les Khan. C'est toujours la même raison qui me faisait sortir de mes gonds : le comportement des hommes envers les femmes. La supériorité des hommes est si ancrée en eux qu'elle n'est qu'exceptionnellement contestée.

J'étais sans doute perçue comme une sorte d'être hermaphrodite. Femme occidentale, je pouvais évoluer aussi bien parmi les femmes que parmi les hommes. Si j'avais été un homme, je n'aurais jamais pu vivre là comme je l'ai fait, aussi proche des femmes de Sultan, sans que naissent des rumeurs. En même temps, il ne m'a jamais posé de problèmes d'être une femme, ou un être hermaphrodite, dans le monde des hommes. Quand, lors des fêtes, femmes et hommes étaient séparés, j'étais la seule à pouvoir circuler librement d'une pièce à l'autre.

De même, j'échappais à la rigueur des codes vestimentaires des Afghanes et je pouvais me rendre où bon me semblait. Pourtant, j'ai souvent revêtu la burkha, tout simplement pour avoir la paix. Dans les rues de Kaboul, une Occidentale attire beaucoup d'attention non désirée.

Sous la burkha, j'étais libre d'observer les gens à loisir, sans être dévisagée en retour. Je pouvais suivre les membres de la famille quand nous sortions sans que toute l'attention ne se concentre sur moi. L'anonymat est devenu libération, mon seul refuge, car à Kaboul il n'est quasiment pas d'endroit où l'on puisse être seul.

Je me suis aussi servie de la burkha pour me mettre dans la peau d'une femme afghane, pour me rendre compte de ce que c'est, quand le bus est à moitié vide, que de se serrer dans les trois derniers rangs bondés, qui sont réservés aux femmes, ce que c'est que de se recroqueviller dans le coffre d'un taxi parce qu'un homme est installé sur le siège arrière, ce que c'est que d'être perçue comme une grande et séduisante burkha et de recevoir son premier compliment de burkha de la part d'un passant. J'ai vu combien petit à petit je me suis mise à la haïr, combien elle serre le front et provoque des maux de tête, combien son grillage limite le champ de vision, quel carcan elle est et combien elle laisse passer peu d'air, à quelle vitesse on se met à y transpirer, combien toujours on doit prendre garde à l'endroit où l'on marche puisque l'on ne voit pas ses pieds, à quelle vitesse elle s'empoussière, se salit, quelle entrave elle constitue, puis quelle libération c'est de l'enlever en rentrant à la maison.

Enfin, je me suis servie de la burkha comme d'une protection lorsque avec Sultan j'ai emprunté la dangereuse route qui mène à Jalalabad et que nous avons dû passer la nuit dans une halte insalubre à la frontière, ou quand nous sortions tard le soir. En général, les femmes afghanes ne se promènent guère avec sur elles une liasse de billets de cent dollars et un ordinateur, porter la burkha me mettait donc à l'abri des brigands.

J'ai passé à Kaboul le premier printemps après la fuite des taliban. Cette saison était animée d'un fragile espoir. Les habitants se réjouissaient de leur départ, ils n'avaient plus à craindre d'être malmenés dans la rue par la police religieuse, les femmes se promenaient à nouveau seules en ville, elles pouvaient étudier, les filles aller à l'école. Mais cette saison était aussi empreinte des déceptions des dernières décennies. Pourquoi la situation s'améliore-rait-elle à présent ?

Au cours du printemps, comme le pays restait relativement paisible, un optimisme plus fort s'est fait jour. Les gens mûrissaient des projets, les femmes étaient de plus en plus nombreuses à laisser leur burkha à la maison, certaines se mettaient à travailler, les exilés rentraient au pays.

Comme avant, le régime oscillait entre tradition et modernité, entre seigneurs de guerre et chefs de tribus. Dans ce chaos, le dirigeant Hamid Karzaï s'efforçait de créer un équilibre et de mettre en place une orientation politique. Populaire, il ne possédait cependant ni armée ni parti, dans un pays qui regorge d'armes et de factions en lutte.

À Kaboul, la situation était relativement calme, en dépit de l'assassinat de deux ministres, de l'attentat contre un troisième et de la poursuite des attaques contre la population. Les habitants accordaient en nombre leur confiance aux soldats étrangers qui patrouillaient dans les rues : « Sans eux, il y aura une nouvelle guerre civile. »

J'ai consigné par écrit ce que j'ai vu et entendu et j'ai essayé de rassembler mes impressions dans ce récit d'un printemps à Kaboul, où certains essaient de s'affranchir de l'hiver pour bourgeonner, tandis que d'autres se voient condamnés à continuer de « manger de la poussière », comme l'aurait dit Leila.

Åsne SEIERSTAD.

Oslo, le 1er août 2002.

« *Migozarad !* [Ça passera] » (Graffiti sur une maison de thé à Kaboul).

La demande en mariage

Lorsque Sultan Khan estima qu'il était temps de trouver une nouvelle épouse, nul ne voulut lui prêter assistance. D'abord, il alla voir sa mère.

— Contente-toi donc de celle que tu as !

Il s'adressa ensuite à sa sœur aînée.

— J'aime tant ta première femme.

Il obtint la même réponse de ses autres sœurs.

— C'est un déshonneur pour Sharifa, déclara sa tante.

Sultan avait besoin d'aide. Un prétendant ne saurait aller lui-même demander la main d'une jeune fille, la tradition afghane exige qu'une femme de sa famille présente la demande en mariage et examine la candidate de plus près pour s'assurer qu'elle est méritante, bien éduquée et constitue un bon parti. Or aucune dans l'entourage de Sultan ne voulait être mêlée de quelque manière que ce fût à cette affaire.

Sultan avait sélectionné trois jeunes filles. Toutes étaient belles et en bonne santé, et issues de son propre clan. Dans la famille de Sultan, on ne se marie hors de son clan qu'à titre exceptionnel, car on estime plus sage et plus sûr de s'unir à des proches, de préférence des cousins ou des cousines.

D'abord, Sultan essaya Sonya, seize ans. Elle avait des yeux sombres en amande et des cheveux noirs brillants. On disait qu'elle était plantureuse et travailleuse. Sa famille, pauvre, avait un lien de parenté suffisamment proche. Son arrière-grand-mère maternelle et celle de Sultan étaient sœurs.

Tandis que Sultan méditait sur la manière de demander la main de son élue sans aide, sa première épouse allait heureuse, ignorant qu'une petite fille, née l'année de son mariage avec Sultan, occupait désormais les pensées de son mari. À cinquante ans et des poussières, Sharifa commençait à se faire vieille, comme Sultan d'ailleurs. Elle lui avait donné trois fils et une fille. Pour un homme de sa position, il était temps d'en trouver une autre.

— Vas-y toi-même, alors, suggéra finalement son frère.

Après avoir un peu réfléchi, Sultan comprit que c'était la seule solution, et un matin, se rendit chez la jeune fille. Ses parents accueillirent ce cousin à bras ouverts. Sultan avait la réputation d'un homme généreux et ses visites étaient toujours bienvenues. La mère de Sonya fit bouillir de l'eau et servit le thé. Installés sur des coussins plats le long des murs en terre du salon, ils échangèrent politesses et salutations jusqu'à ce que Sultan jugeât opportun d'exposer sa requête.

— J'ai un ami qui souhaite épouser Sonya.

Ce n'était pas la première fois qu'on venait demander sa main, elle était belle et travailleuse ; mais ils la trouvaient trop jeune. Le père de Sonya était invalide. Un combat au couteau lui avait sectionné plusieurs nerfs dorsaux et l'avait laissé para-

lysé. Lorsqu'elle se marierait, elle pourrait rapporter
à ses parents beaucoup d'argent et ils attendaient
donc constamment une surenchère des propositions
reçues jusqu'à présent.

— Il est riche, commença Sultan. Il travaille dans
la même branche que moi, il a une éducation solide
et trois fils. Mais sa femme commence à se faire
vieille.

— Comment sont ses dents ? demandèrent aussitôt les parents, en allusion à l'âge de cet ami.

— À peu près comme les miennes. Jugez par
vous-mêmes.

Vieux, pensèrent-ils. Ce n'était toutefois pas for-
cément un inconvénient : plus l'homme qui l'épouserait serait âgé, plus il paierait cher. Le prix d'une
mariée dépend de son âge, de sa beauté, de ses apti-
tudes et du statut de sa famille.

Lorsque Sultan Khan eut transmis son message,
les parents donnèrent la réponse que l'on attendait
d'eux : « Elle est trop jeune. » Répondre autrement
eût été la vendre au rabais à ce riche inconnu dont
Sultan parlait en termes si flatteurs. Il fallait se garder de manifester trop d'enthousiasme ; mais ils
savaient que Sultan reviendrait, car Sonya était jeune
et belle.

Le lendemain, il vint réitérer cette demande en
mariage. Même conversation, même réponse. Cette
fois, il put toutefois rencontrer Sonya, qu'il n'avait
pas vue depuis qu'elle était enfant. Elle baisa sa
main, par respect pour son parent plus âgé, et il bénit
sa chevelure d'un baiser. Sonya perçut la lourdeur
de l'atmosphère et se recroquevilla sous le regard
inquisiteur d'oncle Sultan.

— Je t'ai trouvé un homme riche, qu'en penses-tu ? lui demanda-t-il.

Sonya baissa les yeux. Répondre eût été enfreindre tous les usages. Une jeune fille ne doit pas avoir d'opinion sur le fait d'être demandée en mariage.

Le troisième jour, Sultan revint, et cette fois, il énonça la proposition du prétendant. Une bague, un collier, des boucles d'oreilles et des bracelets – le tout en or rouge. Tous les vêtements qu'elle désirerait. Trois cents kilos de riz, cent cinquante kilos d'huile alimentaire, une vache, quelques moutons et quinze millions d'afghanis, soit un peu plus de quatre cents dollars.

Le père de Sonya était plus que satisfait du prix proposé et demanda à rencontrer l'auteur mystérieux d'une telle offre. Sultan s'était en outre porté garant de son appartenance au clan, sans pour autant qu'ils parvinssent à vraiment le situer ou à se souvenir de l'avoir rencontré.

— Demain, promit Sultan, vous verrez une photo de lui.

Le lendemain, sa tante, qu'il avait légèrement soudoyée, accepta de dévoiler aux parents de Sonya la véritable identité du prétendant. Elle emporta la photo – une photo de Sultan Khan en personne – et leur signifia fermement de rendre leur décision dans l'heure. S'ils acceptaient, Sultan leur serait fort reconnaissant, mais un refus ne jetterait pas le voile sur leurs bonnes relations. La seule chose qu'il récusait, c'étaient des négociations interminables à la « peut-être, peut-être pas ».

Les parents donnèrent leur assentiment avant que

l'heure ne fût écoulée. Ils appréciaient autant la personne de Sultan Khan que son argent et sa position. Au grenier, Sonya pleurait. Une fois le mystère élucidé et l'accord exprimé, le frère de son père vint la voir.

— C'est oncle Sultan qui est le prétendant. Tu es d'accord ?

Pas un son ne sortit des lèvres de Sonya, les yeux embués de larmes, la tête baissée, elle restait cachée derrière son long châle.

— Tes parents l'ont approuvé, expliqua l'oncle. C'est ta seule chance de dire ce que tu souhaites.

Elle resta pétrifiée, paralysée de terreur. Elle savait qu'elle ne voulait pas de cet homme, mais elle savait aussi qu'elle devait s'incliner devant le souhait parental. En tant qu'épouse de Sultan, elle gravirait plusieurs échelons dans la société afghane. Le prix élevé de la mariée résoudrait bien des problèmes, l'argent ainsi obtenu aiderait ses frères à s'acheter de bonnes épouses. Sonya resta muette. Son destin fut scellé : qui ne dit mot consent. Le contrat fut conclu, la date du mariage fixée.

Sultan rentra chez lui annoncer la bonne nouvelle à sa famille. Il trouva sa femme, Sharifa, sa mère et ses sœurs assises par terre autour d'un plat de riz aux épinards. Sharifa, croyant à une boutade, se mit à rire et à plaisanter en retour, à l'instar de la mère de Sultan, incapable de concevoir qu'il soit allé présenter une demande en mariage sans son consentement. Ses sœurs restèrent sans voix.

Nul ne voulut le croire, jusqu'à ce qu'il montrât le mouchoir et les douceurs qu'un prétendant reçoit des parents de la promise comme preuve des fiançailles,

Sharifa pleura vingt jours durant.

— Mais qu'ai-je fait de mal ? Quelle honte ! Pourquoi n'es-tu pas satisfait de moi ?

Sultan la pria de se ressaisir. Aucun membre de sa famille ne le soutenait, pas même ses propres fils. Nul n'osait toutefois dire quoi que ce fût. Toujours, la volonté de Sultan devait être faite.

Sharifa était inconsolable. Le pire affront à ses yeux était que son mari ait choisi une analphabète n'étant pas même allée jusqu'au bout du cours préparatoire, alors qu'elle avait, quant à elle, une formation de professeur de persan.

— Qu'est-ce qu'elle a de plus que moi ? sanglotait-elle.

Sultan passa outre les larmes de sa femme.

Nul n'avait envie d'assister aux fiançailles. Sharifa dut cependant bravement ravaler sa honte et se faire belle pour la réception.

— Je veux que tous voient que tu m'approuves et me soutiens. À l'avenir, nous allons vivre ensemble et tu dois montrer à Sonya qu'elle est la bienvenue, ordonna-t-il.

Sharifa s'était toujours pliée aux désirs de son mari et elle se plia au pire d'entre eux : elle le céda à une autre. Il alla jusqu'à exiger que Sharifa passât les bagues à son doigt et à celui de Sonya.

Vingt jours après la demande en mariage eut lieu la cérémonie solennelle des fiançailles. Sharifa s'endurcit et revêtit son masque, bien que ses parentes eussent fait de leur mieux pour le lui faire tomber.

— C'est épouvantable ! disaient-elles. Comme

c'est méchant de sa part ! Tu dois te sentir terriblement mal.

Deux mois plus tard, on célébrait le mariage, à
l'occasion du nouvel an musulman. Sharifa refusa
d'y assister.

— J'en suis incapable, expliqua-t-elle à son mari.

Les femmes de la famille étaient de son côté.
Aucune n'acheta de nouvelle robe, aucune ne se
farda autant qu'il est d'usage lors des mariages.
Leurs coiffures étaient simples, leurs sourires crispés
– par respect pour l'exclue, qui ne partagerait plus
le lit de Sultan Khan, désormais réservé à cette jeune
mariée timorée. Leur toit, en revanche, ils allaient
tous le partager, jusqu'à ce que la mort les sépare.

Autodafé

Par un glacial après-midi de l'automne 1999, le rond-point de Charhai-i-Sadarat à Kaboul fut éclairé plusieurs heures durant par un feu joyeux. Des enfants se pressaient autour des flammes, qui vacillaient au-dessus de leurs visages sales et espiègles. Les garçons de la rue jouaient à qui s'approcherait le plus. Les adultes se contentaient de jeter quelques regards à la dérobée avant de s'éloigner du bûcher en hâte. C'était plus prudent, car tous voyaient bien qu'il ne s'agissait pas d'une flambée allumée par les gardiens de la rue pour se réchauffer les mains, mais d'un feu à la gloire de Dieu.

La robe sans manches de la reine Soraya se racornit avant de devenir cendres, ses bras blancs et bien dessinés, ainsi que son visage grave subirent le même sort. Avec elle brûlaient son mari, le roi Amanullah, et ses nombreuses médailles. Toute la lignée royale grillait en compagnie de petites filles en costumes folkloriques, de soldats moudjahidin à cheval et de quelques paysans d'un marché de Kandahar.

En ce jour de novembre, la police religieuse fit consciencieusement son travail dans la librairie de Sultan Khan et purgea les rayonnages de tous les livres contenant des représentations d'êtres vivants, hommes ou animaux, pour les jeter au feu. Pages jaunies, cartes postales innocentes et grands ouvrages de référence arides furent victimes des flammes.

Autour du brasier, aux côtés des enfants, se tenaient les fantassins de la police religieuse, armés de fouets, de longs bâtons et de kalachnikovs. Pour ces hommes, tous ceux qui aimaient illustrations, livres, sculptures, musique, danse, films et libre-pensée étaient considérés comme ennemis du peuple.

Ce jour-là, ils ne se préoccupèrent que d'images, passant outre les textes hérétiques, même quand ils se trouvaient sous leurs yeux. Les soldats ne savaient pas lire et étaient donc bien incapables de faire la distinction entre la doctrine orthodoxe des taliban et celle jugée hérétique. En revanche, ils faisaient la différence entre images et textes, êtres vivants et objets inanimés.

À la fin, seules subsistèrent les cendres, qui se dispersèrent avec le vent pour se mélanger à la saleté et à la poussière des rues et des égouts de Kaboul. Restait le libraire, privé de certains des ouvrages les plus chers à son cœur. Encadré par deux soldats, il fut jeté dans la voiture. Les soldats fermèrent et scellèrent le magasin et Sultan fut emprisonné pour activités anti-islamiques.

Par bonheur, ces imbéciles armés n'ont pas regardé derrière les étagères, pensait Sultan en route pour le commissariat. Grâce à un ingénieux dispositif, il y avait caché ses livres les plus défendus. Il ne les présentait que quand on les lui demandait expres-

sément et qu'il sentait qu'il avait affaire à une personne de confiance.

Cette arrestation, Sultan s'y attendait. Depuis de
nombreuses années, il vendait livres, images et écrits
illégaux. Les soldats étaient souvent venus le menacer, ils avaient emporté quelques exemplaires en partant. Il avait reçu des avertissements émanant des
plus hautes sphères du régime taleb et avait même
été convoqué par le ministre de la Culture, dans le
cadre des efforts des autorités pour faire entrer ce
libraire actif au service des taliban.

Sultan Khan vendait volontiers quelques-uns des
écrits des taliban. Libre-penseur, il estimait que
toutes les voix devaient être entendues. Outre leur
sombre doctrine, il souhaitait également mettre à dis-
position des livres d'histoire, des publications scien-
tifiques, des ouvrages idéologiques sur l'islam et
bien sûr des romans et de la poésie.

Pour les taliban, le débat était une hérésie, le doute
un péché. Étudier autre chose que le Coran était inutile et même dangereux. Lorsqu'ils prirent le pouvoir
à Kaboul, à l'automne 1996, les experts de tous les
ministères furent renvoyés pour être remplacés par
des mollahs. Leur but était de recréer la société dans
laquelle avait vécu le prophète Mahomet sur la pres-
qu'île arabe au VIIe siècle. Ils allèrent jusqu'à
envoyer des mollahs sans connaissances techniques
négocier avec les compagnies pétrolières étrangères.

Sultan avait le sentiment que, sous les taliban, le
pays devenait de plus en plus sombre, pauvre et ren-
fermé. Les autorités s'opposaient à toute modernisation et ne souhaitaient ni comprendre ni adopter les

idées de progrès ou de développement économique. Elles honnissaient le débat scientifique, qu'il soit initié par le monde occidental ou islamique. Leur manifeste consistait avant tout en quelques pauvres points concernant la manière de se couvrir et de s'habiller, le respect par les hommes des heures de prière et la séparation des femmes du reste de la société. Les hommes au pouvoir connaissaient mal l'histoire de l'islam et de l'Afghanistan. Et ne s'y intéressaient pas non plus.

Assis dans la voiture entre ces taliban incultes, Sultan Khan s'irritait de voir son pays dirigé par des guerriers ou des mollahs. Quant à lui, il était musulman croyant mais modéré. Il priait Allah tous les matins, mais négligeait, la plupart du temps, les quatre autres appels à la prière, sauf quand la police religieuse l'entraînait à la mosquée la plus proche en compagnie d'autres hommes ramassés dans la rue. Il respectait à contrecœur le jeûne du ramadan, ne mangeant pas entre le lever et le coucher du soleil, en tout cas pas quand il était visible. Fidèle à ses deux épouses, il élevait durement ses enfants et leur apprenait à être de bons musulmans animés par la crainte de Dieu. Il n'avait que du mépris pour les taliban, qu'il considérait comme des prêtres paysans. Il est vrai que les dirigeants du mouvement islamiste venaient des régions les plus pauvres et les plus conservatrices du pays, où le taux d'alphabétisme était le plus faible.

C'est le ministère de la Promotion de la Vertu et de la Prévention du Vice, plus connu sous le nom de ministère des Bonnes Mœurs, qui était à l'origine de son arrestation. Pendant l'interrogatoire à la prison, Sultan Khan caressa sa barbe, longue d'une main, comme l'exigeaient les taliban, il réajusta son *shalwar kamiz*, lui aussi conforme aux normes – tunique au-dessous du genou, pantalon au-dessous de la cheville – et répondit avec orgueil :

— Vous pouvez brûler mes livres, vous pouvez me pourrir la vie, vous pouvez même me tuer, mais vous ne pourrez jamais anéantir l'histoire de l'Afghanistan.

Les livres étaient toute la vie de Sultan. Depuis l'école, la lecture et les histoires l'absorbaient complètement. Né dans une famille pauvre, il avait grandi dans les années cinquante à Deh Khudaïdad, dans les faubourgs de Kaboul. Ni sa mère ni son père ne savaient lire, mais ils avaient épargné pour financer sa scolarité, à lui, le fils aîné. Sa sœur née juste avant lui n'a jamais mis les pieds dans une école. Aujourd'hui, elle sait à peine deviner l'heure. De toute façon, on la destinait au mariage.

Sultan était promis à un destin de grand homme. Le premier obstacle fut le chemin de l'école, qu'il refusa d'emprunter faute de chaussures. Sa mère le chassa hors de la maison.

— Mais si, tu peux y aller, tu vas voir, dit-elle en lui donnant une tape sur le crâne.

Très vite il gagna de quoi s'offrir des chaussures ; pendant toute sa scolarité, il travailla à temps plein. Avant le début des cours et tous les après-midi, jusqu'au crépuscule, il fondait des briques pour rapporter de l'argent à sa famille. À ses parents, il disait gagner la moitié de ses revenus réels et mettait le reste de côté pour s'acheter des livres.

Il fit ses débuts de libraire dès l'adolescence. Il venait d'entamer une formation d'ingénieur, mais avait du mal à trouver les ouvrages nécessaires. Lors d'un voyage à Téhéran avec son oncle, il était tombé par hasard, dans un marché aux livres bien achalandé de la ville, sur tous les titres qu'il cherchait. Il en avait acheté plusieurs et les avait revendus à ses condisciples à Kaboul en doublant le prix. Le libraire était né et Sultan était sauvé.

En tant qu'ingénieur, Sultan participa seulement à deux chantiers dans Kaboul avant que sa passion de l'écrit ne le soustraie au monde de la construction. Les marchés aux livres de Téhéran le séduisaient plus que tout. Le villageois flânait parmi les livres de la métropole persane, vieux et neufs, anciens et modernes, et en découvrait dont il n'aurait jamais osé soupçonner l'existence. Il acheta des caisses entières de poésie persane, d'ouvrages d'art et d'histoire et, pour la bonne marche des affaires, ces bestsellers qu'étaient les manuels pour ingénieurs.

De retour à Kaboul, il ouvrit sa première petite librairie, entre les vendeurs d'épices et les échoppes à kébab du centre-ville. C'étaient les années soixante-dix, la société oscillait entre tradition et modernité. Zaher Shah, régent libéral quelque peu paresseux, régnait. Sa semi-tentative de modernisation du pays entraîna des critiques sévères de la part des religieux. Lorsqu'une dizaine de mollahs protestèrent contre l'apparition en public de femmes de la famille royale dévoilées, ils furent jetés en prison.

Le nombre d'universités et d'écoles augmenta

sensiblement dans le pays et avec lui apparurent les manifestations. Elles se heurtèrent à une forte répression et plusieurs étudiants furent tués. En dépit de l'absence d'élections libres, les partis et groupes politiques se multiplièrent, des extrémistes de gauche aux fondamentalistes religieux. Les groupes luttaient entre eux et le climat d'insécurité gagnait du terrain. Après trois ans sans pluie et une famine catastrophique en 1973, l'économie stagnait ; alors que Zaher Shah s'était rendu en Italie pour une visite médicale, le cousin du roi – Daoud – prit le pouvoir après un coup d'État et mit fin à la royauté.

Le régime du président Daoud était plus oppressif que celui de son cousin, mais la librairie de Sultan florissait. Il y vendait livres et revues des différents groupes politiques, des marxistes aux fondamentalistes. Chaque matin il se rendait à son échoppe de Kaboul à bicyclette et rentrait le soir chez ses parents, au village. Il ne connaissait d'autre problème que les incessantes jérémiades de sa mère, qui lui demandait de se marier et lui proposait inlassablement de nouvelles candidates, qui une cousine, qui une voisine. Sultan n'éprouvait pas encore le besoin de fonder une famille. Courtisant plusieurs jeunes femmes à la fois, il n'avait aucune hâte de se décider. Il voulait être libre de voyager et se rendit à Téhéran, Tachkent et Moscou. À Moscou, il avait une amie russe, Ludmilla.

Quelques mois avant l'invasion du pays par l'Union soviétique en décembre 1979, Sultan fit son premier faux pas. Nur Muhammad Taraki, communiste très dur, régnait à Kaboul. Le président Daoud et toute sa famille, jusqu'au plus petit bébé, avaient été assassinés lors d'un coup d'État. Les prisons étaient plus remplies que jamais, des dizaines de milliers d'opposants politiques arrêtés, torturés et exécutés.

Les communistes, désireux d'asseoir leur domination, tentèrent d'éliminer les groupes islamistes. Les moudjahidin – les guerriers saints – engagèrent alors une lutte armée contre le régime, lutte qui plus tard allait évoluer en une véritable guérilla contre l'Union soviétique.

Les moudjahidin abritaient une multitude d'idéologies et de courants. Les divers groupements publiaient des écrits soutenant le djihad – la lutte contre le régime mécréant – et l'islamisation du pays. Le pouvoir se durcit envers ceux qui pouvaient avoir partie liée avec eux et il était strictement interdit d'imprimer et de diffuser leurs écrits. Or Sultan vendait aussi bien les publications des moudjahidin que celles des communistes. Il avait en outre une manie de collectionneur et ne pouvait s'empêcher d'acheter quelques exemplaires de tous les textes qui passaient à sa portée pour les revendre ensuite un peu plus cher. Il cachait les textes les plus défendus sous le comptoir.

Très vite, il fut dénoncé. Un client avait été arrêté en possession de livres achetés chez lui. Lors d'une razzia, la police trouva plusieurs titres interdits. Le premier autodafé fut allumé. Sultan allait subir des interrogatoires difficiles, des coups et une condamnation à un an de prison. On le plaça dans la section des prisonniers politiques, où stylo, papier et livres étaient strictement prohibés. Des mois durant, il resta à fixer le mur. Il parvint finalement à soudoyer un gardien grâce à la nourriture qu'il recevait de sa mère et put ainsi se procurer de la lecture chaque semaine. Entre ces murs de pierre brute, l'intérêt de Sultan pour la culture et la littérature décupla, il se plongea dans la poésie persane et dans la dramatique histoire de son pays. À sa sortie, il était plus déterminé que jamais à se battre pour la diffusion du savoir sur la culture et l'histoire afghanes. Il continua de vendre des écrits défendus, émanant de la guérilla islamiste comme de l'opposition communiste du pays tournée vers la Chine, mais avec plus de précautions qu'auparavant.

Les autorités le gardaient à l'œil et, cinq ans plus tard, il fut de nouveau arrêté. Derrière les barreaux, une fois de plus, il eut tout loisir de méditer sur la poésie persane. Un nouveau chef d'accusation venait s'ajouter aux précédents : il était *petit bourgeois*[1], l'une des pires insultes de la terminologie communiste. Car il gagnait de l'argent selon le modèle capitaliste.

À l'époque, le régime communiste en Afghanistan, au beau milieu des souffrances de guerre, s'efforçait de supprimer la société tribale pour lui substituer le joyeux communisme. Les tentatives de collectivisation de l'agriculture allaient être très douloureuses pour la population. De nombreux paysans pauvres refusèrent les terres enlevées aux riches propriétaires, car c'était aller contre l'islam que de semer en sol volé. La campagne se souleva, les projets de société communistes étaient fort peu réussis. Peu à peu, les

---

1. En français dans le texte *(N.d.T.)*.

autorités renoncèrent, la guerre atteignit sa pleine vigueur. Au bout de dix ans, elle avait coûté la vie à un million et demi d'Afghans.

Lorsque le « capitaliste petit bourgeois » sortit de nouveau de prison, il avait trente-cinq ans. La guerre contre l'Union soviétique, qui se déroulait avant tout à la campagne, avait laissé Kaboul quasiment intacte. Les gens se préoccupaient de problèmes quotidiens. Cette fois, sa mère parvint à le convaincre de se marier. Elle trouva Sharifa, fille d'un général, une femme belle et vive. Ils se marièrent et eurent trois fils et une fille, un enfant tous les deux ans.

L'Union soviétique se retira de l'Afghanistan en 1989, tous espéraient qu'enfin la paix s'installerait. C'était compter sans les moudjahidin, qui refusèrent de rendre les armes, car le gouvernement de Kaboul était encore soutenu par l'Union soviétique. En mai 1992, les moudjahidin prirent Kaboul et la guerre civile éclata pleinement. L'appartement, que la famille avait acheté dans le complexe d'habitations soviétique de Microyan, se trouvait juste à côté du front. Les missiles s'abattaient sur les murs, les balles brisaient les vitres et les tanks roulaient sur la place devant l'immeuble. Lorsqu'ils eurent passé une semaine à se protéger, couchés contre le sol, Sultan profita d'une accalmie de quelques heures dans la pluie de grenades pour emmener sa famille au Pakistan.

Pendant son séjour là-bas, la librairie fut pillée, à l'instar de la bibliothèque nationale. Des livres de valeur furent vendus à des collectionneurs pour une bouchée de pain ou échangés contre des tanks, des balles et des grenades. Lorsqu'il revint du Pakistan pour voir son magasin, Sultan acheta lui aussi des exemplaires volés à la bibliothèque et fit ainsi de très bonnes affaires. Pour quelques dizaines de dollars, il acquit des écrits séculaires, notamment un manuscrit vieux de cinq cents ans, venant d'Ouzbékistan, pour lequel le gouvernement ouzbek devait lui proposer plus tard vingt-cinq mille dollars. Il se procura également l'édition personnelle du poète favori de Zaher Shah, le chef-d'œuvre épique de Ferdowsi, le *Shâh-nâmè*[1]. Pour un prix dérisoire, il acheta plusieurs ouvrages précieux à ces brigands incapables de déchiffrer le titre des œuvres.

Après quatre ans de bombardements, Kaboul n'était plus que ruines et avait perdu cinquante mille habitants. Le 27 septembre 1996, les Kaboulis se réveillèrent dans une ville où les combats s'étaient tus. La veille Ahmad Shah Massoud avait battu en retraite avec ses troupes dans la vallée du Panshir. Alors que pendant la guerre civile jusqu'à mille missiles s'abattaient chaque jour sur la capitale afghane, le silence complet y régnait à présent.

Devant le palais présidentiel, deux hommes étaient pendus à un panneau de signalisation. Le plus grand, couvert de sang de la tête aux pieds, avait été émasculé, ses doigts brisés, son torse et son visage roués de coups et une balle avait été logée dans son front. L'autre avait été fusillé et pendu et on avait rempli ses poches d'afghanis, la devise afghane, en signe de mépris. Il s'agissait de l'ancien président

---

1. En France, cette épopée nationale persane est aussi connue sous le nom *Le Livre des Rois (N.d.T.)*.

Muhammad Najibullah et de son frère. Najibullah était un homme haï. En tant que chef de la police secrète lors de l'invasion soviétique de l'Afghanistan, il aurait, pendant qu'il était au pouvoir, ordonné l'exécution de quatre-vingt mille ennemis du peuple. De 1986 à 1992, il avait été à la tête du pays, soutenu par les Russes. À l'arrivée des moudjahidin, avec Burhanuddin Rabbani à la présidence et Massoud à la défense, Najibullah avait été assigné à résidence dans les locaux des Nations unies.

Lorsque les taliban prirent les zones est de Kaboul et que le gouvernement moudjahed décida de fuir, Massoud proposa à son éminent prisonnier de l'accompagner. Craignant pour sa vie hors de la capitale, Najibullah choisit de rester auprès des gardiens du bâtiment de l'ONU. Il se figurait en outre qu'en tant que Pachtoune, il pourrait négocier avec les Pachtounes taliban. Le lendemain matin, tous les gardes avaient disparu. Les drapeaux blancs – couleur sacrée des taliban – flottaient au-dessus des mosquées.

Incrédules, les habitants de Kaboul se rassemblèrent autour du panneau de signalisation de la place Ariana. Ils regardaient les pendus et rentraient chez eux en silence. La guerre était terminée. Une autre allait commencer : la guerre contre les joies du peuple.

Les taliban mirent en place ordre et justice tout en lançant une offensive contre l'art et la culture afghans. Le régime brûla les livres de Sultan et se présenta au musée de Kaboul muni de haches, avec pour témoin son propre ministre de la Culture.

Lorsqu'ils arrivèrent, il ne subsistait pas grand-chose du musée. Tous les objets avaient été pillés pendant la guerre civile. Des poteries datant de la conquête du pays par Alexandre le Grand, des épées remontant aux combats contre Gengis Khan et ses hordes mongoles, des miniatures perses et des pièces d'or avaient disparu. La plupart sont aujourd'hui disséminées dans le monde entier chez des collectionneurs inconnus. Peu d'objets ont pu être sauvés avant que le saccage ne commence pour de bon.

Il restait toutefois d'énormes statues des rois et princes d'Afghanistan, ainsi que des bouddhas millénaires et des fresques. Animés du même esprit que lors de leur visite à la librairie de Sultan, les soldats firent leur travail. Sous le regard noyé de larmes des gardiens du musée, les taliban pulvérisèrent les vestiges de la collection. Ils manièrent leurs haches jusqu'à ce que ne subsistent que des socles dépouillés au milieu de tas de poussière de marbre et de morceaux d'argile. En une demi-journée, ils avaient anéanti les témoignages d'une histoire millénaire. Après le massacre, il ne restait plus qu'une citation ornementée du Coran sur une tablette de pierre, que le ministre de la Culture avait jugé préférable de laisser en paix.

Lorsque ces bourreaux de l'art quittèrent le bâtiment bombardé, qui était lui aussi à proximité du front pendant la guerre civile, les gardiens du musée restèrent parmi les débris. Ils les ramassèrent pieusement, les déposèrent dans des caisses et les étiquetèrent. Dans certains cas, on pouvait identifier ce qu'ils avaient représenté : la main d'une statue, la boucle de cheveux d'une autre. Ils entreposèrent ensuite les caisses au sous-sol, espérant qu'un jour les statues seraient restaurées.

Six mois avant la chute des taliban, les énormes bouddhas de Bamiyan furent, eux aussi, dynamités. Vieux de presque deux mille ans, ils constituaient le plus grand héritage culturel de l'Afghanistan. La dynamite était si puissante qu'elle ne laissa aucun fragment à recueillir.

C'est sous ce régime que Sultan Khan entreprit de sauver des pièces de la culture afghane. Après l'autodafé du rond-point, il obtint sa libération en versant des pots-de-vin et détruisit le jour même le scellé qui fermait sa librairie. Il pleura parmi les restes de ses trésors. Avec un feutre, il fit de grandes hachures et des gribouillis sur tous les êtres vivants représentés dans les livres qui avaient échappé à la vigilance des soldats. Cela valait mieux que de les voir brûlés. Il eut finalement une meilleure idée et colla ses cartes de visite sur les images. Ainsi, il les couvrait en permettant de les découvrir plus tard, tout en apposant sa signature sur l'ouvrage. Peut-être pourrait-il un jour ôter les cartes.

Mais le régime devint impitoyable. Au fil des années, la ligne puritaine – et l'objectif de suivre les règles du temps de Mahomet – allait être de plus en plus strictement suivie. Sultan, une fois encore, fut convoqué par le ministre de la Culture.

— Certaines personnes en veulent à ta peau et je ne peux pas te protéger, expliqua-t-il.

À ce moment-là, pendant l'été 2001, il se résolut à quitter le pays. Il fit une demande de visa pour le Canada pour lui-même, ses deux épouses, ses fils et sa fille. À l'époque, ses deux épouses et ses enfants vivaient au Pakistan et détestaient la condition de réfugiés, mais Sultan savait qu'il ne pourrait pas renoncer à ses livres. Il possédait à présent trois librairies à Kaboul, dans l'une travaillait son plus jeune frère, dans l'autre Mansur, son fils aîné, seize ans, et lui-même dans la troisième.

Seule une petite partie de ses ouvrages était présentée sur les étagères. La plupart, près de dix mille exemplaires, étaient cachés dans des greniers de la ville. Il ne pouvait laisser se perdre sa collection, fruit de trente ans de travail. Il ne pouvait laisser les taliban ou d'autres guerriers poursuivre plus avant leur destruction de l'âme de l'Afghanistan. De plus, il avait un plan secret, un rêve : quand les taliban ne seraient plus là et que l'Afghanistan serait doté d'un gouvernement de confiance, il s'était promis d'offrir ses livres à la maigre bibliothèque de la ville, où s'étaient autrefois alignés des centaines de milliers de titres. Ou peut-être ouvrirait-il sa propre bibliothèque, jouant lui-même le rôle du valeureux bibliothécaire.

Des menaces de mort pesant sur lui, Sultan Khan obtint les visas pour le Canada. Mais il n'allait jamais s'y rendre. Tandis que ses femmes préparaient le voyage et faisaient leurs valises, il trouvait toutes sortes d'excuses pour l'ajourner. Il attendait des livres, la librairie était menacée, un parent venait de mourir. Toujours quelque empêchement survenait.

Puis vint le 11 septembre. Lorsque les bombes se mirent à pleuvoir, Sultan rejoignit ses épouses au Pakistan. Il ordonna à Yunus, l'un de ses frères cadets célibataires, de rester pour s'occuper des boutiques.

Lors de la chute des taliban, deux mois après les attaques terroristes aux États-Unis, Sultan fut l'un des premiers à rentrer à Kaboul. Il put enfin remplir ses étagères de tous les livres qu'il désirait. Vendre aux étrangers comme curiosités des ouvrages d'histoire dont les illustrations étaient barbouillées au feutre et éliminer les cartes de visite collées sur les êtres vivants. Il put exposer les bras blancs de la reine Soraya et la poitrine couverte d'or du roi Amanullah.

Un matin, installé dans son magasin, un verre de thé fumant à la main, il regarda Kaboul s'éveiller à la vie. Tandis qu'il formait des projets pour réaliser son rêve, il songea à une citation de Ferdowsi, son poète préféré : « Pour réussir, il faut parfois être un loup, parfois un agneau. » Il était temps d'être loup.

Crime et châtiment

> *De toutes parts, les pierres sif-*
> *flaient contre les poteaux. La plupart*
> *atteignaient la cible. La femme ne*
> *criait pas, mais bientôt un hurlement*
> *s'éleva de la foule. Un homme solide*
> *avait trouvé une pierre particulière-*
> *ment belle, grosse et anguleuse, et la*
> *lança de toutes ses forces, après*
> *avoir visé avec précision son corps.*
> *Elle l'atteignit en plein ventre, avec*
> *une telle violence que le premier*
> *sang versé cet après-midi-là traversa*
> *sa burkha. C'est ce qui entraîna les*
> *vivats de la foule. Une autre pierre*
> *de même dimension la toucha à*
> *l'épaule. Elle fit jaillir du sang et des*
> *applaudissements.*
>
> James A. MICHENER, *Caravanes.*

Sharifa, l'épouse rejetée, bannie vit à Peshawar.
Elle sait que Sultan va arriver prochainement, mais
il ne prend jamais la peine de dire précisément quand
il quitte Kaboul, elle passe donc des journées
entières à l'attendre d'un instant à l'autre.

Elle prépare chaque repas comme si son mari allait venir. Un poulet particulièrement gras, les épinards qu'il aime tant, la sauce verte aux piments faite maison. Des vêtements propres, fraîchement repassés sont posés sur le lit. Le courrier est rangé avec soin dans une boîte.

Les heures passent. Elle emballe le poulet, les épinards pourront être réchauffés et la sauce aux piments est rangée dans le placard. Elle balaie le sol, nettoie les rideaux, essuie l'éternelle poussière. Elle s'assied, soupire, pleure un peu. Ce n'est pas lui qui lui manque, c'est la vie qu'elle avait autrefois, comme épouse d'un libraire à succès, respecté et courtois, comme mère de ses fils et de sa fille. Comme élue.

Il lui arrive de le détester parce qu'il a détruit son existence, il lui a enlevé ses enfants, il lui a fait honte à la face du monde entier.

Cela fait dix-huit ans que Sultan et Sharifa se sont mariés et deux ans qu'il a pris une seconde épouse. Sharifa vit comme une femme divorcée, mais sans sa liberté. Sultan continue de régir le moindre de ses pas. Il a décidé qu'elle resterait au Pakistan pour garder la maison où il conserve ses livres les plus précieux. Ici, il a un ordinateur, un téléphone, d'ici il peut envoyer des colis à ses clients, recevoir ses courriers électroniques, toutes choses impossibles à Kaboul, où poste, téléphone et services informatiques ne fonctionnent pas. Elle habite ici parce que c'est pratique pour Sultan.

Le divorce n'était pas une possibilité pour Sharifa. Si une femme demande le divorce, elle n'a quasiment aucun droit. Les enfants suivent leur père, qui peut même lui interdire de les voir. Elle jette l'opprobre sur sa famille, est souvent rejetée, et tous les biens reviennent au mari. Sharifa aurait alors dû s'installer chez l'un de ses frères.

Pendant la guerre civile, au début des années quatre-vingt-dix, et durant quelques années sous le régime des taliban, toute la famille Khan vivait à Peshawar, dans le quartier de Hayatabad, dont neuf habitants sur dix sont afghans. Mais l'un après l'autre, ils étaient rentrés à Kaboul, les frères, les sœurs, Sultan, Sonya, les fils, d'abord Mansur, seize ans, puis Aimal, douze ans et enfin Eqbal, quatorze ans. Seules Sharifa et sa fille cadette, Shabnam, étaient restées. Elles espèrent que Sultan les ramènera à Kaboul, auprès de leur famille et de leurs amis. Sultan le leur promet sans cesse, mais toujours quelque empêchement survient. La maison délabrée de Peshawar, qui devait être un abri provisoire contre les balles et les grenades d'Afghanistan, est devenue la geôle de Sharifa. Elle ne peut déménager sans la permission de son mari.

Lors de la première année suivant le second mariage de Sultan, Sharifa vivait avec le couple. Elle trouvait Sonya idiote et bonne à rien. Peut-être n'était-elle en fait pas fainéante, mais Sultan ne la laissait jamais remuer le petit doigt. Sharifa cuisinait, servait, lavait, faisait les lits. Au début, il arrivait à Sultan de s'enfermer avec Sonya dans la chambre à coucher pendant plusieurs jours consécutifs, commandant de temps à autre du thé ou de l'eau. De la pièce émanaient des chuchotements et des rires, parfois des bruits qui déchiraient le cœur de Sharifa.

Elle refoula sa jalousie et fit figure d'épouse modèle. Ses parentes et amies lui affirmaient qu'on aurait dû lui décerner le prix de la première épouse. Jamais on ne l'entendait se plaindre d'être mise à l'écart, se disputer avec Sonya ou la présenter sous un mauvais jour.

Les heures les plus torrides de la lune de miel passées, Sultan quitta la chambre conjugale pour retrouver ses affaires et les deux femmes restèrent à tourner l'une autour de l'autre. Sonya était occupée à se poudrer le nez et à essayer toutes ses nouvelles robes, tandis que Sharifa s'efforçait de jouer les mères poules adorables. Elle assumait les tâches les plus dures et enseigna petit à petit à Sonya comment préparer les plats favoris de Sultan, comment apprêter ses vêtements, à quelle température chauffer l'eau de ses ablutions et d'autres choses qu'une épouse doit savoir.

Mais la honte, la honte... S'il n'est certes pas inhabituel qu'un homme prenne une deuxième, voire une troisième épouse, cela n'en reste pas moins humiliant. L'épouse délaissée se voit, quoi qu'il en soit, apposer une étiquette signalant qu'elle ne fait plus l'affaire. Sharifa le ressentait tout particulièrement ainsi, dans la mesure où son mari témoignait une nette préférence pour la plus jeune.

Sharifa se devait d'expliquer pourquoi il s'était remarié. Elle devait inventer que ce n'était pas elle, Sharifa, qui ne faisait pas l'affaire, mais des circonstances extérieures qui l'avaient écartée. Elle racontait, à qui voulait l'entendre, qu'on l'avait opérée pour lui enlever un polype utérin et que le médecin avait expliqué que si elle voulait survivre, elle ne devait plus laisser son mari partager sa couche. Elle affirmait que c'était elle qui avait conseillé à Sultan de se remarier et qui avait choisi Sonya pour lui, et d'ajouter qu'après tout il était homme.

Aux yeux de Sharifa, cette maladie imaginaire était bien moins honteuse que d'avouer que c'était elle, la mère de ses enfants, qui n'était plus assez bien pour lui. C'était presque sur recommandation médicale qu'il s'était remarié. Quand elle souhaitait vraiment en rajouter, elle racontait les yeux brillants qu'elle aimait Sonya comme sa propre sœur et Latifa, son bébé, comme sa propre fille.

À la différence de Sultan, la plupart des hommes polygames maintiennent, pendant des décennies, un équilibre parfait dans l'usage de leurs femmes : une nuit chez l'une, une nuit chez l'autre. Elles donnent souvent naissance à leurs enfants en même temps et ils grandissent comme frères et sœurs. Chaque mère veille jalousement à ce que ses petits reçoivent autant d'attention, de vêtements et de cadeaux que ceux de l'autre épouse. Il n'est pas rare qu'elles éprouvent une véritable haine réciproque et ne s'adressent jamais la parole. D'autres acceptent que leur mari ait plusieurs épouses car c'est son droit et finissent même parfois par devenir bonnes amies. La rivale entre souvent dans la vie de seconde épouse contre son gré, parce que ses parents avaient arrangé le mariage. Peu de jeunes filles rêvent de devenir ainsi femme d'un homme âgé : tandis que la première a bénéficié de ses années de jeunesse, elle n'hérite que de sa vieillesse. Dans certains cas,

aucune ne voulait en réalité de lui et elles se félici-
tent de ne pas l'avoir sur leur couche tous les soirs.

Les beaux yeux marron de Sharifa errent dans le
vide, ceux-là même dont Sultan avait décrété un jour
qu'ils étaient les plus beaux de Kaboul. À présent,
encadrés par des paupières lourdes et des ridules, ils
ont perdu leur éclat. La peau pâle de Sharifa s'est
chargée de taches de pigmentation qu'elle camoufle
discrètement sous du maquillage. Elle a toujours
compensé ses courtes jambes par la blancheur de sa
peau. Chez les Afghanes, grande taille et pâleur du
teint sont des critères essentiels de distinction. Préserver sa jeunesse est une lutte de tous les instants
et elle cache qu'elle a en réalité quelques années de
plus que son mari. Elle tient ses cheveux gris en
échec grâce à des teintures qu'elle s'applique elle-
même, mais ne parvient pas à effacer la tristesse de
son visage.

Elle traverse la pièce d'un pas lourd. Le départ
pour Kaboul de son mari et de leurs trois fils l'a
laissée un peu désœuvrée. Les tapis sont déjà
brossés, le repas est prêt. Elle allume la télévision et
regarde un film américain violent, un film d'aven-
tures où des héros beaux et forts se battent contre
des dragons, des monstres et des squelettes et finissent par l'emporter sur les créatures du mal. Sharifa
est attentive, malgré les dialogues en anglais, langue
qu'elle ne comprend pas. À la fin du film, elle téléphone à sa belle-sœur, puis se lève et va regarder
par la fenêtre. Du premier étage, elle a une vue parfaite sur tout ce qui se passe dans les arrière-cours,
qui sont entourées de murs en briques à hauteur

d'homme. À l'instar de la sienne, elles sont pleines de linge qui sèche.

De toute façon, à Hayatabad, nul besoin de voir pour savoir. Les yeux fermés, dans son propre salon, on sait que le voisin écoute, extrêmement fort, de la pop pakistanaise, que des enfants hurlent tandis que d'autres jouent, qu'une mère en houspille un, qu'une femme bat un tapis, qu'une autre fait sa lessive au soleil ou hache de l'ail, que le plat de la voisine est en train de brûler. Ce que les bruits et les odeurs taisent, les rumeurs le racontent. Elles se répandent comme des traînées de poudre dans ce quartier où chacun se fait gardien de la moralité des autres.

Sharifa partage ce vieil immeuble en dur délabré et sa minuscule arrière-cour cimentée avec trois familles. Sultan n'arrivant pas, elle descend rejoindre ses voisines. En bas sont rassemblées toutes les femmes de la maison ainsi que quelques autres, triées sur le volet, qui viennent d'alentour. Tous les jeudis après-midi, elles se rassemblent pour le *nazar*, une célébration religieuse. Pour cancaner et prier.

Elles resserrent leurs foulards autour de leurs têtes, étendent leurs tapis de prière en direction de La Mecque, s'inclinent, prient, se redressent, prient, s'inclinent de nouveau, quatre fois au total. Elles adressent leur appel à Dieu en silence, seules leurs lèvres remuent. Au fur et à mesure que les tapis de prière se libèrent, d'autres prennent le relais.

Au nom de Dieu, le Clément, le Miséricordieux
Louange à Dieu, Seigneur des Mondes

Le Clément, le Miséricordieux
Maître du jour du Jugement
C'est toi que nous adorons, Toi seul dont nous
implorons le secours
Guide-nous dans le droit chemin
Chemin de ceux que Tu as comblés de bienfaits,
non de ceux que Tu réprouves ni des égarés.

À la prière chuchotée à peine terminée succède le papotage de voix fortes. Les femmes s'installent sur des coussins le long du mur. La toile cirée sur le sol est couverte de tasses et de coupelles. On apporte du thé à la cardamome fraîchement infusé, une sorte d'entremets sec à base de miettes de biscuits et de sucre. Toutes tiennent leurs mains devant leur visage et prient une fois de plus, dans un chœur chuchotant autour du plat : *la ilaha illa Allah Mohammadour rasoulou Allah* – Il n'y a de divinité que Dieu et Mahomet est son prophète.

Après la prière, elles se passent les mains sur le visage. Du nez vers le front, en remontant et en redescendant sur les joues, en passant contre le menton, avant de les mettre devant leur bouche, comme si elles mangeaient la prière. De mères en filles, elles ont appris que ce pour quoi l'on prie lors du *nazar* est exaucé si on le mérite. Ces prières vont droit à Allah, qui décide s'il les exaucera ou non. Sharifa prie pour que Sultan les ramène, elle et Shabnam, à Kaboul, pour qu'elle puisse avoir ses enfants autour d'elle.

Quand toutes ont prié Dieu de réaliser leurs rêves, le véritable rituel du jeudi peut commencer : manger un entremets, boire du thé à la cardamome et échanger les dernières nouvelles. Sharifa dit quelques mots sur l'arrivée imminente de Sultan, mais personne ne l'écoute. Il est bien loin le temps où le drame du couple à trois faisait les gorges chaudes de la rue 103 de Hayatabad. À présent, c'est Saliqa, seize ans, qui est au firmament du cancan. Enfermée dans une petite pièce, suite à un crime impardonnable commis deux jours auparavant, elle est couchée, le visage couvert d'hématomes, le dos strié de boursouflures rouges.

Les yeux écarquillés, les femmes qui ne connaissent pas encore tous les détails de cette histoire écoutent. L'origine du crime de Saliqa remonte à six mois, lorsque, un après-midi, Shabnam, la fille de Sharifa, est venue l'air secret lui apporter un billet.

— J'ai promis de ne pas dire de qui il vient, mais c'est de la part d'un garçon, a-t-elle expliqué, enthousiaste et excitée par cette mission. Il n'ose pas se montrer, mais je sais qui c'est.

Shabnam apportait sans cesse de nouveaux messages de ce garçon, couverts de cœurs transpercés de flèches, où était écrit « I love you » d'une écriture masculine anguleuse, des messages qui célébraient sa beauté. Saliqa se mit à voir leur mystérieux auteur en chaque garçon qu'elle rencontrait. Elle soignait sa mise, veillait à la brillance et à l'éclat de ses cheveux et maudissait le long voile que son oncle l'obligeait à porter.

Un jour, le billet indique qu'il se tiendra près d'un poteau non loin de chez elle à 16 heures et qu'il portera un pull rouge. Lorsqu'elle quitte son domicile, Saliqa frémit. Elle s'est particulièrement apprêtée et porte une tenue en velours bleu pâle et les bijoux qu'elle adore, bracelets dorés et lourdes chaînes. Elle marche avec son amie et ose à peine passer devant ce grand et svelte garçon en pull rouge. Le visage détourné, il ne les regarde pas.

Puis c'est elle qui prend l'initiative des billets. « Demain, il faut que tu te retournes », écrit-elle avant de donner la missive à Shabnam, coursier enthousiaste et consciencieux. Mais cette fois encore, il ne se retourne pas. La troisième fois, il se retourne brièvement. Saliqa sent son cœur plonger dans son estomac, elle poursuit mécaniquement sa route. Le suspense s'est mué en obsession amoureuse. Ce n'est pas qu'il soit particulièrement beau, mais c'est lui l'auteur de ces lignes. De nombreux mois durant, ils échangent messages et regards dérobés.

Au fait qu'elle ait reçu des billets d'un garçon et, Dieu l'en préserve, lui ait répondu, succèdent rapidement d'autres crimes. Le deuxième est qu'elle tombe amoureuse de quelqu'un que ses parents n'ont pas choisi. Elle sait pourtant qu'il ne leur plaira pas. Sans formation, sans argent, il est en outre issu d'une mauvaise famille. À Hayatabad, c'est la volonté des parents qui prévaut. Lorsque la sœur de Saliqa s'est mariée, c'était après cinq ans de lutte contre son père. Elle était tombée amoureuse d'un autre que celui choisi par ses parents et refusait de renoncer à lui. La lutte s'est achevée lorsque les deux amoureux ont chacun avalé un flacon de médicaments et ont subi un lavage d'estomac à l'hôpital. C'est à ce moment seulement que les parents ont cédé.

Un jour, le hasard réunit Saliqa et Nadim. Sa mère part passer la fin de semaine chez des parents à Islamabad et son oncle doit s'absenter toute la journée, seule sa femme reste à la maison. Saliqa lui raconte qu'elle va rendre visite à une amie.

— Tu as le droit ? vérifie sa tante.

C'est l'oncle qui assume le rôle de chef de famille pendant que le père de Saliqa vit dans un foyer de réfugiés en Belgique, où il attend son permis de séjour pour pouvoir travailler et envoyer de l'argent aux siens voire, mieux encore, les faire tous venir.

— Maman m'a dit que je pourrais y aller quand j'aurais terminé les tâches ménagères, ment Saliqa.

Elle ne se rend pas chez son amie, mais va retrouver Nadim, en tête-à-tête.

— Nous ne pouvons pas parler ici, dit-elle dans un souffle lorsqu'ils se rencontrent soi-disant par hasard à un coin de rue.

Il hèle un taxi et la pousse dedans. Saliqa ne s'est jamais trouvée avec un garçon inconnu dans un taxi et sa gorge se noue. Ils s'arrêtent près d'un parc, l'un des parcs mixtes de Peshawar.

Pendant à peine une demi-heure, ils restent à bavarder sur un banc. Nadim élabore de grands projets d'avenir, il achètera un magasin ou deviendra marchand de tapis. Saliqa, elle, est terrifiée à l'idée que quelqu'un ne les voie. Pas même une heure après avoir quitté la maison, elle est de retour. Mais déjà c'est le branle-bas général, car Shabnam a vu Nadim l'emmener dans un taxi et l'a rapporté à Sharifa, qui à son tour en a informé la femme de l'oncle.

Lorsque Saliqa rentre, elle est accueillie d'un grand coup sur la bouche. Sa tante l'enferme dans une chambre avant de téléphoner à sa mère à Islamabad. L'oncle revenu, toute la famille se rend dans la chambre et exige qu'elle raconte ce qu'elle a fait. L'oncle tremble de colère à l'évocation du taxi, du parc et du banc. Il trouve un vieux câble et la frappe sur le dos, la frappe encore tandis que sa tante la tient. Il la gifle jusqu'à ce que le sang coule de son nez et de sa bouche.

— Qu'est-ce que vous avez fait ? Qu'est-ce que vous avez fait ? Espèce de putain ! crie-t-il. Tu es une honte pour la famille ! Une souillure. Une branche malade !

Sa voix retentit dans l'immeuble et entre par les fenêtres ouvertes des voisins. Peu après, tous sont informés du crime de Saliqa. Le crime dont elle est punie aujourd'hui, enfermée à prier Allah que Nadim la demande en mariage, que ses parents l'y autorisent, que Nadim obtienne un emploi dans un magasin de tapis, qu'ils puissent s'installer ensemble.

— Si elle est capable de prendre le taxi avec un garçon, elle est certainement capable d'autres choses, remarque Nasrin, une amie de la tante, en lançant un regard dédaigneux à la mère de Saliqa.

Nasrin mange son entremets à pleines cuillerées en attendant une réaction à ses propos.

— Elle est juste allée au parc, il n'avait pas besoin de la frapper si fort, objecte Shirin, qui est médecin.

— Si nous ne l'avions pas arrêté, Saliqa aurait fini à l'hôpital, ajoute Sharifa. Elle a passé toute la nuit dans la cour à prier, jusqu'à l'appel à la prière du matin, poursuit-elle, son insomnie lui ayant permis de voir la malheureuse jeune fille.

Les femmes soupirent, l'une d'elles murmure une prière. Elles s'accordent toutes à dire que Saliqa a commis une erreur en rencontrant Nadim dans le parc, mais les opinions divergent lorsqu'il s'agit de déterminer si c'était là une désobéissance ou un grand crime.

— Quelle honte, quelle honte ! se plaint la mère de Saliqa. Comment ai-je pu avoir une fille pareille ?

Les femmes discutent de ce qu'il faut faire. S'il la demande en mariage, la honte pourra être oubliée, mais la mère de Saliqa ne veut pas de lui comme gendre. Il vient d'une famille pauvre, n'a jamais fait d'études et passe la majeure partie de son temps à errer dans les rues. Il n'a eu qu'un emploi dans une fabrique de tapis et il l'a perdu. Si Saliqa l'épouse, il faudra qu'elle s'installe chez ses parents, car ils n'auront jamais les moyens de s'installer tous les deux.

— Sa mère est une mauvaise mère de famille, affirme l'une des femmes. Leur maison est sale et délabrée. Elle est paresseuse et elle va où bon lui semble.

Une femme âgée se souvient aussi de la grand-mère de Nadim.

— Quand ils vivaient à Kaboul, ils recevaient n'importe qui, raconte-t-elle avant de préciser sur le ton de la confidence. Il y avait même des hommes qui venaient quand elle était toute seule. Et ce n'étaient pas des parents.

— Avec tout le respect que je te dois, dit une

femme en s'adressant à la mère de Saliqa, il me faut admettre que j'ai toujours pensé que Saliqa était une coquette, toujours fardée, toujours bien habillée. Tu aurais dû voir sur elle qu'elle avait des pensées impures.

L'espace d'un instant, toutes se taisent, comme si elles étaient d'accord sans vouloir le montrer, par compassion pour la mère de Saliqa. L'une d'elles s'essuie la bouche, il est temps de songer au dîner. Les autres se lèvent, une par une. Sharifa monte l'escalier jusqu'à son trois pièces. Elle passe devant la chambre où est séquestrée Saliqa, elle y restera jusqu'à ce que sa famille ait décidé de son châtiment.

Sharifa soupire. Elle pense au châtiment de sa belle-sœur.

Jamila était de très bonne famille, riche, irréprochable et belle comme une fleur. Le frère de Sharifa avait amassé un pécule au Canada et pouvait donc s'offrir cette beauté de dix-huit ans. Le mariage avait été exceptionnel, cinq cents invités, des mets fastueux, une mariée splendide. Jamila n'avait jamais rencontré le frère de Sharifa avant le jour des noces, tout avait été organisé par les parents. Le marié, homme d'une quarantaine d'années grand et svelte, était venu directement du Canada pour se marier à l'afghane. Ils passèrent deux semaines ensemble, puis il repartit pour s'occuper du visa de Jamila, afin qu'elle puisse le rejoindre. En attendant, elle vivait chez les deux frères de Sharifa et leurs femmes. Mais le délai d'obtention du visa fut plus long que prévu.

Au bout de trois mois, ils la prirent en flagrant

délit. La police les avait prévenus qu'un homme s'était glissé dans sa chambre par la fenêtre. Ils ne l'attrapèrent jamais, mais les frères de Sharifa trouvèrent son téléphone portable dans la chambre de Jamila, preuve de leur relation. La famille de Sharifa annula immédiatement le mariage et renvoya Jamila chez ses parents. Elle fut enfermée dans une pièce tandis que se tenait un conseil de famille qui allait durer deux jours.

Trois jours après, le frère de Jamila vint raconter à Sharifa que sa sœur était morte, à cause d'un court-circuit dans un ventilateur. Le lendemain, on l'enterrait. Nombreuses fleurs, nombreux visages graves. La mère et les sœurs étaient inconsolables. Tous regrettaient la brièveté de la vie de Jamila.

— Comme le mariage, disaient les gens, un enterrement magnifique.

L'honneur de la famille était sauvé.

Sharifa avait une cassette vidéo du mariage, mais le frère de Jamila vint l'emprunter. Il n'allait jamais la lui rendre, rien ne devait témoigner du fait qu'un jour un mariage avait été célébré. Sharifa conserve cependant les rares photographies qu'elle possède. Les mariés ont l'air figé et grave lorsqu'ils découpent le gâteau. Impassible, Jamila est exquise dans sa robe et son voile blancs comme l'innocence, la chevelure noire et la bouche rouge. Sharifa soupire. Jamila certes avait commis un grand crime, mais par bêtise plus que parce qu'elle était mauvaise.

— Elle ne méritait pas de mourir. Mais Allah règne, marmonne-t-elle avant de chuchoter une prière.

Il est cependant une chose qu'elle ne peut

comprendre, les deux jours de conseil de famille, lorsque la mère de Jamila, sa propre mère, a accepté qu'on la tue. C'est elle, qui finalement a envoyé ses fils assassiner sa fille. Ensemble, dans la chambre de leur sœur, ils ont posé un oreiller sur son visage, ensemble, ils ont appuyé, fort, plus fort, jusqu'à ce qu'elle s'éteigne.

Avant de retourner auprès de leur mère.

Le suicide et le chant

Le désir d'amour d'une femme est tabou en Afghanistan. Il est interdit aussi bien par le strict code de l'honneur des clans que par les mollahs. Les jeunes gens ne peuvent prétendre à aucun droit de se rencontrer, de s'aimer, de choisir. L'amour a peu à voir avec la romance, qui bien au contraire peut constituer un crime grave, puni de mort. Les indisciplinés sont assassinés de sang-froid. Quand un seul des deux subit la peine de mort, c'est toujours, sans exception, la femme.

Les jeunes femmes sont avant tout un objet d'échange ou de vente. Le mariage est un contrat conclu entre les familles ou au sein des familles. Son utilité pour le clan est un facteur décisif – les sentiments entrent rarement en ligne de compte. Depuis des siècles, les femmes afghanes doivent composer avec l'injustice dont elles sont victimes. Il existe cependant des témoignages de femmes sous forme de chants et de poésies. Il s'agit de chansons qui ne sont pas censées être entendues et leur écho se limite aux montagnes ou au désert.

Elles protestent par « le suicide ou le chant », écrit le poète afghan Sayd Bahodine Majrouh dans un livre sur la poésie des femmes pachtounes[1]. Avec l'aide de sa belle-sœur, il a rassemblé ces poèmes. Majrouh a été assassiné par des fondamentalistes à Peshawar en 1988. Ces poèmes et comptines appartiennent à la tradition populaire et sont transmis près du puits, en route pour le champ, au four. Ils évoquent les amours interdites, où l'amant, sans exception, est un autre que le mari, et la haine envers ce mari souvent beaucoup plus âgé. Ils expriment aussi la fierté d'être femmes et le courage dont elles font preuve. Ces poèmes sont appelés *landays*, ce qui signifie « le bref ». Limités à quelques vers, courts et rythmés, comme « un cri, une fureur, un coup de dague », écrit Majrouh.

Gens cruels, vous voyez qu'un vieillard
m'entraîne vers sa couche
Et demandez pourquoi je pleure et m'arrache
les cheveux !

Ô mon Dieu ! tu m'envoies de nouveau la nuit
sombre
Et de nouveau je tremble de la tête aux pieds,
car je dois monter dans le lit que je hais.

---

1. *Le Suicide et le Chant, Poésie populaire des femmes pachtounes*, de Sayd Bahodine Majrouh, traduit du pachtou, adapté et présenté par André Velter et l'auteur. Collection « Connaissance de l'Orient », Gallimard. Tous les poèmes cités ici sont extraits de ce livre et de *Femmes d'Afghanistan*, d'Isabelle Delloye, Phébus, à partir desquels l'auteur a effectué ses traductions norvégiennes *(N.d.T.)*.

Cependant, les femmes, dans ces poèmes, savent aussi être révoltées, elles risquent leur vie par amour, dans une société où la passion est interdite et le châtiment impitoyable.

Donne ta main mon amour et partons dans les champs
Pour nous aimer ou tomber ensemble sous les coups de couteaux.

Je saute dans la rivière, les flots ne m'emportent pas
Le « petit affreux » a de la chance, toujours je suis rejetée sur le rivage.

Demain matin on me tuera à cause de toi.
De ton côté ne va pas dire que tu ne m'aimais pas.

La plupart de ces cris évoquent la déception et une existence non vécue. Une femme prie Dieu que dans sa prochaine vie elle soit pierre plutôt que femme. Pas un de ces poèmes n'aborde le thème de l'espoir. Au contraire, le désespoir règne. Le fait que ces femmes n'ont pas assez vécu, qu'elles n'ont pas obtenu assez de leur beauté, de leur jeunesse, qu'elles n'ont pas suffisamment connu les joies de l'amour.

J'étais plus belle qu'une rose.
Dans ton amour, je suis devenue jaune comme l'orange.

Avant je ne connaissais pas la souffrance ;
C'est pourquoi je poussais droite comme un
sapin.

Ces poèmes sont aussi très suaves. Avec une
« brutale sincérité », la femme glorifie « son corps,
l'amour charnel et le fruit défendu » – comme si elle
souhaitait choquer les hommes, « les provoquer dans
leur virilité ».

Pose ta bouche sur la mienne
Mais laisse libre ma langue pour te parler
d'amour.

Prends-moi d'abord en tes bras, serre-moi,
Après seulement tu pourras te lier à mes cuisses
de velours.

Ma bouche est à toi, dévore-la, ne crains rien.
Elle n'est pas d'un sucre qui risque de se dis-
soudre.

Volontiers je te donnerai ma bouche,
Mais pourquoi remuer ma cruche ? Me voilà toute
mouillée.

À l'instant tu serais tas de cendres
Si je jetais sur toi mon regard enivré.

Le voyage d'affaires

Le jour est encore frileux. Le soleil darde ses premiers rayons sur la montagne. Dans ce paysage couleur de poussière, d'un brun tirant sur le gris, les pentes escarpées ne sont que pierre, des rochers qui menacent à chaque instant de dégringoler en éboulements dévastateurs aux gravillons et morceaux d'argile qui crissent sous les sabots des chevaux. Émergeant entre les pierres, les chardons viennent écorcher les jambes des contrebandiers, des réfugiés et des guerriers en fuite. Un entrelacs de sentiers part se perdre derrière des cailloux et des amas pierreux.

C'est la route de la contrebande entre l'Afghanistan et le Pakistan. Contrebande de tout et n'importe quoi, des armes, de l'opium aux cigarettes en passant par les boîtes de Coca. Ces sentiers sont pratiqués depuis des siècles. Il s'agit de ceux que les taliban et les guerriers arabes d'Al-Qaida ont empruntés lorsqu'ils ont compris que le combat pour l'Afghanistan était perdu et qu'ils se sont repliés dans les provinces tribales du Pakistan. Ce sont les sentiers qu'ils empruntent lorsqu'ils reviennent combattre les soldats américains – ces mécréants qui occupent une terre sainte musulmane. Dans les bandes frontalières, ni les autorités afghanes ni les pakistanaises ne contrôlent quoi que ce soit. Des tribus pachtounes surveillent chacune leur zone des deux côtés de la frontière. Ce vide juridique, aussi absurde que cela puisse paraître, est ancré dans le droit pakistanais. Au Pakistan, les autorités peuvent opérer sur les routes asphaltées et dans une limite de vingt mètres de chaque côté de la route. Passés ces vingt mètres, c'est la loi des tribus qui prévaut.

Ce matin-là, le libraire Sultan Khan passe devant les gardes-frontières. À moins de cent mètres se tient la police pakistanaise. Tant que les hommes, les chevaux et les ânes lourdement bâtés se tiennent à distance suffisante de la route, il n'est rien qu'elle puisse entreprendre.

En revanche, si les autorités ne peuvent pas contrôler ce flux, de nombreux voyageurs sont arrêtés et « soumis à une imposition » par des hommes armés, souvent de simples villageois. Sultan a pris ses précautions. Sonya a cousu son argent dans les manches de sa chemise, ses biens sont placés dans un sac à sucre sale. Il porte son *shalwar kamiz* le plus vieux.

Comme à la plupart des Afghans, la frontière pakistanaise est fermée à Sultan. Qu'il ait une famille, une maison et des affaires dans le pays, que sa fille y soit scolarisée ne change rien – il n'est pas le bienvenu. Cédant à la pression de la communauté internationale, le Pakistan a fermé ses frontières, afin d'éviter que terroristes et partisans des taliban ne viennent se cacher dans le pays. Mesure vaine, car terroristes et soldats n'ont quoi qu'il en soit pas coutume de se présenter aux postes de douane leur passeport à la main. Ils empruntent les mêmes sentiers que Sultan quand il part en voyage d'affaires. Ainsi, des milliers de personnes arrivent chaque jour d'Afghanistan au Pakistan.

Les chevaux peinent à gravir la montagne. Sultan, grand et large, monte son cheval à cru. Même avec ses vêtements les plus vieux, il a l'air bien habillé, comme toujours sa barbe est fraîchement taillée, son petit fez bien calé sur sa tête. Même quand, terrifié, il s'accroche aux rênes, il a l'allure d'un homme distingué venu se promener dans la montagne pour admirer la vue. Mais son assise est instable, un faux pas et c'est la chute dans le précipice. De son côté, le cheval marche d'un pas tranquille sur ces chemins familiers, indifférent à l'homme qu'il porte sur son dos. Sultan a entortillé son précieux sac à sucre autour de sa main. Il contient des livres dont il souhaite faire des éditions pirates pour sa librairie et l'ébauche de ce qu'il espère devenir le contrat de sa vie.

Derrière lui marchent d'autres Afghans qui veulent entrer dans le pays fermé. Des femmes montant en amazone, en route pour rendre visite à des parents, des étudiants qui s'en retournent à l'université de Peshawar après avoir fêté la cérémonie religieuse de l'aïd dans leur famille, peut-être aussi quelques hommes d'affaires. Sultan ne pose pas de questions. Il pense à son contrat, se concentre sur les rênes et maudit les autorités pakistanaises. D'abord un jour de voiture de Kaboul à la frontière, ensuite une nuit dans une halte immonde à la frontière, puis une journée entière à cheval, à pied et en pick-up. En suivant la route principale, le trajet de la frontière à Peshawar ne prend qu'une heure. Sultan trouve dégradant d'être obligé d'entrer en fraude au Pakistan, d'être traité comme un sous-homme. Il estime qu'après tout ce que les Pakistanais ont fait pour le régime taleb – appui financier, armes, soutien politique – il relève de l'hypocrisie de soudain se faire les laquais des États-Unis et de fermer les frontières aux Afghans.

Hormis l'Arabie saoudite et les Émirats arabes unis, le Pakistan est le seul pays à avoir officiellement reconnu le régime taleb. Les autorités pakistanaises souhaitaient que les Pachtounes gardent le contrôle de l'Afghanistan parce que c'est une ethnie que l'on trouve des deux côtés de la frontière et sur laquelle le Pakistan a une réelle influence. Les taliban, presque tous des Pachtounes, forment l'ethnie la plus importante d'Afghanistan et représentent environ quarante pour cent de la population. Plus au nord, les Tadjiks sont majoritaires. Environ un Afghan sur quatre est tadjik. L'Alliance du Nord, qui a amèrement lutté contre les taliban et a reçu le soutien des Américains après le 11 septembre, était composée avant tout de Tadjiks, ethnie dont les Pakistanais se méfient. Depuis la chute des taliban, les Tadjiks ont obtenu beaucoup de pouvoir au sein du gouvernement, de nombreux Pakistanais estiment donc qu'ils sont entourés d'ennemis, l'Inde à l'est et l'Afghanistan à l'ouest.

Cependant, chez la plupart des Afghans, les haines ethniques sont rares. Les conflits naissent plutôt de luttes de pouvoir entre les différents seigneurs de guerre qui parviennent à faire combattre leur groupe ethnique contre un autre. Les Tadjiks craignent que les Pachtounes n'acquièrent trop de pouvoir et ne les massacrent en cas de nouvelle guerre. Les Pachtounes ont peur des Tadjiks pour les mêmes raisons. Au nord du pays, les relations entre Ouzbeks et Hazaras sont similaires. Par ailleurs, les combats entre seigneurs de guerre d'une même ethnie sont fréquents.

Sultan se préoccupe peu du sang qui coule dans ses veines et dans celles des autres. Avec une mère pachtoune et un père tadjik, il est, comme beaucoup d'Afghans, un bon mélange. D'un point de vue administratif, il est tadjik, car l'appartenance ethnique se transmet par le père. Il parle les langues des deux groupes, le pachtou et le dari – dialecte persan parlé par les Tadjiks. Pour Sultan, il est temps que les Afghans laissent les guerres derrière eux et s'unissent pour reconstruire le pays. Il rêve que l'Afghanistan parvienne à regagner le terrain perdu par rapport à ses voisins, mais les espoirs semblent minces. Sultan est déçu par ses compatriotes. Alors qu'il travaille d'arrache-pied pour développer son entreprise, il s'afflige de ceux qui dépensent toutes leurs économies pour aller à La Mecque.

Quelques jours avant son départ pour le Pakistan, il a eu une conversation avec son cousin Wahid, propriétaire d'un petit magasin de pièces détachées d'automobiles qu'il parvient à grand-peine à faire tourner. Passé le voir à la librairie, Wahid lui a raconté qu'il avait enfin économisé suffisamment d'argent pour prendre l'avion pour La Mecque.

— Tu crois que ça va t'aider de prier ? lui a demandé Sultan d'un ton moqueur. Dans le Coran, il est écrit que nous devons travailler, que nous devons résoudre nos problèmes nous-mêmes, que nous devons transpirer, nous donner de la peine. Mais nous, les Afghans, nous sommes paresseux, nous préférons demander de l'aide, à l'Occident ou à Allah.

— Mais dans le Coran, il est aussi écrit que nous devons louer Dieu, a rétorqué Wahid.

— Le prophète Mahomet aurait pleuré s'il avait entendu tous ces appels, tous ces cris et toutes ces prières en son nom. Si l'on veut remettre le pays sur pied, cela ne changera rien de se taper la tête contre le sol. Tout ce que nous savons faire, c'est invoquer, prier et faire la guerre. Mais les prières ne valent rien si les gens ne travaillent pas. Nous ne pouvons pas attendre la grâce de Dieu ! a crié Sultan, emporté par son propre flot de paroles. Nous recherchons à l'aveugle un homme saint alors que ce qui peut nous aider c'est un soufflet de forge !

Il savait qu'il avait provoqué son cousin, mais pour Sultan le travail est ce qu'il y a de plus important. C'est ce qu'il essaie d'inculquer à ses enfants, c'est le principe directeur de sa vie. C'est la raison pour laquelle il a retiré ses fils de l'école et les a fait travailler dans ses magasins, pour qu'ils l'aident à bâtir un empire.

— Mais aller à La Mecque est l'un des cinq piliers de l'islam, a objecté son cousin. Pour être un bon musulman, il faut reconnaître Dieu, prier, jeûner, faire l'aumône et aller à La Mecque.

— Il se peut que nous allions tous à La Mecque, a conclu Sultan. Mais il faudrait alors que nous le méritions, il faudrait que nous y allions pour remercier, pas pour demander.

À présent, Wahid doit être en route pour La Mecque, avec ses gants blancs de pèlerin, songe Sultan. Il ricane et essuie la sueur sur son front. Le soleil est au sommet de sa course. Enfin le sentier se met à descendre. Sur un chemin à bestiaux dans une petite vallée attendent plusieurs pick-up. Les taxis de la Khyber Pass. Leurs propriétaires gagnent bien leur vie en conduisant les indésirables dans le pays.

Autrefois, passait ici une route de la soie, route du commerce entre les grandes civilisations de l'époque, la Chine et Rome. La soie était acheminée vers l'ouest tandis que l'or, l'argent et la laine étaient transportés vers l'est.

Pendant plus de mille ans, la Khyber Pass a été forcée par des indésirables. Perses, Grecs, Moghols, Mongols, Afghans et Britanniques ont essayé de conquérir l'Inde en y faisant passer leurs troupes. Au VIᵉ siècle avant Jésus-Christ, Darius, roi des Perses, conquérait une grande partie de l'Afghanistan et poursuivait par la Khyber Pass jusqu'au fleuve Indus. Deux cents ans plus tard, les généraux d'Alexandre le Grand conduisaient leurs troupes par la Khyber Pass, qui là où elle est la plus étroite ne laisse guère passer plus d'un chameau lourdement bâté ou deux chevaux côte à côte. Gengis Khan a détruit certaines parties de la Route de la Soie, tandis que des voyageurs plus pacifiques, comme Marco Polo, se sont contentés de suivre les traces des caravanes vers l'est.

De l'époque de Darius jusqu'à la conquête de la passe par les Britanniques au XIXᵉ siècle, les troupes de l'invasion se sont toujours heurtées à une grande résistance des tribus pachtounes des zones voisines. Depuis le retrait des Britanniques en 1947, ces groupes contrôlent de nouveau la passe et la région jusqu'à Peshawar. Le plus puissant est celui des Afridis, redouté pour ses guerriers.

Les armes restent la première chose que l'on rencontre après avoir passé la frontière. Le long de la route principale du côté pakistanais, surgissent régulièrement les mots *Khyber Rifles*, gravés dans la roche ou peints sur des planches sales dans ce paysage pelé. *Khyber Rifles* est le nom d'une marque de fusils, mais c'est aussi celui de la milice ethnique qui assure la sécurité de la région. Cette tribu a de grandes valeurs à protéger. Le village situé juste de l'autre côté de la frontière est connu pour son bazar de contrebande, où haschich et armes se vendent à prix bas. Ici, nul ne demande de permis de port d'arme, mais quiconque pénètre sur le territoire pakistanais avec son arme risque une longue peine d'emprisonnement.

Parmi les maisons de terre se dressent de grands palais étincelants, construits avec de l'argent noir. Petites citadelles en pierre et maisons traditionnelles pachtounes, entourées de hauts murs en terre, sont disséminées sur le flanc de la montagne. Parfois jaillissent quelques murs de béton, appelés dents de dragons, que les Britanniques avaient construits par crainte d'une invasion de chars allemands en Inde pendant la Seconde Guerre mondiale. Plusieurs cas d'enlèvements d'étrangers se sont produits dans ces zones ethniques difficiles à surveiller et les autorités pakistanaises ont mis en place des mesures sévères.

Même sur la route principale pour Peshawar, où patrouillent les troupes pakistanaises, les étrangers n'ont pas le droit de conduire sans garde. Les gardes restent avec leur arme chargée jusqu'à Peshawar. Sans les papiers adéquats et un garde armé, les étrangers ne sont pas non plus autorisés à quitter Peshawar en direction de la frontière afghane.

Après avoir roulé pendant deux heures sur des routes étroites, la montagne d'un côté, le précipice de l'autre, Sultan passe encore quelques heures à cheval avant d'atteindre enfin la plaine et d'apercevoir Peshawar. Il prend un taxi pour la ville, jusqu'à la rue 103 de Hayatabad.

La nuit tombe lorsque Sharifa entend des coups à la porte. Il est donc venu, finalement. Elle descend les marches en courant pour lui ouvrir. Il est là, fatigué et crasseux. Il lui tend le sac à sucre qu'elle monte pour lui.

— Le voyage s'est bien passé ?

— Belle nature. Superbe coucher de soleil.

Tandis qu'il fait sa toilette, elle prépare le repas du soir et met le couvert sur la nappe, par terre entre les coussins moelleux. Sultan sort de la salle de bains propre, ses vêtements fraîchement repassés. Il regarde avec mécontentement la vaisselle que Sharifa a sortie.

— Je n'aime pas les assiettes en verre, elles ont l'air ordinaire, comme si tu les avais achetées dans un bazar de bas étage.

Sharifa les ôte et va chercher des assiettes en porcelaine.

— C'est mieux pour moi, les plats sont meilleurs comme ça.

Il raconte les dernières nouvelles de Kaboul, elle celles de Hayatabad. Ils ne se sont pas vus depuis plusieurs mois. Ils parlent des enfants, des parents et planifient les prochains jours. Chaque fois que Sultan vient au Pakistan, il doit effectuer plusieurs visites de courtoisie aux parents qui ne sont pas encore rentrés en Afghanistan. D'abord ceux qui ont perdu des membres de leur famille depuis la dernière fois, puis les parents les plus proches, avant de remonter aussi loin que possible dans la lignée, suivant le temps dont il dispose. Sultan se plaint de devoir rendre visite aux sœurs, beaux-frères, beaux-parents des sœurs, cousins et cousines de Sharifa. Il est impossible de garder sa venue secrète, tout le monde sait tout dans cette ville. Ces visites de courtoisie sont en outre la seule chose qui reste à Sharifa de son mariage. Qu'il soit aimable avec ses parents et la traite comme son épouse quand il vient en visite est tout ce qu'elle peut encore exiger de lui.

Les visites organisées, il reste encore à Sharifa à raconter les dernières nouvelles de l'étage du dessous – les frasques de Saliqa.

— Tu sais ce que c'est qu'une putain ? s'exclame Sultan, étendu comme un empereur romain. C'est ce qu'elle est !

Sharifa proteste, Saliqa ne s'est pas même trouvée seule avec le garçon.

— C'est une question de mentalité, une question de mentalité ! répond Sultan. Si elle n'est pas prostituée aujourd'hui, elle pourrait facilement le devenir. Elle a choisi ce garçon dont on ne peut rien tirer, qui ne trouvera jamais de travail, comment va-t-elle réussir à se procurer l'argent nécessaire pour s'acheter ce dont elle a envie, des bijoux et de beaux vêtements ? Quand une marmite chauffe sans couvercle, toutes sortes de choses peuvent y tomber. De la crasse, de la terre, de la poussière, des insectes, des feuilles mortes. C'est ainsi que la famille de Saliqa a vécu, comme une marmite sans couvercle. Un tas de crasse leur est tombé dessus. Le père est absent et, de toute manière, même quand il était là, il n'était jamais à la maison. Maintenant, ça fait trois ans qu'il est réfugié en Belgique et il n'a toujours pas réussi à mettre ses papiers en ordre pour que sa famille puisse le rejoindre, ricane Sultan. C'est un tocard, lui aussi. Depuis qu'elle sait marcher, Saliqa cherche un garçon à épouser. C'est par hasard que c'est tombé sur ce Nadim qui est pauvre et dont on ne peut rien tirer. Mais avant elle avait déjà essayé de séduire Mansur, tu te souviens ?

À présent, le libraire aussi cède à la puissance du commérage.

— Sa mère aussi était de la partie, se souvient Sharifa. Elle demandait sans cesse s'il ne serait pas temps de lui trouver une épouse. Je répondais toujours qu'il était bien trop tôt, qu'il devait d'abord faire des études. La dernière chose que je souhaite à Mansur, c'est une épouse prétentieuse et bonne à rien comme Saliqa. Lorsque ton frère, Yunus, est venu à Peshawar, elle lui a posé la même question, mais lui non plus n'aurait jamais voulu d'une fille facile comme Saliqa.

Ils débattent du crime de Saliqa jusqu'à avoir complètement fait le tour de la question. Mais il reste au couple suffisamment de parents desquels médire.

— Comment va ta cousine ?

Sultan éclate de rire.

L'une des cousines de Sharifa avait passé toute sa vie à s'occuper de ses parents. À leur mort, elle avait quarante-cinq ans et ses frères la marièrent à un veuf qui avait besoin d'une mère pour ses enfants. Sultan ne se lasse pas de cette histoire.

— Elle s'est complètement transformée après son mariage. Enfin, elle est devenue femme, se moque-t-il encore. Mais elle n'a jamais eu d'enfants, donc elle avait dû guérir de la maladie mensuelle avant le mariage. Ce qui veut dire : aucune pause, toutes les nuits !

— Peut-être bien, risque Sharifa. Tu te souviens combien elle était maigre et sèche avant le mariage, maintenant, elle a complètement changé, elle est sûrement mouillée en permanence, grince-t-elle.

Sharifa met sa main devant sa bouche et pouffe. Le couple semble avoir retrouvé son intimité, ils sont tous deux allongés par terre à se tortiller sur leurs nattes, chacun d'un côté des reliefs du repas.

— Tu te souviens de ta tante que tu regardais par le trou de la serrure ? Elle avait fini par se voûter, son mari aimait faire ça par-derrière, rit Sultan.

Une histoire en appelle une autre. Tels des enfants, Sultan et Sharifa gloussent en évoquant la vie sexuelle animée de leur famille.

À la surface, l'Afghanistan est asexué. Les femmes se cachent sous leur burkha et sous la burkha les vêtements sont grands et larges. Elles portent de longs pantalons sous leurs tuniques et, même derrière les murs des maisons, les décolletés sont rares. Les hommes et les femmes qui ne sont pas apparentés ne doivent pas séjourner dans la même pièce. Ils ne doivent ni se parler, ni manger ensemble. À la campagne, même lors des mariages hommes et femmes dansent et s'amusent chacun de leur côté.

Mais sous la surface, c'est une véritable effervescence. Nonobstant le risque de peine de mort, les Afghans aussi ont des amants et des maîtresses. Dans les villes, se trouvent des prostituées que les jeunes garçons et les hommes vont voir en attendant de trouver une épouse.

La sexualité a sa place dans les mythes et récits. Sultan adore les histoires qu'écrivit le poète Rûmî il y a huit cents ans dans son œuvre *Le Mesnevi*. Il y utilise la sexualité comme une illustration de ce qu'il faut se garder d'imiter aveuglément les autres. Il raconte à Sharifa :

— Une veuve avait un âne qu'elle aimait beaucoup. Il l'emmenait là où elle devait aller et obéissait toujours aux ordres. Puis il se mit à perdre un peu la santé et à se fatiguer plus vite qu'avant. Il n'avait pas non plus d'appétit. La veuve se demandait ce qui lui arrivait et une nuit, elle alla voir s'il dormait. Dans la grange, elle trouva sa servante allongée dans le foin, couchée sous l'âne. Chaque nuit, la scène se répétait, la curiosité de la veuve s'éveilla et elle se dit qu'elle aussi voulait essayer. Elle envoya sa servante en mission pendant quelques jours et s'allongea dans le foin sous l'âne. Lorsque la servante revint, elle trouva la veuve morte. Elle constata avec horreur que la veuve n'avait pas fait comme elle et glissé une courge sur le membre de l'âne pour le raccourcir avant de se donner à lui. Le bout suffisait largement.

Ayant ri tout son soûl, Sultan se lève, ajuste sa tunique et va consulter sa messagerie électronique. Des universités américaines lui demandent des revues des années soixante-dix, des chercheurs des manuscrits anciens, l'imprimerie de Lahore lui envoie un devis pour l'impression de ses cartes postales suite à la hausse du prix du papier. Les cartes postales sont la principale source de revenus de Sultan, il les vend un dollar les trois, ce qu'il lui a coûté pour en imprimer soixante. Tout suit son cours à présent que les taliban ne sont plus là et qu'il peut vendre ce qu'il veut.

Il passe le lendemain à lire son courrier, à aller dans des librairies, à la poste, à envoyer et recevoir des paquets et à rendre ses éternelles visites de courtoisie. D'abord, une visite de condoléances à une cousine dont le mari est mort d'un cancer, puis une visite plus agréable à un cousin livreur de pizzas en Allemagne de passage au Pakistan. Ce cousin, Saïd, était ingénieur aéronautique chez Ariana Air, compagnie aérienne qui faisait autrefois la fierté de l'Afghanistan. Aujourd'hui, il envisage de rentrer avec sa famille et de reprendre son ancien poste chez Ariana. Auparavant il souhaite toutefois mettre de l'argent de côté. La livraison de pizzas en Allemagne est somme toute sensiblement plus lucrative que le métier d'ingénieur aéronautique en Afghanistan. De plus, il n'a pas encore résolu le problème qu'il ne manquera pas de rencontrer dès son retour : à Peshawar vivent sa femme et ses enfants, en Allemagne, il a une seconde épouse. S'il rentre à Kaboul, ils devront tous vivre sous le même toit, ce que Saïd redoute. Sa première épouse ferme les yeux sur la seconde, elle ne la voit jamais et son mari lui envoie de l'argent comme il se doit. Que se passera-t-il s'ils emménagent ensemble ?

Ces journées à Peshawar sont fatigantes. Un parent a été expulsé de la maison qu'il louait, un autre voudrait de l'aide pour créer une entreprise, un troisième un prêt. Sultan donne rarement de l'argent à ses proches. Comme il a si bien réussi, on sollicite souvent son aide lors de ces visites de courtoisie, mais en général, il refuse, estimant souvent que les gens sont fainéants et qu'ils doivent apprendre à se débrouiller seuls ou pour le moins prouver qu'ils sont capables avant de recevoir de l'argent et, aux yeux de Sultan, ils sont peu à l'être.

Lorsque le couple rend ses visites, Sharifa veille à ce que les conversations ne meurent pas. Elle raconte des histoires, provoque rires et sourires. Sultan se contente en général d'écouter, évoquant parfois le mauvais esprit de travail des gens ou ses affaires ; mais quand, d'un mot, il annonce qu'il est temps de partir, le couple rentre à la maison, Shabnam à la traîne. Ils marchent en silence dans les rues couvertes de suie de Hayatabad et enjambent les ordures tandis que leurs poumons s'emplissent de l'air malsain des ruelles.

Un soir, Sharifa soigne particulièrement sa mise avant de se rendre chez des parents éloignés. Des parents qui en temps normal n'auraient pas même figuré sur la liste des rencontres, bien qu'ils n'habitent qu'à quelques mètres de là. Sharifa marche d'un pas enlevé sur des escarpins vertigineux, tandis que Sultan et Shabnam, main dans la main, déambulent avec nonchalance derrière elle.

L'accueil est chaleureux. Leurs hôtes leur servent des fruits secs et diverses noix, des caramels et du thé. L'heure est d'abord aux phrases de politesse et aux dernières nouvelles. Les enfants écoutent leurs parents. Shabnam ouvre des pistaches et s'ennuie. L'un des enfants manque à l'appel, c'est Belqisa, treize ans. Elle est bien inspirée de se tenir à l'écart, car c'est d'elle qu'il s'agit ce soir.

Sharifa est déjà venue dans le même but, cette fois, Sultan l'accompagne à contrecœur pour prouver le sérieux de la demande en mariage. Ils sont là au nom de Yunus, le plus jeune frère de Sultan. Il avait déjà jeté son dévolu sur Belqisa il y a deux ans, lorsqu'il était réfugié au Pakistan, elle n'était encore qu'une enfant. Il a chargé Sharifa de transmettre sa demande. Lui-même n'a jamais parlé à la jeune fille.

La réponse qu'ils obtenaient était toujours la même : « Elle est trop jeune. » En revanche, les parents voulaient volontiers donner à Yunus leur fille aînée, Shirin, vingt ans, mais il n'était pas d'accord, elle était loin d'avoir la beauté de Belqisa et il la trouvait trop consentante. Quand il leur rendait visite, elle tournait constamment autour de lui. Un jour, il lui avait en outre longuement tenu la main à l'abri du regard des autres. Yunus estimait que le fait qu'elle l'ait laissé faire était de mauvais augure et impliquait qu'elle n'était pas une fille convenable.

Les parents refusaient toutefois de renoncer à leur espoir concernant leur fille aînée, car Yunus était un bon parti. Lorsque Shirin reçut d'autres propositions, ils allèrent voir Sultan pour la proposer une dernière fois à Yunus, mais Yunus n'en voulait pas, il avait posé son regard sur Belqisa et c'est là qu'il était resté.

Nonobstant les refus répétés, Sharifa retournait sans cesse demander la main de Belqisa. Ce n'était pas là l'expression d'une impolitesse, mais au contraire le gage du sérieux de la demande. Une vieille coutume commande à la mère du prétendant de se rendre chez l'élue si souvent que ses semelles deviennent aussi fines que la pelure de l'ail. Comme la mère de Yunus, Bibi Gul, était à Kaboul, c'est sa belle-sœur Sharifa qui assumait cette mission. Elle faisait l'éloge de Yunus, louait son anglais courant, son travail avec Sultan à la librairie, soulignait que leur fille ne manquerait jamais de rien ; mais Yunus allait sur ses trente ans... « Trop vieux pour Belqisa », estimaient ses parents.

La mère de Belqisa s'intéressait à un autre jeune garçon de la famille Khan, Mansur, le fils de Sultan âgé de seize ans. « Si on nous proposait Mansur, nous accepterions sur-le-champ. » C'était au tour de Sharifa de n'être pas intéressée. Mansur n'avait que quelques petites années de plus que Belqisa et ne lui avait jamais accordé un regard. Sharifa trouvait qu'il était bien trop tôt pour marier son fils. Il allait étudier, voir le monde.

— Et puis, elle n'a pas treize ans, avait plus tard confié Sharifa à ses amies. Je suis persuadée qu'elle en a quinze au bas mot.

Belqisa vient dans la pièce, afin que Sultan aussi puisse la voir. Elle est grande et mince et semble avoir plus de treize ans. Elle porte une tenue de velours bleu foncé et s'assied avec embarras et timidité à côté de sa mère. Belqisa sait pertinemment pourquoi ces visiteurs sont venus et ne se sent pas à l'aise.

— Elle pleure, elle ne veut pas, disent ses deux sœurs aînées à Sultan et Sharifa en présence de Belqisa, qui fixe le sol.

Sharifa se contente de rire. C'est bon signe que la mariée ne veuille pas, cela prouve qu'elle a le cœur pur.

Au bout de quelques minutes seulement, Belqisa se lève et s'en va. Sa mère l'excuse en disant qu'elle va avoir un contrôle de mathématiques le lendemain. L'élue n'est quoi qu'il en soit *pas censée* être présente lors des tractations. D'abord les parties sondent le terrain, puis elles abordent les questions financières, combien les parents obtiendront, combien coûteront la fête, la robe, les fleurs. Tous les frais sont à la charge de la famille du mari. La venue de Sultan donne du poids à la discussion car c'est lui qui détient l'argent.

À l'issue de cette visite, aucune décision n'a été prise et ils rentrent d'un pas tranquille en cette douce soirée de mars. Les rues sont silencieuses.

— Je n'aime pas cette famille, déclare Sultan. Ils sont avides.

Ses préventions se portent particulièrement sur la mère de Belqisa. Elle est la seconde épouse du père. Comme sa première épouse ne donnait naissance à aucun enfant, il s'est remarié et sa nouvelle épouse était si désobligeante pour la première que celle-ci n'a finalement pas résisté et est partie s'installer chez son frère. De vilaines histoires circulent au sujet de la mère de Belqisa, elle passe pour avare, jalouse et peu généreuse. Sa fille aînée a épousé un parent de Sultan, qui a raconté qu'elle avait été un véritable cauchemar pendant tout le mariage, qu'elle se plaignait tantôt qu'il n'y avait pas assez à manger, tantôt que la maison n'était pas suffisamment décorée.

— La pomme ne tombe jamais loin de l'arbre. Telle mère, telle fille, affirme Sultan.

Avant d'ajouter à contrecœur que si c'est elle que Yunus veut avoir, il fera de son mieux.

— Hélas, je suis certain qu'ils finiront par accepter. Notre famille est trop bien pour qu'on lui oppose un refus.

Les obligations familiales satisfaites, Sultan peut enfin s'occuper du but premier de sa venue au Pakistan. Imprimer des livres. Étape suivante de son voyage, il part un matin de bonne heure pour Lahore, la ville des imprimeurs, des relieurs et des éditeurs.

Dans une petite valise il range six livres, un calendrier et une tenue de rechange. Comme toujours lors des déplacements, son argent est cousu dans les manches de sa chemise. La journée s'annonce chaude. La gare routière de Peshawar grouille de voyageurs, les compagnies de bus jouent à qui criera le plus fort. Islamabad ! Karachi ! Lahore ! Près de chaque bus se tient un homme qui hurle. Les bus ne partent pas à horaires fixes, mais quand ils sont pleins. Avant le départ, des hommes viennent vendre des fruits secs, des petits cornets de graines de tournesol, des biscuits et des chips, des journaux et des magazines. Les mendiants se contentent de tendre la main à travers les vitres ouvertes.

Sultan les ignore. Il suit le conseil du prophète Mahomet au sujet de l'aumône et l'interprète ainsi : d'abord, on doit s'occuper de soi-même, puis de sa famille proche, puis de ses autres parents, puis des voisins, et finalement de l'indigent que l'on ne connaît pas. À Kaboul, il lui arrive de donner quelques afghanis à un mendiant pour se débarrasser de lui, mais les mendiants pakistanais sont trop bas sur la liste. Le Pakistan n'a qu'à prendre en charge ses mendiants.

Il est engoncé entre d'autres voyageurs sur le siège arrière du bus, avec sa valise sous ses jambes. S'y trouve, sur un papier, le plus grand projet de sa vie. Il veut imprimer les nouveaux livres scolaires de l'Afghanistan. Le pays n'a quasiment pas de matériel d'enseignement en ce printemps où les écoles ouvrent à nouveau. Ceux que les gouvernements moudjahed et taleb avaient édités sont inutilisables, les enfants du cours préparatoire apprenaient l'alphabet de la manière suivante : « D comme Djihad, notre but en ce monde, I comme Israël, notre ennemi, K comme Kalachnikov, nous allons vaincre, M comme Moudjahidin, nos héros, S comme... » Même dans les livres de maths, la guerre jouait un rôle central. Les écoliers – les taliban ne faisaient pas de livres pour les filles – ne comptaient pas en pommes et en gâteaux, mais en balles et en kalachnikovs. Les exercices pouvaient ressembler à quelque chose comme : « Le petit Omar a une kalachnikov avec trois magasins. Dans chaque magasin, il y a vingt balles. Il utilise deux tiers de ses balles et tue soixante mécréants. Combien de mécréants tue-t-il avec une balle ? »

Les manuels de l'ère communiste non plus ne peuvent pas être utilisés, les calculs portent en effet sur la répartition des terres et les idéaux égalitaires. Drapeau rouge et paysans de kolkhoze épanouis devaient enrôler les enfants dans le communisme.

Sultan veut revenir aux livres de l'époque de Zaher Shah, le roi qui régna pendant quarante années relativement paisibles jusqu'à sa chute en 1973. Il a retrouvé de vieux ouvrages qu'il peut réimprimer, des histoires et des contes pour les cours de persan, des livres de maths où un plus un font deux et des livres d'histoire exempts de tout contenu idéologique autre qu'un peu de nationalisme innocent.

C'est l'UNESCO qui va financer les nouveaux manuels scolaires du pays. Étant l'un des plus grands éditeurs de Kaboul, Sultan a rencontré ses représentants et, après son voyage à Lahore, il va leur faire une proposition. Sur une feuille dans la poche de sa veste, il a inscrit le nombre de pages et le format de cent treize livres scolaires. Le budget est de deux millions de dollars. À Lahore, il va déterminer quelles imprimeries peuvent lui proposer les prix les plus compétitifs. Ensuite, il rentrera à Kaboul se battre pour ce contrat en or. Satisfait, Sultan médite sur le pourcentage qu'il va pouvoir prélever sur ces deux millions. Il se promet de n'être pas trop avide. Tandis que champs et plaines défilent au bord de la route construite comme voie principale entre Kaboul et Calcutta, il songe que s'il obtient ce contrat, il aura, entre les retirages et les nouveaux livres, des années de travail assuré. Plus ils approchent de Lahore, plus la chaleur augmente. Sultan transpire dans sa veste de bure des hautes plaines afghanes. Il se passe la main sur le crâne, ponctué de quelques cheveux seulement, et s'essuie le visage avec un mouchoir.

Outre le papier concernant les cent treize manuels scolaires, Sultan a aussi emmené des ouvrages qu'il souhaite imprimer pour son propre compte. Le marché de la lecture en anglais est florissant depuis que journalistes, employés d'organisations d'aide humanitaire et diplomates étrangers affluent en Afghanistan. Sultan n'achète pas de livres aux maisons d'éditions étrangères, il les imprime lui-même.

Le Pakistan est le paradis de l'édition pirate. Il n'y existe aucune surveillance et presque aucun respect des droits d'auteur et du droit de reproduction. Sultan vend au prix de vingt à trente dollars des exemplaires qu'il a imprimés pour un dollar. Il a fait plusieurs tirages du best-seller *L'Ombre des taliban* d'Ahmed Rashid. Le livre préféré des soldats étrangers est *My hidden war*, témoignage d'un reporter russe sur la catastrophique occupation de l'Afghanistan entre 1979 et 1989. La réalité de cette époque était tout autre que celle que connaissent aujourd'hui les forces de paix qui patrouillent dans Kaboul et s'arrêtent de temps en temps à la librairie de Sultan pour acheter des cartes postales et des vieux livres de guerre.

Le bus arrive à la gare routière de Lahore. La chaleur s'abat sur lui. La gare regorge de monde. Citadelle culturelle et artistique du Pakistan, Lahore est une ville agitée, polluée et déroutante. Au milieu d'une plaine, sans défenses naturelles, elle a été conquise, détruite et reconstruite, mais entre les conquêtes et les destructions, les seigneurs invitaient souvent les plus grands poètes et écrivains à y séjourner. Lahore devint ainsi la ville de l'art et des livres, bien que les palais dans lesquels ils étaient invités fussent sans cesse rasés.

Sultan adore les marchés aux livres de Lahore, il y a fait plusieurs excellentes affaires. Son cœur se laisse rarement autant toucher que quand il trouve de précieux exemplaires sur un marché poussiéreux et les emporte pour une bouchée de pain. Avec huit à neuf mille titres, Sultan estime être à la tête de la plus grande collection du monde d'ouvrages sur l'Afghanistan. Il s'intéresse à tout, aux histoires et mythes anciens, à la poésie ancienne, aux romans, aux biographies, aux analyses politiques récentes, comme aux encyclopédies et aux ouvrages de référence. Son visage s'illumine dès qu'il aperçoit un livre qu'il n'a pas ou dont il ignorait l'existence.

Aujourd'hui, il n'a cependant pas le temps de courir les marchés. Il se lève à l'aube, enfile sa tenue de rechange propre, soigne sa barbe et coiffe son fez. Il se trouve face à une sainte mission : imprimer de nouveaux manuels scolaires pour les enfants afghans. Il se rend dans son imprimerie habituelle, où il rencontre Talha. Ce jeune homme est imprimeur, de troisième génération, mais ne manifeste qu'un intérêt modéré pour le projet de Sultan, qui est tout simplement trop imposant. Il offre à Sultan un verre de thé avec du lait épais, s'essuie la bouche et prend un air soucieux.

— Je veux bien en faire une partie, mais cent treize titres ! Ça nous prendrait un an pour les imprimer.

Le délai que propose Sultan est de deux mois. Au son des machines qui résonnent à travers les minces cloisons du petit bureau, il essaie de convaincre Talha de laisser de côté tous ses autres travaux.

— Impossible, répond Talha.

Sultan est certes un client important et imprimer des livres scolaires pour les enfants afghans est assurément une sainte mission, mais il a d'autres tâches à effectuer. Il établit néanmoins un devis et calcule que les livres pourraient être imprimés à concurrence de quatre cents l'exemplaire. Le prix dépend de la qualité du papier, de la couleur et de la reliure. Talha fait des calculs pour chaque qualité et chaque format et dresse une longue liste. Les yeux de Sultan s'étrécissent. Il fait un calcul mental en roupies, dollars, jours et semaines. Il a un peu exagéré la brièveté des délais pour que Talha accélère le rythme et mette en attente les livres d'autres clients.

— Deux mois, rappelle-toi. Si tu n'arrives pas à respecter les délais, tu ruineras mes affaires, tu comprends ?

Ces premières négociations terminées, ils évoquent les nouveaux livres de la librairie de Sultan. De nouveau, ils discutent des prix, des quantités et des dates. Les ouvrages que Sultan a apportés sont imprimés directement d'après l'original. Les pages sont désolidarisées puis copiées. Les imprimeurs les appliquent sur de grandes plaques en métal. S'ils impriment des cartes postales ou des couvertures en couleur, ils versent sur les plaques une solution de zinc avant de les exposer à la lumière du jour pour que le soleil développe les couleurs. Quand une page est multicolore, les plaques doivent être sorties une par une. Ensuite, la plaque est mise dans une machine et pressée. Tout le processus se déroule sur de vieilles machines semi-automatiques. Un ouvrier alimente la machine en papier, un autre est accroupi de l'autre côté et trie les feuilles à la sortie. En fond sonore bourdonne la radio, qui retransmet un match de cricket entre le Pakistan et le Sri Lanka. Au mur sont accrochées les éternelles photos de La Mecque et au plafond se balance une lampe contenant des mouches mortes. Des flots jaunes d'acide coulent sur le sol pour se déverser dans les égouts.

Après leur tournée d'inspection, Talha et Sultan s'assoient par terre pour étudier la couverture des livres. Sultan a sélectionné des motifs parmi ses cartes postales et des règles de grammaire avec des bordures qu'il trouve jolies et compose les pages. En cinq minutes, ils ont fait six couvertures.

Dans un coin des hommes sont assis à boire du thé, des éditeurs et des imprimeurs pakistanais qui tous opèrent sur le même marché noir que Sultan. Ils se saluent, évoquent les derniers événements en Afghanistan, où Hamid Karzaï hésite entre plusieurs seigneurs de guerre, tandis que des groupes de soldats d'Al-Qaida ont attaqué l'est du pays. Les forces spéciales américaines sont venues prêter assistance aux Afghans et dynamitent des grottes à la frontière du Pakistan. L'un des hommes installés sur le tapis regrette que les taliban aient été chassés d'Afghanistan.

— Nous aurions bien besoin de taliban au pouvoir ici, au Pakistan, pour faire le ménage.

— Tu peux dire ça, toi qui n'as pas subi leur joug. Le Pakistan s'effondrerait si les taliban arrivaient au pouvoir, ne va pas t'imaginer autre chose, fulmine Sultan. Imagine : toutes les affiches publicitaires disparaissent, rien que dans cette rue, il y en a plusieurs milliers. Les livres illustrés sont brûlés, de même que toutes les archives cinématographiques et musicales du Pakistan, les instruments sont détruits. Tu ne pourrais plus jamais écouter de musique, tu ne pourrais plus jamais danser. Tous les cybercafés sont fermés, l'écran devient noir et les télévisions sont saisies, la radio n'émet que des émissions religieuses. Les filles sont retirées de l'école, les femmes sont renvoyées de leur travail et doivent rester au foyer. Que deviendrait alors le Pakistan ? Il perdrait des centaines de milliers d'emplois et sombrerait dans une dépression profonde. Et qu'adviendrait-il des hommes ayant perdu leur emploi puisque le Pakistan n'est plus un pays moderne ? Ils deviendraient guerriers peut-être ? demande Sultan avec véhémence.

L'homme hausse les épaules.

— D'accord, d'accord, peut-être pas tous les taliban alors, juste quelques-uns.

Talha a lui-même soutenu les taliban en reproduisant leurs pamphlets. Deux ans durant, il a aussi assuré l'impression de deux de leurs livres scolaires d'islam. Au bout d'un moment, il les a aidés à monter leur propre imprimerie à Kaboul. Il s'est procuré une machine d'occasion venue d'Italie et l'a vendue bon marché aux taliban. Il leur a en outre fourni du papier et des équipements techniques. À l'instar de la plupart des Pakistanais, il trouvait sécurisant que le pays voisin soit dirigé par des Pachtounes.

— Tu n'as aucun scrupule, tu pourrais imprimer des livres pour le diable, le taquine Sultan avec bonne humeur maintenant qu'il a rageusement exprimé son mépris des taliban.

Talha se tortille un peu mais maintient ses positions.

— Les taliban ne sont pas en contradiction avec notre culture. Ils respectent le Coran, le Prophète et nos traditions. Je n'aurais jamais imprimé quelque chose qui entre en collision avec l'islam.

— Comme quoi ? l'interroge Sultan en riant.

Talha réfléchit.

— *Les Versets sataniques*, par exemple, ou quelque chose de Salman Rushdie. Qu'Allah mène quelqu'un à sa maison.

L'évocation des *Versets sataniques*, livre qu'aucun d'entre eux n'a lu, apporte de l'eau au moulin des autres.

— Il devrait être assassiné. Mais il arrive toujours à s'échapper. Tous ceux qui impriment ses livres ou l'aident devraient être assassinés aussi, dit Talha. Je n'imprimerais pas ses écrits pour tout l'or du monde. Il a bafoué l'islam.

— Il nous a blessés et tant conspués, il nous a poignardés avec des couteaux tranchants. Ils finiront bien par l'avoir, poursuit l'un des hommes.

Sultan acquiesce :

— Il a essayé de détruire notre âme et il faut l'arrêter avant qu'il ne parvienne à enrôler d'autres gens. Même les communistes n'ont pas essayé de nous nuire à ce point, ils faisaient quand même preuve d'un certain respect et n'ont pas sali notre religion. Et toute cette saloperie vient de quelqu'un qui se dit musulman !

Tous gardent le silence, comme s'ils ne parvenaient pas vraiment à émerger de l'obscurité dans laquelle le traître Rushdie les a plongés.

— Ils finiront bien par l'avoir, *Inch Allah* – si Dieu le veut, conclut Talha.

Les jours suivants, Sultan fait le tour de toutes les imprimeries possibles de Lahore, dans des arrière-cours, des sous-sols et des passages. Pour assurer la grande livraison, il doit la répartir sur une dizaine d'imprimeries. Il explique le projet, reçoit des propositions, en prend note et les évalue. Quand l'offre est intéressante, ses yeux clignent un peu plus et sa lèvre supérieure se retrousse légèrement. Il passe sa langue sur ses lèvres et, mentalement, calcule rapidement ses bénéfices. Au bout de deux semaines, il a placé tous ses manuels scolaires. Il promet de tenir les imprimeries informées.

Enfin, il peut rentrer à Kaboul. Cette fois, il n'a pas besoin de peiner à cheval pour passer la frontière. C'est seulement pour entrer au Pakistan que les Afghans rencontrent des difficultés, dans l'autre sens, il n'y a aucun contrôle des passeports et le libraire peut quitter le pays en toute liberté.

Sultan remonte en cahotant les sentiers sinueux de Jalalabad à Kaboul dans un vieil autobus. D'un côté de la route, de gros rochers menacent de dégringoler de la falaise. À un endroit, il voit deux cars renversés et un camion sorti de la route. On emporte des corps.

Parmi eux, deux petits garçons. Il fait une prière pour leur âme et une pour lui-même.

Ce n'est pas uniquement la fréquence des accidents et les éboulements qui rendent cette route dangereuse, elle est aussi connue pour être l'une des plus empreintes d'illégalité d'Afghanistan. Ici, journalistes étrangers, employés des organisations humanitaires et Afghans ont dû payer de leur vie leur rencontre avec des bandits. Juste après la chute des taliban, quatre journalistes ont été assassinés ; ils ont d'abord été torturés avant d'être abattus d'une balle dans la nuque. Leur chauffeur a survécu parce qu'il avait dit la profession de foi islamique. Ensuite, un car d'Afghans a été arrêté, tous ceux qui avaient rasé leur barbe se sont fait couper les oreilles et le nez. Les bandits montraient ainsi quel régime ils souhaitaient pour le pays.

Sultan fait une prière là où les journalistes ont été tués. Par mesure de sécurité, il a conservé sa barbe et ses vêtements traditionnels, seul son turban a cédé la place à un petit fez rond.

Kaboul approche. Sonya est certainement en colère, se dit-il en souriant. Il lui avait promis de revenir au bout d'une semaine. Il avait certes essayé de lui expliquer qu'il lui serait impossible d'aller à Peshawar et à Lahore en une semaine, mais elle avait refusé d'entendre raison.

— Alors je ne boirai pas mon lait, avait-elle menacé.

Sultan rit intérieurement. Il se réjouit de la revoir. Elle n'aime pas le lait, mais comme elle allaite encore Latifa, Sultan la force à en boire un verre tous les matins. Ce verre de lait est devenu le moyen de pression de Sonya.

Sultan lui manque terriblement quand il est absent. Les autres membres de la famille sont moins aimables quand son mari n'est pas là. Elle perd alors son statut de souveraine de la maison et n'est plus qu'une jeune fille qui, par hasard, a atterri dans leur foyer. D'autres prennent alors le pouvoir et font ce qu'ils veulent en l'absence de Sultan. Ils l'appellent « la villageoise », la qualifient de « bête comme un âne », sans toutefois aller trop loin, car elle se plaindrait à Sultan et nul ne souhaite attirer ses foudres.

Sonya aussi manque à Sultan. Comme jamais Sharifa ne lui a manqué. Parfois il se dit qu'elle est trop jeune pour lui, qu'elle est comme une enfant, qu'il doit veiller sur elle, l'obliger à boire son lait, la surprendre avec des petits cadeaux.

Il songe à la différence entre ses deux épouses. Quand il est avec Sharifa, c'est elle qui s'occupe de tout, qui se souvient des rendez-vous, qui organise, prépare. Sharifa pense toujours d'abord à Sultan, à ce dont il a besoin ou envie. Sonya fait volontiers ce qui lui est demandé mais en prend rarement l'initiative. Il est toutefois une chose qu'il ne parvient pas à accepter : leur complète divergence de rythmes. Sultan se lève toujours vers 5 heures pour la prière *fajr*, seul horaire de prière qu'il respecte. Tandis que Sharifa se levait toujours avec lui pour faire bouillir de l'eau, préparer le thé et des vêtements propres, Sonya, telle une enfant, est impossible à tirer du lit.

Il arrive à Sultan de se dire que c'est lui qui est trop vieux pour elle, qu'il n'est pas fait pour elle, mais il finit toujours par conclure que jamais elle n'aurait pu trouver meilleur mari. Jamais elle n'aurait pu avoir le niveau de vie qu'elle a aujourd'hui si elle avait épousé quelqu'un de son âge, il aurait été pauvre, parce que tous les garçons de son village sont pauvres. Il nous reste encore dix, vingt bonnes années, songe-t-il, la satisfaction imprimant l'ébauche d'un sourire sur son visage. Il se sent chanceux et heureux. Sultan rit à part soi. Il est parcouru de quelques secousses. Il approche de Microyan et de cette exquise femme-enfant.

Souhaites-tu que je sois triste ?

Le festin est terminé. Le sol est jonché d'os de mouton et de poulet. Des amas de riz s'incrustent dans la nappe parmi les taches de sauce pimentée et les flaques blanches de yaourt liquide. Un éparpillement de morceaux de pain et d'écorces d'orange laisse penser qu'ils ont été lancés en finale du repas.

Sur les coussins le long du mur sont assis trois hommes et une femme, dans le coin près de la porte se serrent deux femmes, elles n'ont pas pris part au repas et sous leurs foulards, leur regard reste fixe, sans jamais entrer en contact avec qui que ce soit.

Les quatre personnes le long du mur savourent lentement leur thé, songeuses, comme épuisées. On s'est accordé sur l'essentiel et les décisions sont prises. Wakil aura Shakila et Rasul Bulbula. Seuls le prix des mariées et les dates de mariage restent à déterminer.

Autour d'un thé et de pralines, on adjuge Shakila à cent dollars, Bulbula, elle, est gratuite. Wakil a préparé ce qu'il faut, il sort un billet de sa poche et le donne à Sultan, qui prend l'argent de sa sœur d'un air arrogant, presque sans manifester d'intérêt, la somme obtenue n'est pas extraordinaire. De son côté, Rasul est soulagé, il lui aurait fallu des années pour réunir la somme nécessaire pour la mariée et le mariage. Sultan est moyennement satisfait pour ses sœurs : trop exigeantes, elles sont passées à côté de nombreux bons prétendants et ont perdu beaucoup d'années. Quinze ans auparavant, elles auraient pu avoir des maris jeunes et riches.

— Elles ont trop fait les fines bouches.

Ce n'est pas Sultan, mais la femme dans le siège d'honneur, Bibi Gul, sa mère, qui a décidé de leur sort. À présent, elle est contente, assise les jambes croisées sur le sol, elle se balance. Ses mains reposent lourdement sur ses genoux et elle sourit, d'humeur joyeuse. Elle semble ne plus écouter la conversation. Elle-même a été mariée à l'âge de onze ans, à un homme de vingt ans son aîné. Elle a été donnée dans le cadre d'un contrat de mariage entre deux familles. Ses parents avaient demandé la main de l'une des filles des voisins pour son frère, mais cette famille avait posé comme condition d'obtenir Bibi Gul pour son fils aîné, célibataire, qui l'avait aperçue dans l'arrière-cour.

Un long mariage, trois guerres, cinq coups d'État et treize naissances plus tard, la veuve a finalement renoncé à ses deux avant-dernières filles. Elle les a gardées longtemps, elles ont toutes deux dépassé les trente ans et n'ont donc plus vraiment de valeur sur le marché du mariage. Leurs futurs maris sont déjà bien usés. Celui qui ce soir quitte la maison comme fiancé de Shakila est un veuf de cinquante ans, père de dix enfants. Le promis de Bulbula aussi est veuf, mais il n'a pas d'enfants.

S'ils sont nombreux à trouver qu'elle a été injuste envers ses filles, Bibi Gul a eu ses raisons pour les retenir aussi longtemps. Elle décrit l'une d'elles, Bulbula, comme peu douée et passablement inutilisable. Cela, Bibi Gul le dit fort, sans le moindre embarras, même en présence de sa fille. Bulbula a une main figée difficilement maniable et un pied qui la fait boiter.

— Elle ne pourra jamais s'occuper d'une grande famille, estime sa mère.

À l'âge de six ans, Bulbula est subitement tombée malade. Elle a guéri mais a gardé des difficultés pour se mouvoir. Son frère affirme que c'est la polio, le médecin n'en sait rien et Bibi Gul pense que c'est le chagrin. La seule chose qu'elle sait, c'est que Bulbula a attrapé sa maladie à cause de la tristesse qu'elle éprouvait de voir son père jeté en prison. Il avait été arrêté et accusé d'avoir volé dans l'entrepôt où il travaillait. Bibi Gul affirme qu'il était innocent. On l'avait libéré quelques mois plus tard, mais Bulbula n'allait jamais retrouver sa pleine santé.

— Elle a exécuté la peine de son père, dit sa mère.

Bulbula n'est jamais retournée à l'école, parce que, au dire de ses parents, la maladie avait aussi touché son cerveau et elle n'avait plus la pensée très claire. Bulbula a passé son enfance à traîner dans les jupes de sa mère. Certes ce mal mystérieux lui épargnait la multiplication des tâches, mais ainsi, c'était comme si la vie elle-même lui échappait. Nul ne s'occupait de Bulbula, nul ne jouait avec elle, nul ne lui demandait d'aide.

Ils sont peu nombreux à savoir de quoi parler avec

Bulbula. Cette femme de trente ans a revêtu une armure de paresse, comme si elle se traînait à travers la vie ou hors d'elle. Elle a de grands yeux vides et passe le plus clair de son temps la bouche entrouverte, la lèvre inférieure pendante, au bord de l'endormissement. Dans le meilleur des cas, elle écoute la conversation des autres, elle suit la vie des autres, mais, là encore, sans enthousiasme particulier. Bibi Gul pensait que Bulbula passerait le reste de sa vie à errer dans l'appartement et à dormir à ses côtés, mais un événement lui a fait changer d'avis.

Un jour Bibi Gul, en route pour rendre visite à sa sœur dans le village, enfile sa burkha, emmène Bulbula et hèle un taxi. Elle avait coutume de s'y rendre à pied, mais les dernières années l'avaient vue s'alourdir au point que ses genoux étaient abîmés et qu'elle n'avait plus le courage de faire en marchant les quelques kilomètres qui la séparaient du village. La faim de son enfance, la pauvreté et le labeur de ses années de jeune mariée l'avaient conduite à développer une obsession de la nourriture – elle était incapable de s'arrêter de manger avant que les plats ne fussent tous vides.

Le chauffeur qui s'arrête pour prendre cette grosse burkha et sa fille est un cousin éloigné, le paisible Rasul, qui a perdu sa femme en couches.

— As-tu trouvé une nouvelle épouse ? s'enquiert Bibi Gul.

— Non.

— C'est dommage. *Inch Allah* – si Dieu le veut, tu en trouveras bientôt une, déclare Bibi Gul avant de raconter les dernières nouvelles de sa propre

famille, de ses fils, de ses filles et de ses petits-
enfants.

Rasul avait saisi l'allusion. Quelques semaines
plus tard, sa sœur vint demander la main de Bulbula.
Bibi Gul pensait qu'il serait petit à petit à la portée
de Bulbula d'être l'épouse de Rasul. Elle accepta
donc sans hésitation, ce qui était tout à fait exceptionnel. Donner sa fille tout de suite signifiait qu'elle
ne « valait » rien, que l'on se réjouissait d'en être
débarrassé. Attente et hésitation augmentent la
valeur de la jeune fille, la famille du garçon doit
multiplier ses visites, prier, convaincre et offrir des
cadeaux. Dans le cas de Bulbula, les démarches n'allaient pas être nombreuses, et on allait se passer de
cadeaux.

Tandis que Bulbula regarde dans le vide, comme
si la conversation ne la concernait pas, sa sœur Shakila se concentre et prête l'oreille. Elles sont aussi
différentes qu'il est possible de l'être. Shakila est
vive et bruyante, elle est le centre de l'attention
familiale. Elle a un grand appétit de vivre, est devenue belle et grasse, conformément au canon afghan.

Ces quinze dernières années, depuis l'éblouissante
adolescence de Shakila jusqu'à aujourd'hui alors
qu'elle est assise dans un coin derrière le poêle et
écoute, muette, sa mère et son frère négocier la
vente, les prétendants se sont bousculés pour demander sa main.

Shakila a formulé des exigences strictes en ce qui
concernait les prétendants. Quand leurs mères
venaient la voir, Bibi Gul ne demandait pas, comme
de coutume, s'ils étaient riches.

— Est-ce que vous l'autoriserez à poursuivre ses études ? était la première question.

— Non, répondait-on systématiquement, et il n'était plus question de mariage.

Shakila voulait étudier et apprendre, or aucun des prétendants ne voyait l'intérêt d'avoir une femme éduquée, rouspéteuse. Souvent, eux-mêmes étaient analphabètes. Shakila mena ses études à leur terme et devint professeur de mathématiques et de biologie. Quand de nouvelles mères venaient demander la main de la belle Shakila pour leur fils, Bibi Gul demandait :

— Aura-t-elle le droit de continuer de travailler ?

Non, ils ne le voulaient pas. Elle resta célibataire.

Shakila obtint son premier emploi de professeur à l'époque où la guerre contre l'Union soviétique faisait rage. Tous les matins, elle trottinait, en talons hauts et jupe au genou, conformément à la mode des années quatre-vingt, jusqu'au village de Deh Khudaïdad, à la sortie de Kaboul. Point de balles ou de grenades, la seule chose qui allait exploser en Shakila était le sentiment amoureux.

Hélas, Mahmoud était déjà marié, mariage arrangé et malheureux. Il avait quelques années de plus qu'elle et était père de trois petits enfants. Entre les deux collègues, le coup de foudre avait été immédiat. Ils dissimulaient leurs sentiments aux autres et se cachaient dans des endroits où nul ne pouvait les voir ou se téléphonaient pour se susurrer des mots doux. Ils ne se rencontraient jamais ailleurs qu'à l'école. Lors de l'un de ces rendez-vous secrets, ils dressèrent des plans pour pouvoir s'obtenir l'un l'autre. Mahmoud prendrait Shakila pour seconde épouse.

Cependant, Mahmoud ne pouvait pas juste aller voir les parents de Shakila et demander sa main. Il devait prier sa mère ou sa sœur de le faire pour lui.

— Elles ne voudront jamais.

— Et mes parents n'accepteront jamais, soupira Shakila.

Mahmoud estimait que seule Shakila saurait convaincre sa mère de rendre visite à la famille Khan pour demander sa main. Il proposa qu'elle prétendît être folle et désespérée et menaçât de se suicider si elle ne l'épousait pas. Elle devait se jeter aux pieds de ses parents et dire que l'amour la dévorait, alors les parents accepteraient. Pour sauver leurs vies.

Shakila n'avait toutefois pas le courage de pousser cris et hurlements et Mahmoud n'osait pas demander aux femmes de sa famille de se rendre chez elle. Bien entendu, il ne pouvait pas non plus parler de Shakila à son épouse. Shakila essaya en vain d'en parler à sa mère, mais Bibi Gul croyait toujours à une plaisanterie. Elle avait en tout cas choisi de croire à une plaisanterie lorsque Shakila lui avait annoncé qu'elle voulait épouser un collègue père de trois enfants.

Quatre ans durant, Mahmoud et Shakila continuèrent de se voir à l'école du village et de rêver ; jusqu'au jour où Mahmoud eut une promotion et dut changer d'école. Il ne pouvait refuser cet avancement et ils n'eurent dès lors de relations que téléphoniques. Shakila était profondément malheureuse et son amoureux lui manquait, mais nul ne pouvait s'en apercevoir. C'était une honte d'être amoureuse de quelqu'un que l'on ne pouvait pas avoir.

Puis vint la guerre civile, l'école ferma et Shakila se réfugia au Pakistan. Après quatre ans de guerre arrivèrent les taliban et si les missiles se turent et la paix revint à Kaboul, l'école où elle avait travaillé ne fut pas rouverte. Les écoles de filles restèrent fermées et du jour au lendemain, Shakila perdit toute possibilité de chercher un autre emploi, à l'instar de toutes les femmes de Kaboul. Avec elle disparurent deux tiers des enseignants de la ville. Plusieurs écoles de garçons durent, elles aussi, fermer car elles employaient des femmes. Le manque d'hommes professeurs qualifiés ne leur permettait pas de garder leurs portes ouvertes.

Les années passèrent. Les petits signes de vie de Mahmoud avaient complètement disparu car les lignes téléphoniques avaient été coupées pendant la guerre civile. Shakila resta à la maison avec les femmes du foyer. Elle ne pouvait pas travailler, elle ne pouvait pas sortir toute seule, elle devait se voiler. La vie avait perdu ses couleurs depuis longtemps. Lorsqu'elle eut trente ans, les prétendants mirent fin à leurs visites.

Un jour, alors que les taliban cloîtraient Shakila dans la geôle du foyer depuis presque cinq ans, la sœur de Wakil, un parent éloigné, vint demander sa main à Bibi Gul.

— Sa femme est morte soudainement. Les enfants ont besoin d'une mère. Il est gentil, il a un peu d'argent. Il n'a jamais été soldat, il n'a jamais rien fait d'illégal, il est honnête et en bonne santé, raconta la sœur, avant de poursuivre en chuchotant.

Subitement, sa femme est devenue folle et est morte. Elle délirait et ne reconnaissait aucun d'entre nous. Terrible pour les enfants...

Il fallait d'urgence trouver une nouvelle épouse pour ce père de dix enfants. Aujourd'hui, les aînés s'occupaient des cadets, mais la maison se délabrait. Bibi Gul répondit qu'elle réfléchirait et se renseigna sur cet homme auprès d'amis et de parents. Elle en conclut qu'il était travailleur et honnête.

Il s'agissait par ailleurs de ne pas perdre trop de temps si Shakila voulait avoir ses propres enfants.

— C'était gravé sur son front qu'elle devait quitter cette maison, racontait Bibi Gul à qui voulait l'entendre.

Comme les taliban n'autorisaient quoi qu'il en soit pas le travail des femmes, elle ne demanda pas s'il y autoriserait Shakila.

Elle pria Wakil de venir en personne. En général, le mariage naît du consentement des parents, mais comme l'homme approchait de la cinquantaine, Bibi Gul voulait le voir. Wakil était camionneur et effectuait toujours de longs trajets. Il envoya donc de nouveau sa sœur, puis son frère, et encore sa sœur, sans jamais trouver le temps de venir lui-même, et les fiançailles s'éternisèrent.

Puis vint le 11 septembre et Sultan amena de nouveau ses sœurs et ses enfants au Pakistan, à l'abri des bombes dont il pressentait la chute. Alors Wakil vint.

— Nous en parlerons quand les choses seront redevenues normales, déclara Sultan.

Lorsque, deux mois plus tard, les taliban quittèrent Kaboul, Wakil revint. Les écoles n'étaient toujours pas ouvertes et Bibi Gul ne pensa pas à demander s'il laisserait Shakila travailler.

Depuis le coin derrière le poêle, Shakila écoute son destin et la date de son mariage se décider. Les quatre personnes assises sur les coussins prennent toutes les décisions, sans que les couples nouvellement fiancés n'aient échangé un regard.

Wakil pose furtivement les yeux sur Shakila, qui a passé son temps à regarder en l'air, les murs, dans le vide.

— Je suis si heureux de l'avoir trouvée, dit-il en s'adressant à Sultan mais avec le regard tourné vers sa fiancée.

Le couvre-feu approche, les deux hommes disent au revoir et se hâtent dans le noir. Restent deux femmes que l'on a mariées. Elles gardent le regard fixe. Elles n'ont pas non plus regardé les hommes lorsqu'ils ont fait leurs adieux. Bulbula se lève avec difficulté et soupire, son heure n'est pas encore tout à fait venue. Plusieurs années pourraient passer avant que Rasul n'ait les moyens de payer un mariage. Cela semble lui être égal. Elle jette quelques bouts de bois dans le poêle. Nul ne l'embarrasse de questions, elle se contente d'être là, comme toujours, puis elle sort de la pièce en traînant des pieds et va laver la vaisselle et effectuer les tâches ménagères dont elle est chargée.

Shakila rougit lorsque toutes ses sœurs se jettent sur elle.

— C'est dans trois semaines ! Il faut que tu te dépêches.

— Je ne serai jamais prête, se plaint-elle, bien

que l'étoffe de la robe de mariée ait déjà été choisie et n'ait plus qu'à être livrée chez le tailleur.

Restent tout l'équipement, le linge de maison, les services de table. Wakil étant veuf, il a presque tout, mais la mariée doit de toute façon apporter de la nouveauté.

Shakila n'est qu'à demi satisfaite.

— Il est petit. J'aime les hommes grands, confie-t-elle à ses sœurs. Il est chauve et il aurait pu avoir quelques années de moins, ronchonne-t-elle. Et s'il se révélait être un tyran, s'il n'était pas gentil, s'il ne me laissait pas sortir.

Ses sœurs se taisent et réfléchissent à ces tristes choses.

— Imaginez qu'il ne me laisse pas sortir, qu'il me batte.

Shakila et ses sœurs portent un regard de plus en plus sombre sur le mariage ; Bibi Gul les fait taire.

— C'est un bon mari pour toi, Shakila, affirme-t-elle.

Deux jours après la conclusion du contrat, Mariam, sœur de Shakila, convie à une réception en l'honneur des fiancés. Mariam a vingt-neuf ans et est mariée pour la seconde fois. Son premier mari a été tué pendant la guerre civile. Elle va bientôt donner naissance à son cinquième enfant.

Mariam a mis le couvert sur une longue nappe posée sur le sol du salon. Au bout se trouvent Shakila et Wakil. Enfin, ils sont sans Sultan et Bibi Gul. Tant que les plus âgés de la famille les voient, ils ne doivent pas avoir de contact proche, mais à présent, entourés seulement des cinq sœurs cadettes, ils bavardent à voix basse et se soucient à peine des autres, qui par curiosité s'efforcent de saisir des bribes de leur conversation.

Le ton n'est pas particulièrement tendre. La plupart du temps, Shakila parle en regardant en l'air. La coutume exige qu'elle n'ait aucun contact visuel avec son fiancé avant le mariage, lui, de son côté, passe son temps à la regarder.

— Tu m'as manqué. Je ne peux presque pas attendre ces quinze jours avant que tu ne deviennes mienne.

Shakila rougit mais garde le regard fixe.

— Je n'ai pas dormi de la nuit, j'étais couché et je pensais à toi, dit-il. – Aucune réaction de la part de Shakila. – Hein, qu'est-ce que tu en penses ?

Shakila se contente de continuer à manger.

— Imagine, quand nous serons mariés, je rentrerai et tu m'auras préparé un dîner. Tu seras toujours à la maison à m'attendre, rêve Wakil, je ne serai plus jamais seul.

Shakila reste muette avant de trouver le courage de lui demander si elle aura le droit de continuer à travailler après leur mariage. Wakil acquiesce, mais elle ne lui fait pas confiance, il pourrait changer d'avis dès leur mariage. Il lui garantit que si cela la rend heureuse de travailler, elle pourra le faire. En plus de s'occuper de ses enfants et de sa maison.

Il ôte son bonnet, le pacole marron des partisans d'Ahmad Shah Massoud, dirigeant assassiné de l'Alliance du Nord.

— Maintenant, tu es moche, remarque effrontément Shakila. Tu n'as pas de cheveux.

C'est au tour de Wakil d'être embarrassé. Il ne

répond pas à l'offense de sa future épouse mais ramène la conversation sur un terrain plus sûr. Shakila a passé sa journée dans les bazars de Kaboul pour acheter le trousseau de mariage et des cadeaux pour tous les parents, les siens comme ceux de Wakil. C'est Wakil qui va les distribuer, comme geste de la famille qui donne sa fille. Il paie, elle achète. Vaisselle, couverts, draps, serviettes et étoffes pour les tuniques de Wakil et Rasul. Elle a promis à Rasul, le fiancé de Bulbula, qu'il pourrait choisir la couleur. Elle raconte ses achats et Wakil se renseigne sur la couleur de l'étoffe.

— Une marron et une bleue.

— Laquelle est pour moi ?

— Je ne sais pas, il faut d'abord que Rasul fasse son choix.

— Quoi ? ! s'exclame Wakil. Et pourquoi ? Je devrais choisir en premier, c'est moi ton mari !

— D'accord, répond Shakila. Tu pourras choisir en premier. Mais les deux étoffes sont belles, ajoute-t-elle en regardant devant elle.

Wakil allume une cigarette.

— Je n'aime pas la fumée, annonce Shakila. Je n'aime pas les gens qui fument, donc si tu fumes, je ne t'aime pas non plus.

Shakila a élevé la voix et tous entendent son offense.

— Ce serait difficile de m'arrêter maintenant que j'ai commencé, objecte un Wakil désemparé.

— Ça sent mauvais, poursuit Shakila.

— Il faut que tu sois polie.

Shakila se tait.

— Et il faut que tu sois voilée. C'est le devoir de

la femme de porter la burkha. Fais comme tu veux, mais si tu ne veux pas porter de burkha, sache que tu me feras de la peine. Souhaites-tu que je sois triste ?

Wakil est presque menaçant.

— Mais si Kaboul change et que les femmes se mettent à porter des vêtements modernes, je veux le faire moi aussi.

— Tu ne dois pas porter de vêtements modernes. Souhaites-tu que je sois triste ?

Shakila ne répond pas.

Wakil sort des photos d'identité de son porte-feuille, il les étudie longuement avant d'en donner une à Shakila.

— Ça, c'est pour toi, garde-la près de ton cœur.

Impassible, Shakila prend la photo à son corps défendant.

Wakil doit partir. Le couvre-feu approche. Il lui demande combien d'argent il lui faut pour le reste des achats. Elle répond. Il compte, évalue, lui donne quelques billets, en remet quelques-uns dans son portefeuille.

— C'est suffisant ?

Shakila acquiesce. Ils se séparent. Wakil s'en va, Shakila s'allonge sur les coussins rouges. Elle soupire de soulagement et prend quelques morceaux d'agneau. Elle a réussi son test, elle *doit* sembler froide et peu engageante jusqu'à leur mariage. C'est une marque de politesse à l'égard de sa famille, qui va la perdre.

— Il te plaît ? demande Mariam.

— Mouais.

— Tu es amoureuse ?

— Hum.

— Qu'est-ce que ça veut dire, « hum » ?

— Ça veut dire « hum ». Ni oui ni non. Il aurait pu être plus jeune et plus beau, explique-t-elle en fronçant le nez.

Elle ressemble à un enfant déçu, qui aurait eu une poupée en chiffon à la place de la poupée parlante souhaitée.

— Maintenant, je suis juste triste. Je regrette. Je suis triste parce que je vais devoir quitter ma famille. Et s'il ne me laissait pas vous rendre visite, s'il ne me laissait pas travailler alors que je le peux maintenant. Et s'il me gardait enfermée.

Par terre la lampe à paraffine grésille. De nouveau, les sœurs ont des idées noires. C'est aussi bien de les avoir à l'avance.

Accès au ciel interdit

À l'arrivée des taliban à Kaboul en septembre 1996, seize décrets furent énoncés sur Radio Charia. Une nouvelle ère débutait.

1. Interdiction aux femmes de se dévoiler.

Les chauffeurs ont l'interdiction de transporter des femmes qui ne portent pas de burkha. S'ils transgressent cette interdiction, ils seront emprisonnés. Si de telles femmes sont observées dans la rue, leurs maisons seront visitées et leurs maris punis. Si elles portent des vêtements stimulants ou attirants sans être accompagnées d'un parent de sexe masculin, il est interdit au chauffeur de les transporter.

2. Interdiction de la musique.

Les cassettes et la musique sont interdites dans les commerces, les hôtels, les véhicules de transport et les rickshaws. Si une cassette est trouvée dans un magasin, le propriétaire sera emprisonné et le magasin fermé. Si une cassette est trouvée dans un véhicule, il sera confisqué et son propriétaire emprisonné.

3. Interdiction aux hommes de se raser.

Tout homme qui porte une barbe rasée ou taillée

sera emprisonné jusqu'à ce que sa barbe ait atteint la longueur d'une main.

4. Obligation de prier.

La prière est obligatoire partout et se fait à heures fixes. Les horaires exacts de prière seront annoncés par le ministère de la Promotion de la Vertu et de la Prévention du Vice. Les transports doivent obligatoirement cesser quinze minutes avant l'heure de prière. Il est obligatoire d'être à la mosquée pendant la prière. Si de jeunes hommes sont vus dans les magasins, ils seront immédiatement emprisonnés.

5. Interdiction des jeux de pigeons et des combats d'oiseaux.

Ce passe-temps doit cesser. Les pigeons et oiseaux utilisés dans les jeux et les combats doivent être tués.

6. Élimination de la drogue et de ses consommateurs.

Les consommateurs de drogue seront emprisonnés et des enquêtes seront effectuées pour trouver le vendeur et le magasin. Le magasin sera fermé et les deux criminels, le propriétaire et le consommateur, seront emprisonnés et punis.

7. Interdiction des jeux de cerf-volant.

Les jeux de cerf-volant ont des conséquences inutiles comme les paris, les morts d'enfants et l'absentéisme à l'école. Les magasins vendant des cerfs-volants seront éliminés.

8. Interdiction de l'idolâtrie.

Images et portraits doivent être éliminés des véhicules, commerces, maisons, hôtels et autres. Les propriétaires doivent détruire les images dans tous les endroits cités. Les véhicules où se trouvent des images d'êtres vivants seront arrêtés.

9. Interdiction des jeux d'argent.

Les centres doivent être découverts et les joueurs emprisonnés pendant un mois.

10. Interdiction des coiffures britanniques et américaines.

Les hommes aux cheveux longs seront arrêtés et conduits au ministère de la Promotion de la Vertu et de la Prévention du Vice pour se les faire couper. Le criminel devra payer le coiffeur.

11. Interdiction des intérêts sur les prêts, des commissions de change et des taxes sur les transactions.

Ces trois types d'échanges monétaires sont interdits par l'islam. Si ces règles sont transgressées, le criminel subira une peine d'emprisonnement longue.

12. Interdiction de laver des vêtements sur les rives des fleuves dans les villes.

Les femmes qui transgressent cette loi seront arrêtées de manière islamique respectueuse et raccompagnées chez elles où leurs maris seront sévèrement punis.

13. Interdiction de la musique et de la danse lors des mariages.

Si cette interdiction est transgressée, le chef de famille sera arrêté et puni.

14. Interdiction de jouer des percussions.

Si quelqu'un joue des percussions, le conseil religieux des anciens décidera de la peine à appliquer.

15. Interdiction aux tailleurs de confectionner des vêtements pour femmes et de prendre les mesures de femmes.

Si des magazines de mode sont trouvés dans son magasin, le tailleur sera emprisonné.

16. Interdiction de la sorcellerie.

Tous les livres sur ce sujet seront brûlés et le magicien sera emprisonné jusqu'à ce qu'il se repente.

Outre ces seize points une demande fut adressée aux femmes de Kaboul :

Femmes, vous ne devez pas sortir de votre foyer. Si vous le faites, ce ne doit pas être comme les femmes qui, avant l'arrivée de l'islam dans ce pays, avaient l'habitude de sortir avec des vêtements à la mode et de se maquiller abondamment pour s'exposer à la vue de n'importe quel homme.

L'islam est une religion salvatrice qui a établi la dignité spécifique de la femme : les femmes ne doivent pas permettre que soit attirée sur elles l'attention d'hommes mauvais les regardant d'un mauvais regard. Les femmes sont chargées d'élever et de rassembler leur famille et de s'occuper des repas et des vêtements. Quand les femmes sont obligées de sortir de chez elles, elles doivent se couvrir conformément à la charia. Si des femmes sortent avec des vêtements modernes, ornés, près du corps et conçus pour plaire, afin de s'exposer à la vue de tous, elles seront maudites par la charia islamique et ne pourront jamais s'attendre à arriver au ciel. Elles seront menacées, feront l'objet d'enquêtes, seront sévèrement punies par la police religieuse comme par les anciens de la famille. La police religieuse a la responsabilité et le devoir de lutter contre ces pro-

blèmes sociaux et elle poursuivra ses efforts jusqu'à
l'anéantissement du mal.

Allahu akbar – Dieu est grand.

Ondoyantes, flottantes, serpentantes

Sans cesse, elle la perd de vue. Cette burkha ondoyante se confond avec toutes les autres burkhas ondoyantes. Partout du bleu ciel. Son regard est attiré vers le sol. Dans la boue elle distingue ses chaussures sales des autres chaussures sales. Elle aperçoit le bord de son pantalon blanc et, au-dessus, un filet de sa robe pourpre. Le regard rivé au sol, elle évolue dans le bazar et suit cette burkha qui flotte au vent. Essoufflée, une burkha qui va bientôt accoucher arrive derrière elle, elle peine à garder le rythme énergique des deux premières.

La burkha de tête s'est arrêtée aux toiles à draps. Elle les tâte, examine leur couleur à travers le grillage. Elle négocie, la bouche cachée, ses yeux sombres s'esquissant tout juste derrière la résille, telles des ombres. La burkha marchande en agitant les mains, son nez pointant parmi les plis, comme un bec. Elle finit par se décider, cherche son sac à tâtons et tend une main avec quelques billets bleus. Le vendeur de draps mesure la toile blanche à fleurs bleu clair qui est aussitôt happée par le sac sous la burkha.

L'odeur du safran, de l'ail, des piments secs et

des pakoras chaudes pénètre le tissu raide et se mêle à celle de la sueur, de l'haleine et du savon. La toile de nylon est si dense que l'on sent sa propre haleine.

Elles se remettent à chanceler vers des théières en aluminium de la marque russe la moins chère. Elles touchent, négocient, marchandent et achètent de nouveau. La théière aussi trouve place sous la burkha, qui déborde de vaisselle, de tapis et de plumeaux et devient de plus en plus imposante. Derrière la première burkha arrivent deux burkhas moins déterminées, qui s'arrêtent pour sentir une odeur, toucher des barrettes en plastique et des bracelets dorés, avant de chercher du regard la burkha de tête. Elle s'est arrêtée près d'une charrette où pêle-mêle s'entassent des centaines de soutiens-gorge. Ils sont blancs, jaune pâle ou roses, d'une coupe douteuse. Certains sont accrochés à un mât et flottent, audacieux, tels des drapeaux au vent. La burkha les examine du doigt et les mesure de la main. Ses deux mains émergent des ondes, vérifient les élastiques et tirent sur les bonnets. Une dernière évaluation du regard et elle opte pour un modèle vigoureux aux allures de corset.

Elles se remettent en route, leurs têtes basculant dans toutes les directions pour regarder autour d'elles. Les femmes en burkha sont comme des chevaux avec des œillères, elles ne peuvent voir que dans une direction. Là où les yeux s'amenuisent, le grillage cède la place à un tissu épais qui n'autorise pas le regard de côté. Il faut alors entièrement tourner la tête. C'est là encore une astuce de l'inventeur de la burkha : un homme doit pouvoir contrôler quelle personne ou quel objet sa femme suit des yeux.

Après quelques mouvements de tête, elles retrouvent la première burkha dans l'un des étroits passages du bazar. Elle examine des bordures en dentelle. Des dentelles épaisses, synthétiques, qui rappellent les bordures de rideaux soviétiques. Elle passe beaucoup de temps à les observer, cet achat est si important qu'elle va jusqu'à rejeter la pièce avant sur sa tête pour mieux voir et brave ainsi l'interdiction d'être vue que son futur mari lui a imposée, parce qu'il est difficile d'examiner des dentelles à travers une lucarne en résille. Seul le vendeur de l'échoppe voit son visage, qui malgré la fraîcheur de l'air des montagnes de Kaboul est constellé de gouttelettes de sueur. Shakila incline la tête, esquisse un sourire espiègle, rit, elle marchande, elle flirte même. Sous le bleu ciel on la voit jouer. Elle l'a toujours fait et les vendeurs du bazar savent bien interpréter une burkha qui chancèle, acquiesce, flotte au vent. Elle sait flirter du petit doigt, du pied, d'un mouvement de la main. Shakila enroule les dentelles autour de son visage, et soudain elles ne sont plus bordures de rideaux mais dentelles du voile, ce qui manquait à sa robe de mariée. Bien sûr ! Le voile blanc doit être bordé de dentelles. La vente s'effectue, le marchand prend les mesures, Shakila sourit et les dentelles disparaissent dans le sac sous la burkha, qui est rabattue et retombe au sol, comme il se doit. Les sœurs ondulent vers les profondeurs du bazar, où les passages se font de plus en plus étroits.

Dans ce murmure régulier se mêlent une multitude de voix. Les vendeurs se préoccupent rarement de proposer leur marchandise, ils passent le plus clair de leur temps à bavarder avec leur voisin ou restent affalés sur un sac de farine ou un tas de tapis en spectateurs de la vie du bazar plutôt que de crier leurs offres. De toute manière, les clients achètent ce dont ils ont besoin.

Au bazar de Kaboul, le temps semble s'être arrêté. Les marchandises sont les mêmes qu'à l'époque où Darius de Perse y flânait, cinq cents ans avant Jésus-Christ. Sur de grands tapis à ciel ouvert ou dans des échoppes étroites s'enchaînent merveilles et marchandises purement utilitaires, retournées et pincées par des doigts exigeants. Pistaches, abricots secs et raisins verts sont présentés dans de grands sacs en toile de jute. Sur des charrettes délabrées sont exposés des hybrides de citrons jaunes et verts à peau si fine qu'on les mange tels quels. Chez un vendeur s'agitent et caquettent des poules dans des sacs. Chez un marchand d'épices, s'alignent des monceaux de piments, de poivrons, de curry et de gingembre. Souvent, l'épicier fait aussi office d'homme de médecine et propose herbes séchées, racines, fruits et thé dont il explique avec une précision toute médicale comment ils guérissent les maladies, des plus simples aux plus mystérieuses.

Coriandre fraîche, ail, cuir et cardamome, tout se mélange à l'odeur d'égouts que répand la rivière, cette pestilentielle artère desséchée qui partage le bazar en deux. Sur les passerelles qui la surplombent, on vend des pantoufles en peau de mouton, du coton au poids et des étoffes dans une multitude de couleurs et de motifs, des couteaux, des pelles et des pioches.

Parfois on trouve aussi des produits qui ne datent pas de l'époque de Darius. Des marchandises de contrebande comme les cigarettes aux exotiques noms de *Pleasure*, *Wave* ou *Pine* et du Coca de contrefaçon pakistanais. Les routes de la contrebande elles non plus n'ont pas changé à travers les siècles, elles viennent du Pakistan et franchissent la Khyber Pass ou d'Iran par les montagnes. Une partie est transportée à dos d'âne, une autre par camion, sur les chemins qui, vers l'extérieur, servent au transport de l'héroïne, de l'opium et du haschich. Les billets utilisés pour le paiement sont de l'année ; les vendeurs de billets, en tunique et turban, se tiennent en une longue enfilade, avec de gros tas de billets bleus d'afghanis, trente-cinq mille pour un dollar.

Un homme vend des aspirateurs de marque *National*. À côté de lui, un autre en vend de la marque *Nautionl* au même prix, mais l'original comme la copie se vendent mal, à Kaboul l'instabilité de l'alimentation en électricité incite de nombreux habitants à leur préférer le balai.

Les chaussures progressent dans la boue. Autour d'elles, des sandales marron, des chaussures sales, des chaussures noires, des chaussures usées qui un jour furent belles et des chaussures plates roses à rubans. Certaines sont même blanches, couleur de chaussure interdite par les taliban car c'était la couleur de leur drapeau. Les taliban avaient aussi interdit celles à talons durs, parce que leur claquement risquait de distraire les hommes. Mais c'est une nouvelle époque, si on pouvait entendre les talons claquer dans la boue, le bazar entier résonnerait de clic-clac affriolants. Parfois des ongles vernis pointent sous le bord d'une burkha, encore un petit signe de liberté. Les taliban avaient interdit le vernis à ongles et son importation. Quelques femmes malchanceuses se virent couper le bout d'un doigt ou d'un orteil parce qu'elles avaient enfreint cette loi. La libération des femmes, en ce premier printemps après la fuite des taliban de Kaboul, se cantonne en général aux chaussures et au vernis à ongles, elle n'est pas allée beaucoup plus loin que le bord des burkhas.

Ce n'est pas que nul n'essaie. Plusieurs associations de femmes ont été créées après la fuite des taliban. Certaines étaient même actives sous les taliban, elles organisaient des écoles de filles secrètes, enseignaient l'hygiène et donnaient des cours d'alphabétisation aux femmes. La grande héroïne du temps des taliban est la ministre de la Santé de Karzaï, Sohaila Sediq, seule femme général d'Afghanistan. Elle a mis en place des études de médecine pour les femmes et a réussi, après sa fermeture par les taliban, à rouvrir le service gynécologique de l'hôpital où elle travaillait. Sous les taliban, elle a été l'une des seules femmes de Kaboul à refuser de porter la burkha, et d'expliquer : « Lorsque la police religieuse est venue avec ses cannes et a commencé à lever les bras pour me frapper, j'ai levé le mien pour les frapper en retour. Alors ils ont abaissé leurs cannes et m'ont laissée partir. »

Toutefois, même Sohaila sortait rarement pendant que les taliban étaient au pouvoir. Elle se faisait conduire à l'hôpital tous les matins, enveloppée dans un grand foulard, pour se faire reconduire chez elle tous les soirs. « Les femmes afghanes ont perdu leur courage », commentait-elle avec amertume après la chute des taliban.

Une association de femmes a essayé d'organiser une manifestation une semaine après la chute des taliban. En escarpins et pantoufles, elles se sont réunies au coin d'une rue à Microyan pour aller en ville. La plupart avaient courageusement rejeté leur burkha en arrière, mais les autorités ont mis fin au rassemblement, prétextant qu'elles ne pouvaient pas garantir la sécurité des femmes. Chaque fois qu'elles essayaient de se rassembler, elles étaient arrêtées.

Aujourd'hui, les écoles de filles ont rouvert leurs portes et les jeunes femmes affluent dans les universités, certaines ont même retrouvé leur emploi. Un magazine hebdomadaire est né, conçu par et pour des femmes, et Hamid Karzaï ne manque pas une occasion de parler des droits des femmes.

Plusieurs femmes ont joué un rôle lors de la Loya Jirga de juin 2002. Celles qui parlaient le plus ouvertement ont subi les sarcasmes des hommes en turban de la salle, mais elles n'ont pas renoncé. L'une d'elles, accueillie par des sifflets, a exigé que le ministre de la Défense soit une femme. « C'est le cas en France », a-t-elle souligné.

Pour la majorité d'entre elles, la situation n'a toutefois pas beaucoup évolué. Dans les familles, la tradition, tout reste inchangé : les hommes décident. À Kaboul, elles sont minoritaires, celles qui ont enlevé leur burkha, et la plupart ignorent aussi que leurs aïeules, les femmes afghanes du siècle précédent, ne connaissaient pas ce vêtement. L'introduction de la burkha remonte au règne du roi Habibullah, de 1901 à 1919. Il a imposé aux deux cents femmes de son harem de la porter, afin que leurs beaux visages ne tentent pas les hommes quand elles passaient les portes du palais. Les voiles intégraux étaient alors en soie, ornés de broderies sophistiquées, et les princesses de Habibullah avaient même des burkhas brodées de fil d'or. La burkha devint ainsi le vêtement de la classe supérieure, qui la protégeait du regard du peuple. Dans les années cinquante, son usage s'était répandu dans tout le pays, mais restait avant tout le privilège des plus aisés.

Le voile avait aussi ses opposants. En 1959, le prince Daoud, Premier ministre, choqua en apparaissant le jour de la fête nationale avec son épouse qui ne portait pas de burkha. Il avait convaincu son frère de laisser sa femme l'imiter et demandé aux ministres de jeter les burkhas de leurs femmes. Dès le lendemain, on pouvait observer dans les rues de Kaboul plusieurs femmes en longs manteaux, lunettes noires et petits chapeaux. Femmes qui auparavant allaient complètement voilées. Première à revêtir la burkha, la classe supérieure fut aussi la première à la rejeter. Ce vêtement était devenu symbole de statut social chez les indigents et de nombreuses aides ménagères et servantes reprirent les burkhas en soie de leurs patronnes. Au début, seuls les Pachtounes, au pouvoir, avaient voilé leurs femmes, à présent les autres groupes ethniques découvraient ce vêtement. Le prince Daoud, lui, en souhaitait l'éradication. En 1961, une loi allait ainsi en interdire l'usage aux employées du secteur public. On recommandait de se vêtir à l'occidentale. La loi mit plusieurs années à être respectée, mais dans les années soixante-dix, il n'était quasiment pas une enseignante ou une secrétaire du secteur public qui ne portât de jupes et de chemisiers, tandis que les hommes avaient adopté le costume. Les femmes non voilées risquaient cependant de voir les fondamentalistes leur loger une balle dans la jambe ou leur asperger le visage d'acide. Lorsque la guerre civile éclata et qu'un régime islamiste s'installa à Kaboul, les femmes furent de plus en plus nombreuses à se couvrir. L'arrivée des taliban vit disparaître tous les visages féminins des rues de la ville.

Les chaussures de la burkha de tête disparaissent parmi d'autres chaussures sur une passerelle étroite. Un peu plus loin derrière, les sandales des sœurs sont prisonnières de la foule. Elles n'ont plus qu'à suivre le mouvement du troupeau. Chercher les chaussures de l'autre devient impossible, sans parler de s'arrêter ou de se retourner. L'une en chaussures noires, pantalon de dentelle blanche et bordure de robe pourpre, l'autre en sandales en plastique marron et bordure de robe noire et la dernière, la silhouette de burkha la plus menue, en chaussures en plastique rose, pantalon et bordure de robe violets. Elles se retrouvent et lèvent les yeux pour tenir conseil. La burkha de tête les entraîne dans une boutique. Une vraie boutique avec des fenêtres et une vitrine d'exposition, sur les confins du bazar. Elle cherche un couvre-lit et a jeté son dévolu sur un modèle brillant, ouaté, rose, dénommé *Paris*. Au couvre-lit s'ajoutent des coussins à volants ornés de cœurs et de fleurs. Le tout est emballé dans une pratique valise en plastique rigide transparent. Une étiquette indique « Product of Pakistan » sous le nom *Paris* et un dessin de la tour Eiffel.

C'est ce couvre-lit que la burkha désire avoir sur son futur lit conjugal. Lit qu'elle n'a ni essayé ni vu, et que, Dieu l'en garde, elle ne doit pas voir avant la nuit de noces. Elle marchande. Le vendeur exige plusieurs millions d'afghanis pour le tout.

— Une somme à dresser les cheveux sur la tête !

Elle essaie de négocier, mais le vendeur est intransigeant. Elle s'apprête à partir lorsque finalement il cède. La burkha serpentante obtient le couvre-lit pour environ un tiers du prix initial, mais au moment de payer, elle change d'avis. Elle ne veut plus du modèle rose layette, mais opte pour le rubis. Le marchand de tapis l'emballe et lui offre un rouge à lèvres rouge. Puisqu'elle va se marier.

Elle le remercie gentiment et soulève son voile, il faut essayer le rouge à lèvres. Après tout, Shakila et le marchand de tapis et de cosmétiques sont presque devenus de vieilles connaissances. Hormis lui, il n'y a que des femmes dans le magasin, donc Leila et Mariam s'arment, elles aussi, de courage, soulèvent leurs burkhas et trois bouches pâles se colorent de rubis. Elles se regardent dans le miroir et observent l'œil avide toutes les merveilles qui s'étalent sous le comptoir en verre. Shakila est à la recherche d'une crème pour blanchir la peau. La pâleur est l'un des critères de beauté essentiels des Afghanes. Une mariée se doit d'être pâle.

Le marchand de tapis et de cosmétiques recommande une pommade qui s'appelle *Perfact*. « *Aloe white block cream* [1] » indique le paquet, le reste est

---

1. Crème écran blanche à l'aloès *(N.d.T.)*.

en caractères chinois. Shakila en essaie un peu et semble avoir essayé de blanchir sa peau avec une épaisse crème au zinc. L'espace d'un instant, sa peau est plus pâle. Sous la crème, transparaît sa véritable carnation, le résultat est un écran brun-blanc. La crème miracle est placée dans le sac qui commence à être bien plein. Les trois sœurs rient et promettent de revenir la prochaine fois qu'elles se marieront.

Satisfaite, Shakila veut rentrer à la maison montrer ses achats. Elles trouvent un bus et s'y engouffrent. Elles montent sur le marchepied arrière et vont s'installer sur les sièges derrière le rideau. Les derniers rangs du bus sont réservés aux burkhas, à leurs bébés et à leurs sacs. Les burkhas sont tirées en tous sens, s'accrochent, sont piétinées. Il faut les retenir un peu en s'asseyant pour voir autour de soi sans que le tissu n'attire la tête en bas et ne la serre. Elles s'installent en se calant, à l'extrémité d'un siège, chacune avec ses courses sur les genoux et sous les jambes. Les places réservées aux femmes sont chères et après que d'autres sont montées, les burkhas se retrouvent enfermées au milieu d'autres burkhas, de corps de burkhas, et de bras, de sacs et de chaussures de burkhas.

Épuisées, les trois sœurs jettent leurs paquets en descendant du bus qui s'arrête près de leur maison bombardée. Flottant au vent, elles entrent dans l'appartement froid, enlèvent leurs burkhas, les accrochent à des clous et soupirent de soulagement. Elles retrouvent leurs visages. Les visages que les burkhas leur ont volés.

Un mariage de troisième classe

Veille du grand jour. La pièce regorge de monde. Pas un centimètre du sol qui ne soit recouvert d'un corps de femme, mangeant, dansant ou bavardant. C'est la nuit du henné. Cette nuit, les paumes de mains et les plantes de pieds des mariés vont être enduites de henné. Cela donne un motif orange aux mains et, dit-on, un mariage heureux.

Les futurs mariés ne sont pas ensemble, les hommes ont une fête, les femmes la leur. Seules, les femmes éclosent, déployant une vitalité démesurée, presque effrayante. Elles se tapent sur les fesses, se pincent les seins et dansent les unes pour les autres, leurs bras mués en serpents ondulants, leurs hanches devenues celles de danseuses du ventre arabes. Telles des séductrices-nées, des fillettes dansent et ondoient, le regard plein de défi et les sourcils haussés. Même les plus âgées s'y essaient, cessant généralement leur danse à mi-parcours, avant son déchaînement. Elles montrent ainsi qu'elles en sont encore capables.

Shakila est assise sur l'unique meuble de la pièce, un canapé qui y a été installé pour l'occasion. Elle suit la scène de loin, mais n'a le droit ni d'y participer ni de sourire. Sa joie blesserait la mère qu'elle quitte, sa tristesse contrarierait sa future belle-mère. Le visage doit rester empreint d'indifférence, la mariée ne doit pas promener son regard mais le garder fixe, droit. Shakila remplit sa mission avec éclat, comme si toute sa vie elle s'était entraînée pour cette nuit. Elle a un port de reine et converse tranquillement avec celle qui est assise dans le canapé à son côté, honneur conféré à tour de rôle. Seules ses lèvres remuent quand elle répond aux questions des invitées.

Vêtue de rouge, vert, noir et or, elle semble avoir été enveloppée dans le drapeau afghan puis saupoudrée d'or. Ses seins se dressent comme les pics d'une montagne : de toute évidence le soutien-gorge qu'elle a acheté en le mesurant du regard lui va. Sous sa robe, sa taille est étroitement lacée. Elle a enduit son visage d'une épaisse couche de *Perfact*, souligné son regard de khôl et peint ses lèvres avec son nouveau rouge. Son allure aussi est celle de la parfaite mariée. Les mariées doivent avoir l'air artificiel, comme des poupées. D'ailleurs, en dari, le mot pour mariée et pour poupée est le même : *arus*.

Plus tard dans la soirée, un défilé de tambourins, percussions et lampions passe le portail. Il s'agit des femmes de la maison de Wakil – ses sœurs, belles-sœurs et filles. Elles chantent dans l'obscurité de la nuit en tapant dans leurs mains et dansant :

Nous allons chercher cette jeune fille dans son foyer et la conduire dans le nôtre

Mariée, ne baisse pas la tête, ne pleure pas de larmes amères

C'est le souhait de Dieu, remercie plutôt Dieu,
Ô Mahomet, envoyé de Dieu, résous ses pro-
blèmes,
Rends faciles les choses difficiles !

Les femmes de Wakil dansent sensuellement avec des châles et des foulards qui encadrent leurs visages et leurs corps. La pièce est pleine de buée et exhale une douce odeur de sueur. Les fenêtres sont grandes ouvertes et les rideaux flottent au vent, mais le frais vent de printemps ne peut apaiser ces femmes.

Seule l'arrivée des plats débordant de *palao* marque une pause dans la danse. Toutes s'installent à même le sol, à l'endroit où elles se tenaient debout ou dansaient. Seules les aînées peuvent s'asseoir sur les coussins contre le mur. C'est Leila, la petite sœur de Shakila, et sa cousine cadette qui apportent le repas, cuit dans de grandes marmites dans l'arrière-cour. Des plats de riz, de gros morceaux de mouton, des aubergines à la sauce au yaourt, des nouilles farcies aux épinards et à l'ail, des pommes de terre sauce poivron sont disposés par terre. Les femmes se groupent autour des plats. De la main droite, elles pressent le riz et le portent à leur bouche. Elles mangent la viande et la sauce en rompant de grandes galettes de pain. Tout se passe de la main droite. La main gauche, la main sale, doit reposer. À présent, on n'entend plus que des bruits de mastication. Le repas se déguste en silence. Silence interrompu uniquement par des incitations mutuelles à se resservir. C'est faire preuve d'éducation que de pousser les meilleurs morceaux vers sa voisine.

Lorsque les femmes sont toutes repues, la cérémonie du henné peut commencer. Il est tard, plus personne ne danse. Certaines se sont endormies, d'autres sont allongées ou assises autour de Shakila, elles observent la sœur de Wakil qui étale la pâte vert mousse sur ses mains et ses pieds et chantent le chant du henné. Une fois ses mains enduites, Shakila doit les refermer. Sa future belle-sœur entoure chaque poing dans des lanières en tissu pour que se forment des motifs et les enroule dans des coupons de tissu souple afin d'éviter qu'elle ne salisse ses vêtements et ses draps. Elle la déshabille jusqu'aux sous-vêtements, une longue culotte blanche en coton et une tunique, et l'allonge sur une natte au milieu de la pièce avec un gros oreiller sous la tête. Puis Shakila est nourrie de gros morceaux de viande, de foie cuit et de quartiers d'oignons crus, que sa sœur a préparés tout spécialement pour celle qui va quitter la famille.

Bibi Gul est assise, contemplant sa fille. Elle suit des yeux chaque morceau que les sœurs déposent dans sa bouche. Puis elle se met à pleurer. Toutes fondent en larmes, mais s'assurent mutuellement que Shakila aura certainement une bonne vie.

Lorsque Shakila a mangé, elle se love contre Bibi Gul, en position fœtale, sa mère l'enveloppant. De toute sa vie, elle n'a jamais dormi dans d'autre chambre que la sienne. C'est sa dernière nuit dans le giron de sa mère. La prochaine sera celle de son mari.

Quelques heures plus tard, on la réveille. Ses sœurs dénouent les bandes de tissu autour de ses mains. Elles ôtent le henné, des motifs orange ornent la paume de ses mains et la plante de ses pieds. Shakila démaquille son visage de poupée de la veille et, comme d'habitude, prend un petit déjeuner consistant. Viande grillée, pain, pudding sucré et thé.

À 9 heures, elle est prête pour se faire maquiller, coiffer et parer. Ensemble, avec sa petite sœur Leila, Sonya, la seconde épouse de Sultan, et une cousine, elles montent dans un appartement de Microyan. C'est un salon de beauté, salon qui existait aussi sous les taliban. À cette époque aussi les mariées voulaient se faire belles, bien que ce fût interdit, et tiraient parti de l'une des obligations imposées par les taliban : elles arrivaient à l'appartement en burkha et le quittaient dans cette même burkha, avec un nouveau visage au-dessous.

L'esthéticienne dispose d'un miroir, d'un siège et d'une étagère de flacons et de tubes, dont le style et l'état laissent penser qu'ils sont vieux de plusieurs décennies. Sur les murs, elle a collé des affiches de stars de Bollywood. Ces beautés décolletées adressent un sourire enjôleur à Shakila qui s'installe sobrement sur son siège.

Ils ne seraient pas nombreux à dire que Shakila est belle. Son grain de peau est grossier et ses paupières gonflées, son visage est large et ses mâchoires puissantes. Mais elle a les dents les plus jolies et les plus blanches qui soient, une chevelure brillante, le regard espiègle ; parmi les filles de Bibi Gul, c'est elle qui a connu le plus grand succès.

— Je ne comprends pas pourquoi tu me plais tant, lui avait avoué Wakil lors du dîner chez Mariam. Tu n'es même pas belle.

Il y avait de l'amour dans sa voix et Shakila l'avait pris comme un compliment.

À présent, elle n'est qu'angoisse à l'idée de ne pas être suffisamment belle et son regard malicieux s'est éteint. Le mariage est grave comme la mort.

D'abord sa sombre crinière est enroulée sur de petits rouleaux en bois, puis ses sourcils broussailleux, si fournis qu'ils se réunissent à la naissance du nez, sont épilés. C'est là le signe véritable qu'elle va devenir une femme mariée ; avant leur mariage, les femmes n'ont pas le droit de s'épiler les sourcils. Shakila hurle, l'esthéticienne épile. Les sourcils se muent en arcs de toute beauté et Shakila s'admire dans le miroir. Son regard entier semble s'être un peu agrandi.

— Si tu étais venue plus tôt, j'aurais décoloré le duvet au-dessus de tes lèvres.

L'esthéticienne lui montre un tube mystérieux, quelque peu écaillé, qui indique « Décolorant pour duvet indésirable ».

— Mais maintenant, on n'a pas le temps.

Ensuite, elle enduit tout le visage de Shakila de *Perfact*. Elle couvre l'intégralité de ses paupières d'une ombre lourde, brillante, dans des tons de rouge et d'or, avant de souligner ses yeux d'un trait au bord des cils avec un gros crayon khôl et de sélectionner un rouge à lèvres brun-rouge sombre.

— Quoi que je fasse, je ne serai jamais aussi belle que toi, dit Shakila à Sonya, sa belle-sœur plus jeune qu'elle, la seconde épouse de Sultan.

Sonya se contente de sourire et de marmonner indistinctement. Elle est en train d'enfiler une robe en tulle bleu clair.

Shakila maquillée, c'est au tour de Sonya d'être embellie, tandis que les autres aident la mariée à revêtir sa robe. Leila lui a prêté sa bande ventrale, un lien large, élastique, qui va lui créer une taille. Sa tenue du matin est d'un vert menthe vif, brillant, ornée de dentelles, de volants et de bords dorés. La robe doit être verte car c'est la couleur de l'islam et de la chance.

Une fois la robe bien ajustée et les pieds enfoncés dans de vertigineux escarpins blancs à boucles dorées, la coiffeuse ôte les rouleaux. Crêpés, les cheveux sont maintenus par une barrette serrée au milieu du crâne, tandis que la frange, à l'aide de grandes quantités de laque, est sculptée en une vague sur un côté du visage. Puis on fixe le voile vert menthe. Ornement supplémentaire – tout à la fin – une dizaine de petits autocollants, étoiles bleu ciel entourées d'une bordure dorée, viennent parsemer la chevelure. Sur chaque joue trois étoiles argentées sont collées. Shakila commence presque à ressembler aux stars bollywoodiennes sur le mur.

— Oh, non ! Le drap, le drap ! s'écrie soudain Leila. Oh, non !

— Oh, non ! s'exclame Sonya en regardant l'impassible Shakila.

Leila se lève et se précipite dehors. Par bonheur, elle n'est pas loin de la maison. Dire qu'elle a failli oublier le drap, le plus important de tout...

Les autres ne bougent pas, indifférentes à la panique de Leila. Une fois que toutes ont leurs autocollants dans les cheveux et sur les joues, elles enfilent leurs burkhas. Shakila essaie de positionner la sienne de sorte qu'elle ne détruise pas sa coiffure.

Elle se garde de la serrer sur la tête, comme elle en a l'habitude, et la laisse reposer au-dessus de ses cheveux crêpés. Le grillage ne se trouve donc pas, comme de coutume, devant ses yeux, mais sur le sommet de son crâne. Sonya et sa cousine doivent la guider comme une aveugle dans l'escalier. Shakila préfère tomber plutôt que d'être vue sans burkha.

Elle ne l'ôte pas avant d'être dans la cour de Mariam, où se déroule le mariage ; ses cheveux ont alors perdu un peu de volume. À son arrivée, les invités se jettent sur elle. Wakil n'est pas encore là. L'arrière-cour grouille d'une foule déjà pleinement occupée à déguster *palao*, kébabs et boulettes de viande. Des centaines de parents sont conviés. Depuis l'aube, un cuisinier et son fils hachent, coupent, cuisent et remuent. Pour le repas de noces, on a acheté cent cinquante kilos de riz, cinquante-six de mouton, quatorze d'agneau, quarante-deux de pommes de terre, trente d'oignons, cinquante d'épinards, trente-cinq de carottes, un d'ail, huit de raisins secs, deux de noix diverses, trente-deux d'huile, quatorze de sucre, deux de farine, quatorze de bonbons et trois de caramels.

Après le repas, deux douzaines d'hommes disparaissent dans la maison voisine, où se trouve Wakil, pour les dernières tractations. Ils vont négocier les détails financiers et préciser les engagements pour l'avenir. Wakil doit garantir le montant de la somme qu'il versera s'il venait à divorcer de Shakila sans raison et doit promettre de couvrir ses besoins en vêtements, nourriture et logement. Sultan, le grand frère, négocie au nom de Shakila et les hommes des deux familles signent le contrat.

Parvenus à un accord, ils sortent. Shakila est avec ses sœurs dans la maison de Mariam à son poste d'observation derrière les rideaux. Pendant que les hommes négociaient, elle s'est changée et a revêtu sa robe blanche, son voile de rideaux soviétiques bien baissé sur le visage. À présent, elle est assise et attend que Wakil soit conduit à elle, afin qu'ils puissent sortir ensemble. Il entre, presque timide. Ils se saluent, le regard baissé, comme il se doit, et sortent ensemble, côte à côte, sans se regarder. En s'arrêtant, ils doivent tous deux essayer de mettre leur pied sur celui de l'autre. Celui qui y parvient sera le chef du couple. Wakil l'emporte, ou plutôt Shakila le laisse l'emporter, comme elle se doit de le faire. On ne s'arroge pas un pouvoir auquel on n'a pas droit.

Deux sièges sont placés dans la cour, les mariés doivent à tout prix s'asseoir simultanément. Si le marié s'assied d'abord, la mariée aura le dessus dans toutes les décisions. Aucun d'eux ne voulant s'asseoir, c'est finalement Sultan qui, derrière eux, les presse lentement sur leurs sièges, en parfaite synchronisation. Tous applaudissent.

Feroza, la sœur aînée de Shakila, couvre à demi le couple d'une couverture et tient un miroir devant eux. La tradition exige que cet instant soit le premier où leurs regards se croisent. Wakil et Shakila fixent le miroir, comme s'ils ne s'étaient jamais vus. Feroza tient le Coran au-dessus de leurs têtes, tandis qu'un mollah lit des bénédictions. Nuques baissées, ils reçoivent la parole de Dieu.

Puis on leur présente un entremets à base de miettes de gâteaux, de sucre et d'huile, assaisonné de cardamome. Ils se nourrissent mutuellement à la cuiller sous les applaudissements de tous. Ils se donnent aussi mutuellement à boire pour montrer qu'ils souhaitent une bonne vie à leur conjoint.

L'ingestion de Fanta suscite moins d'émotion.

— Il fut un temps où l'on levait un verre de champagne pendant la cérémonie, chuchote une tante, songeant à des périodes plus libérales. Mais ce temps ne reviendra sans doute plus jamais, ajoute-t-elle en soupirant.

Cette époque de bas nylon, de robes occidentales, de bras dénudés et surtout cette époque sans burkha n'est plus qu'un pâle souvenir.

— Mariage de troisième classe, lui répond Mansur, le fils aîné de Sultan. Mauvaise nourriture, vêtements de bas étage, boulettes de viande et riz, tuniques et foulards. Quand je me marierai, je louerai la salle de bal de l'hôtel Intercontinental, et tout le monde devra porter des vêtements modernes, et on servira la meilleure cuisine qui soit. De la nourriture importée, souligne-t-il, avant de changer d'avis. Non, en fait, je me marierai à l'étranger.

La fête de Shakila et Wakil se déroule dans la maison en pisé de Mariam et dans la cour où rien ne pousse. Un voile de guerre ternit les photos des mariés. Derrière eux, le mur est grêlé d'impacts de balles et de meurtrissures de grenades. Le regard figé, ils posent pour les photographes. L'absence de sourires et les impacts derrière eux confèrent à la scène une dimension tragique.

L'heure est au gâteau. Tenant ensemble le couteau, ils coupent, l'air concentré, et se nourrissent mutuellement, la bouche presque fermée, comme s'ils rechignaient à l'ouvrir complètement, et se salissent avec des miettes.

Viennent ensuite la musique et la danse. De nombreux invités assistent aujourd'hui à leur premier mariage depuis le départ des taliban, autrement dit à un mariage avec musique et danse. Les taliban avaient privé la population de la moitié du plaisir des célébrations de noces en en supprimant la musique. À présent, tous se jettent dans la danse, hormis les mariés, qui restent assis sur leurs sièges en spectateurs. C'est la fin de l'après-midi. Du fait du couvre-feu, les fêtes de mariage sont avancées. Tous doivent être rentrés chez eux à 22 heures.

Au crépuscule, les mariés quittent la fête sous le vacarme des cornets et des cris. Dans une voiture ornée de fleurs et de rubans, ils vont se rendre chez Wakil. Qui trouve de la place dans une voiture se joint au cortège. Dans celle de Wakil et Shakila s'entassent huit personnes, dans d'autres ils sont plus nombreux. Ils font un tour dans les rues de Kaboul. L'aïd laisse les rues désertes et les voitures prennent les ronds-points à cent à l'heure, se battant pour prendre la tête du cortège. La collision de deux voitures met un léger frein à l'ambiance de fête, mais nul n'est grièvement blessé. Phares cassés et capots cabossés, les voitures rentrent chez Wakil. Ce tour est la cession symbolique, Shakila quitte sa famille pour être reprise par celle de son mari.

Les parents les plus proches viennent chez Wakil, où ses sœurs ont préparé du thé. C'est avec ces femmes que Shakila va désormais partager sa cour, c'est là qu'elles se rencontreront au point d'eau, là qu'elles laveront leur linge, nourriront leurs poulets. Des enfants morveux la dévisagent avec curiosité, elle est la femme qui va devenir leur nouvelle mère. Ils se cachent dans les jupes de leurs tantes et regardent avec recueillement cette mariée toute d'or scintillante. La musique est très lointaine, les cris de joie se sont tus. Avec dignité, Shakila franchit le seuil de ce nouveau foyer, très spacieux, haut de plafond. Comme toutes les maisons du village, celle-ci est construite en pisé, avec de lourdes poutres au plafond. Les fenêtres sont recouvertes de plastique. Wakil non plus n'ose croire à la fin des bombes et des missiles et attend avant de l'enlever.

Tous se déchaussent et marchent calmement dans la maison. Après une journée passée enfermés dans l'étroitesse des hauts escarpins blancs, les pieds de Shakila sont rouges et gonflés. Les convives restants, la famille la plus proche, se rendent dans la chambre à coucher. Un immense lit double occupe presque toute la pièce. Shakila regarde avec fierté le couvre-lit rubis, brillant et lisse, et les coussins qu'elle a achetés, ainsi que les nouveaux rideaux rouges qu'elle a cousus elle-même. Sa sœur Mariam est venue la veille préparer la chambre, accrocher les rideaux, étendre le couvre-lit et exposer la décoration de mariage. Shakila, elle, n'est jamais venue dans cette maison qu'elle va dorénavant diriger jusqu'à la fin de ses jours.

Pendant l'entière célébration des noces, nul n'a pu voir les mariés échanger un sourire. À présent, dans sa nouvelle maison, Shakila ne peut s'en garder.

— Comme tu as bien fait les choses, félicite-t-elle Mariam.

Pour la première fois de sa vie, elle a sa propre chambre. Pour la première fois de sa vie, elle va dormir dans un lit. Elle s'assied à côté de Wakil sur le couvre-lit moelleux.

Restent les dernières étapes de la cérémonie. L'une des sœurs de Wakil lui tend un grand clou et un marteau. Elle sait ce qu'elle doit faire et se dirige lentement vers la porte de la chambre, au-dessus de laquelle elle fixe le clou. Lorsqu'il est complètement enfoncé, tous applaudissent. Bibi Gul renifle. Shakila symbolise ainsi qu'elle rive son destin à cette maison.

Le lendemain, avant le petit déjeuner, la tante de Wakil vient chez Bibi Gul. Dans son sac, elle a le drap que Leila avait failli oublier – le plus important de tout. La vieille femme le sort avec recueillement et le tend à la mère de Shakila. Il est couvert de sang. Bibi Gul la remercie en souriant, tandis que roulent ses larmes. Elle fait rapidement une petite prière. Toutes les femmes de la maison arrivent en trombe et Bibi Gul le montre à tous ceux qui veulent le voir. Même les fillettes de Mariam voient le tissu sanguinolent.

Sans ce sang, c'est Shakila, pas le drap, qui aurait été renvoyée à sa famille.

La matriarche

Le mariage est une sorte de petite mort. Pendant les premiers jours qui le suivent, la famille de la mariée est endeuillée comme lors d'un enterrement. On a perdu, vendu ou donné une fille. C'est surtout les mères qui portent le deuil, elles qui ont toujours tout su sur leur fille, où elle allait, qui elle rencontrait, ce qu'elle mangeait. Elles ont passé la plus grande partie de chaque journée ensemble, elles se sont levées en même temps, ont balayé la maison ensemble, ont cuisiné ensemble. Après le mariage, la fille disparaît, elle passe d'une famille à l'autre. Complètement. Elle ne vient pas rendre visite à sa famille quand bon lui semble, mais uniquement quand son mari l'y autorise, et sa famille non plus ne peut pas se rendre chez elle sans y être invitée.

Dans un appartement de l'immeuble 37 de Microyan, une mère pleure sa fille, qui vit à une heure de marche. Mais que Shakila soit dans le village de Deh Khudaïdad, juste en dehors de Kaboul, ou dans un pays étranger à des milliers de kilomètres de l'autre côté de l'océan, la situation est la même. Tant qu'elle n'est pas sur le matelas à côté d'elle à boire du thé et à manger des pralines, c'est aussi triste.

Bibi Gul croque une amande de plus, elle les a cachées sous son matelas pour éviter que Leila ne les trouve. Sa fille cadette est celle qui prend garde à ce qu'elle ne mange pas jusqu'à en mourir. Telle l'infirmière d'une clinique d'amaigrissement, elle lui interdit sucre et graisse et lui arrache la nourriture des mains quand, en cachette, elle va se servir d'un mets auquel elle n'a pas droit. Lorsqu'elle en a le temps, elle lui cuisine des plats spéciaux, sans graisse, mais Bibi Gul est plutôt du genre à verser la graisse des autres assiettes sur la sienne dès que Leila tourne le dos. Elle adore le goût de l'huile, la graisse de mouton chaude et les pakoras, elle adore sucer la moelle des os en fin de repas. La nourriture est son refuge. Quand elle n'est pas repue à l'issue du souper, elle se relève souvent la nuit pour lécher un bol et racler les fonds de casseroles. En dépit des efforts de Leila, Bibi Gul ne perd jamais de poids, bien au contraire, sa circonférence ne fait qu'augmenter. Partout, elle aménage des petits lieux de stockage, dans de vieux coffres, sous certains tapis, derrière une caisse. Ou dans son sac. C'est là qu'elle garde ses caramels mous. Des caramels à la crème du Pakistan, à la couleur étrange, farineux et cristallisés. Ils sont bon marché, fades, voire rances pour certains, mais ce sont des caramels à la crème, dont le paquet est orné d'une image de vaches, et nul ne peut l'entendre les sucer.

Les pralines, en revanche, il lui faut les croquer silencieusement. Bibi Gul reste assise à se lamenter sur son sort. Elle est seule dans la pièce. Sur sa natte, elle se balance, les pralines cachées dans sa main. Elle a le regard dans le vague. Elle entend des casseroles tinter dans la cuisine. Bientôt toutes ses filles auront quitté la maison. Shakila est partie, Bulbula s'apprête à le faire. Qu'adviendra-t-il le jour où Leila partira ? Il ne restera personne pour s'occuper d'elle.

— Personne n'aura Leila avant ma mort.

Ils ont été nombreux à la demander en mariage, mais Bibi Gul a toujours refusé. Car jamais personne ne s'occupera d'elle comme Leila.

De son côté, Bibi Gul ne fait plus rien de ses dix doigts. Elle reste assise dans son coin à boire du thé et à méditer. Son labeur est achevé. Quand une femme a des filles adultes, elle devient une sorte de dirigeante du foyer qui prodigue ses conseils et arrange les mariages, une gardienne de la bonne moralité de la famille, enfin surtout de celle de ses filles. Elle veille à ce qu'elles ne sortent pas seules, à ce qu'elles se voilent convenablement, à ce qu'elles ne rencontrent pas d'hommes en dehors de la famille, à ce qu'elles obéissent et soient polies. Pour Bibi Gul, la politesse est la plus grande des vertus. Après Sultan, c'est elle qui a le plus de pouvoir dans la famille.

De nouveau, ses pensées vont à Shakila, qui se trouve à présent derrière de hauts murs en argile. Des murs étrangers. Elle l'imagine remontant de lourds seaux d'eau du puits dans la cour, avec autour d'elle des poulets et dix enfants orphelins de mère. Bibi Gul craint d'avoir commis une erreur. Et s'il n'était pas gentil ? Et puis l'appartement est tellement vide sans elle...

Vide, le petit appartement ne l'est en fait qu'à

peine plus sans Shakila. Au lieu de douze, ils sont maintenant onze à s'en partager les quatre pièces. Sultan, Sonya et leur fille d'un an dans une chambre, Yunus, le frère, et Mansur, le fils aîné de Sultan, dans une autre, et, dans la troisième, le reste de la famille : Bibi Gul, ses deux filles non mariées, Bul-bula et Leila, les deux fils cadets de Sultan, Eqbal et Aimal, et leur cousin, son petit-fils, Fazil, fils de Mariam.

La quatrième pièce sert d'entrepôt à livres, cartes postales, riz, pain, vêtements d'hiver en été, vête-ments d'été en hiver. La garde-robe de la famille est placée dans de grandes caisses, car aucune des chambres n'est équipée de placards. Tous les jours, on passe un temps infini à chercher. Debout ou assises près des caisses, les femmes de la famille examinent qui des vêtements ou des chaussures, qui un sac tordu, un écrin abîmé, un ruban, une paire de ciseaux ou une nappe. L'objet est soit utilisé ou seulement considéré avant d'être reposé, mais rare-ment jeté. Les caisses se multiplient donc sans cesse. Chaque jour, l'entrepôt connaît une petite réorgani-sation, tout doit être déplacé quand on cherche quelque chose au fond.

Outre ces grandes caisses contenant les vêtements familiaux et des bibelots, chaque membre de la famille possède un coffre avec un cadenas. Les femmes se promènent la clef fixée à leur robe. C'est leur seul espace privé et on peut quotidiennement les apercevoir penchées au-dessus, par terre, à sortir un bijou, l'examiner, peut-être le mettre, le reposer, s'enduire d'une pommade dont elles avaient oublié l'existence ou respirer un parfum qu'on leur a offert un jour. Peut-être regarder la photo d'un cousin et se perdre dans leurs rêves ou, comme Bibi Gul, sortir quelques caramels mous ou des biscuits cachés là.

Sultan possède une bibliothèque cadenassée. Les portes sont vitrées, laissant apercevoir des classeurs. Sultan y conserve des recueils de poésie de Hafez et de Rûmî, des récits de voyages séculaires et des atlas écornés. Caché dans des endroits secrets parmi ces pages, Sultan garde aussi son argent, car en Afghanistan, aucun système bancaire n'est fiable. Dans cette bibliothèque se trouvent ses ouvrages de prédilection, des exemplaires dédicacés, des livres qu'il espère avoir un jour le temps de lire ; mais il passe le plus clair de son temps dans sa librairie. Il quitte la maison avant 8 heures du matin pour rentrer à 20 heures. Il ne lui reste alors que le temps de jouer avec Latifa, de dîner et de prendre quelques décisions s'il s'est passé quelque chose en son absence. En principe, ce n'est pas le cas, car la vie des femmes du foyer est calme et il est au-dessous du rang de Sultan de résoudre leurs problèmes.

Dans la partie basse de la bibliothèque, Sonya garde ses biens. Quelques beaux foulards, des bijoux, un peu d'argent, les jouets offerts à Latifa dont elle estime qu'ils sont trop beaux pour que sa fille joue avec. Une imitation de poupée Barbie que Latifa a reçue pour son premier anniversaire trône ainsi, en haut de la bibliothèque, encore emballée dans son plastique fripé.

La bibliothèque est le seul meuble de l'appartement, la famille n'a ni télévision ni radio. Les pièces sont habillées uniquement par les matelas fins le long des murs et de gros coussins durs. Les matelas sont utilisés la nuit pour dormir, le jour pour s'asseoir. Les coussins se font oreiller ou dossier. Lors des repas, on étale une nappe en toile cirée sur le sol, autour de laquelle tous s'asseyent jambes croisées et mangent avec les doigts. Ensuite, la nappe est lavée puis roulée.

Le sol est en ciment, recouvert de grands tapis. Les murs sont fissurés. Les portes, bancales, ne ferment pas et restent donc entrebâillées. Certaines des chambres ne sont séparées que par un drap. Les trous dans les fenêtres sont bouchés à l'aide de vieilles serviettes.

Dans la cuisine, se trouvent un évier, un réchaud à gaz et une plaque de cuisson par terre. Dans les encadrements de fenêtres reposent des légumes et des restes de la veille. Les étagères sont protégées par des rideaux pour préserver le service de toute la crasse et des émanations du réchaud. Cependant, on a beau nettoyer, une couche de graisse saupoudrée de la sempiternelle poussière de sable de Kaboul subsiste sur tous les plans de travail, toutes les étagères et tous les encadrements de portes et de fenêtres.

La salle de bains et les toilettes forment une petite pièce, séparée de la cuisine par un mur percé d'une lucarne ouverte, qui n'est guère plus qu'un trou dans le sol et un robinet. Dans un coin se trouve un poêle à bois où l'on peut faire bouillir de l'eau pour les tâches domestiques, ainsi qu'un grand réservoir rempli lorsqu'on a de l'eau courante. Au-dessus du réservoir, une petite étagère contenant une bouteille de shampoing, un savon qui est toujours noir, quelques brosses à dents et un tube de dentifrice chinois rempli d'une pâte granuleuse au goût chimique indescriptible.

— Autrefois, c'était un bel appartement, se souvient Sultan. Nous avions l'eau, l'électricité, des tableaux au mur, tout.

Mais il a été pillé et brûlé pendant la guerre civile. Lorsque la famille est revenue, il était totalement rasé, et elle a dû le rafistoler du mieux qu'elle pouvait. La partie la plus ancienne de Microyan, où vit la famille Khan, se trouvait sur la ligne de front entre les forces du commandant moudjahed Massoud et les hommes de l'exécré Gulbuddin Hekmatyar. Massoud tenait une grande partie de Kaboul, tandis que Hekmatyar se trouvait sur une hauteur à l'extérieur de la ville. Ils se battaient à coups de missiles, dont nombre ont atterri à Microyan. Sur une autre hauteur se trouvait l'Ouzbek Abdul Rashid Dostom, sur une troisième le fondamentaliste Abdul Rasul Sayyaf. Leurs missiles atterrissaient dans d'autres quartiers. Les fronts se déplaçaient d'une rue à l'autre. Les seigneurs de guerre allaient combattre pendant quatre ans avant que les taliban n'arrivent finalement à Kaboul et que les seigneurs de guerre ne fuient devant les séminaristes.

Six ans après la fin des combats, Microyan reste un paysage de guerre. Les bâtiments sont grêlés d'impacts de balles et de grenades. Des feuilles de plastique remplacent les vitres de nombreuses fenêtres. Les plafonds des appartements sont fissurés et, en explosant, des missiles ont brûlé les étages supérieurs, les métamorphosant en trous béants. Microyan a été le théâtre de certains des combats les plus violents de la guerre civile et la plupart des habitants ont fui. La colline de Maranyan, au-dessus de Microyan, où se trouvaient les forces de Hekmatyar, n'a pas été nettoyée après la guerre civile. Cratères de missiles, véhicules et tanks bombardés s'y éparpillent, à seulement quinze minutes de marche du domicile de la famille Khan. Autrefois, c'était un lieu très couru des pique-niqueurs. C'est ici qu'est enterré Nadir Shah, le père de Zaher Shah, victime d'un attentat en 1933. Aujourd'hui subsistent seulement des ruines de la chambre funéraire, le dôme est criblé d'impacts, les piliers sont brisés. Juste à côté, le palais plus modeste de sa reine est dans un état plus piètre encore, il ressemble à un squelette sur une avancée au-dessus de la ville, la pierre tombale est en morceaux. Certains ont essayé de les rassembler pour permettre de lire la citation coranique qui y fut inscrite.

La colline entière est minée, mais parmi les douilles d'obus et les déchets métalliques, derrière un rang de pierres rondes, témoignant des temps de paix, poussent des soucis orange, la seule chose qui, sur la colline de Maranyan, ait survécu à la guerre civile, à la sécheresse et aux taliban.

À bonne distance, vu de la colline, Microyan ressemble à n'importe quel village de l'ex-Union soviétique. Ces bâtiments sont d'ailleurs un cadeau des Russes. Dans les années cinquante et soixante, des ingénieurs soviétiques ont été envoyés en Afghanistan pour construire ce que l'on appelle les immeubles Khrouchtchev, dont l'Union soviétique fut remplie et qui furent exactement les mêmes à Kaboul, Kaliningrad et Kiev. Des immeubles de quatre étages divisés en appartements de deux, trois ou quatre pièces.

En approchant, on comprend que cette vague impression n'est pas le fruit d'un classique délabrement soviétique, mais des balles et de la guerre, même les bancs en ciment devant les portes d'entrée sont cassés et gisent comme des épaves renversées sur les chemins de terre pleins de trous, qui un jour furent asphaltés.

En Russie, ces bancs sont occupés par des babouchkas, vieilles femmes à canne, moustache et fichu qui observent tout ce qui se passe aux alentours des immeubles. À Microyan, seuls les vieux hommes restent assis devant les maisons à bavarder en faisant glisser un chapelet entre leurs doigts. Ils s'installent à l'ombre clairsemée des quelques arbres épargnés. Les femmes passent en hâte devant eux, des sacs de provisions sous leurs burkhas. Il est rare qu'une femme s'arrête bavarder avec quelque voisine. À Microyan, celles qui ont envie de bavarder se rendent visite et prennent bien garde à ce qu'aucun homme étranger à la famille ne les voie.

Si l'habitat est bâti dans l'esprit égalitaire soviétique, l'égalité n'existe pas, ni à l'intérieur ni à l'extérieur des maisons. L'idée sous-jacente était certes de construire des appartements sans distinction de classe dans une société sans classe, mais ceux de Microyan ont été perçus comme des logements pour la classe moyenne. Lors de leur construction, c'était une marque de standing que de quitter les maisons en pisé des villages des alentours de Kaboul pour emménager dans ces logements disposant de l'eau courante. Vinrent s'y installer des ingénieurs, des

enseignants, des petits commerçants et des camion-
neurs. Mais le terme « classe moyenne » ne signifie
pas grand-chose dans ce pays dont la plupart des
habitants ont tout perdu et où la société a très souvent reculé.

Au cours des dix dernières années, cette eau courante autrefois si enviable a fait figure de vaste plaisanterie : au rez-de-chaussée, les canalisations sont
alimentées en eau froide pendant quelques heures
tous les matins, puis plus rien ; au premier étage,
l'eau arrive parfois, mais elle n'atteint jamais les
étages supérieurs, la pression étant trop faible. On a
creusé des puits devant les immeubles et tous les
jours, une ribambelle d'enfants monte et descend
l'escalier avec des seaux d'eau, des bouteilles, des
marmites.

L'électricité aussi faisait la fierté de ces
immeubles. Aujourd'hui, l'obscurité règne la plupart
du temps. La sécheresse a entraîné un sévère ration-
nement du courant, un soir sur deux les appartements
sont alimentés quatre heures durant, entre 18 et
22 heures. Quand un quartier a l'électricité, un autre
est plongé dans le noir. Parfois, personne n'a d'électricité. Il ne reste alors plus qu'à sortir les lampes à
pétrole et à rester dans la pénombre tandis que
d'amères émanations piquent les yeux et font
pleurer.

Dans l'un des immeubles les plus anciens, au bord
de la rivière Kaboul, vit la famille Khan. C'est ici
que Bibi Gul dresse un sombre bilan de sa vie,
commencée dans le village où elle a grandi, enfermée dans un désert de pierres brisées. Depuis la mort

de son mari, Bibi Gul est malheureuse. D'après ses descendants, il travaillait dur, était profondément religieux, sévère, mais juste.

Après sa mort, c'est Sultan qui lui a succédé sur le trône. Ses paroles ont désormais force de loi. Quiconque refuse d'obéir est puni, d'abord verbalement, puis physiquement. Il ne se contente pas de régner sur son foyer, mais essaie aussi de régir la vie de ses frères et sœurs qui ont déménagé. Son frère de deux ans son cadet baise sa main lorsqu'ils se rencontrent et Dieu le garde d'oser contredire Sultan ou, pis encore, d'allumer une cigarette devant lui. Tous les respects sont dus à l'aîné.

Quand ni la parole ni les coups n'ont raison de quelqu'un, il existe un autre châtiment : le rejet. Sultan ne parle plus à Farid, l'un de ses petits frères, depuis qu'il a refusé de travailler pour lui et a ouvert sa propre librairie et son atelier de reliure. Le reste de la famille non plus n'a pas le droit de lui adresser la parole. Le nom de Farid ne doit pas être mentionné. Il n'est plus le frère de Sultan.

Farid aussi vit dans un appartement bombardé de Microyan, à quelques minutes à pied. À l'insu de Sultan, quand il est à la librairie, Bibi Gul lui rend souvent visite. Il en va de même de ses frères et sœurs ; bravant l'interdiction, Shakila a accepté l'invitation de son frère avant son mariage et a passé une soirée entière chez lui, prétextant auprès de Sultan une visite chez une tante. Avant le mariage d'une fille, la coutume veut en effet que tous ses parents l'invitent à un dîner d'adieu. Pour les fêtes de famille, Sultan est invité, mais pas son frère, aucun des cousins et cousines, oncles et tantes ne souhaite s'attirer l'inimitié de Sultan, ce serait désagréable et ne mènerait à rien. Mais c'est Farid qu'ils aiment.

Nul ne pourrait dire ce qui s'est réellement passé entre Sultan et Farid. On se souvient juste de Farid quittant son grand frère qui lui criait qu'entre eux les liens étaient rompus à tout jamais. Bibi Gul les conjure de se réconcilier mais ne recueille que des haussements d'épaules. Sultan parce que c'est toujours au plus jeune de demander pardon. Farid parce qu'il estime que les torts sont du côté de Sultan.

Bibi Gul a mis au monde treize enfants ; elle était âgée de quatorze ans à la naissance de Feroza, sa première fille. Enfin la vie trouvait un sens. Ses premières années d'enfant mariée n'avaient été que larmes, à présent, la situation s'améliorait. Comme elle était la fille aînée, il ne fut jamais question pour Feroza d'aller à l'école. La famille était pauvre et elle devait porter de l'eau, balayer et s'occuper de ses petits frères et sœurs. À quinze ans, elle allait être mariée à un homme de quarante ans. Il était riche et Bibi Gul pensait que la richesse était synonyme de bonheur. Feroza était une belle fille et ils obtinrent pour elle la coquette somme de vingt mille afghanis.

Les deux enfants suivants de Bibi Gul sont morts en bas âge. En Afghanistan, un enfant sur quatre meurt avant cinq ans. C'est le pays où le taux de mortalité infantile est le plus élevé du monde. Les enfants meurent de la rougeole, des oreillons, d'un rhume, mais avant tout de la diarrhée. En effet, de nombreux parents n'alimentent pas leurs enfants quand ils en sont atteints, puisque de toute façon, tout est éliminé. Ils pensent pouvoir assécher la maladie. Des milliers d'enfants ont payé de leur vie ce malentendu. Bibi Gul ne sait plus de quoi ses deux enfants sont morts. « Ils sont juste morts. »

Puis vint Sultan, Sultan chéri, estimé Sultan. Bibi Gul avait enfin donné naissance à un garçon qui grandissait et sa position dans sa belle-famille allait s'en trouver largement améliorée. La valeur d'une mariée réside dans son hymen, celle d'une épouse dans le nombre de fils qu'elle met au monde. En tant que fils aîné, Sultan avait toujours droit à ce qu'il y avait de meilleur, même si la famille restait pauvre. L'argent que leur avait rapporté Feroza participa largement au financement de ses études. Depuis son enfance, il tenait le rôle de chef de famille et son père lui confiait des tâches à responsabilité. À l'âge de sept ans, il travaillait déjà à temps plein tout en allant à l'école.

Deux ans après Sultan vint Farid, sauvageon constamment mêlé à des rixes qui rentrait toujours à la maison les vêtements en lambeaux et le nez ensanglanté. Il buvait et fumait, à l'insu de ses parents bien sûr, mais quand il n'était pas en colère, il était la gentillesse incarnée. Bibi Gul lui trouva une femme. Aujourd'hui, il est marié et père de deux filles et d'un fils. Mais il est banni de l'appartement de l'immeuble 37 de Microyan. Bibi Gul soupire. Son cœur s'afflige de l'animosité entre ses deux fils aînés. « Pourquoi ne peuvent-ils pas être raisonnables ? »

Après Farid vint Shakila. L'enjouée, la courageuse, la forte Shakila. Bibi Gul verse une larme. Elle revoit sa fille traînant de lourds seaux d'eau.

Puis vint Nesar Ahmad. Quand Bibi Gul pense à lui, ses larmes redoublent. Nesar Ahmad était calme, amical et bon élève. Il allait au lycée à Kaboul et aspirait au métier d'ingénieur comme Sultan. Un jour, il ne revint pas. Ses camarades de classe racontèrent que la police militaire avait réquisitionné les garçons les plus forts de la classe et les avait forcés à s'enrôler dans l'armée. C'était pendant l'occupation soviétique et les forces du gouvernement afghan faisaient office d'unités d'infanterie pour le compte de l'Union soviétique. Elles occupaient les premières lignes dans les combats contre les moudjahidin. Meilleurs soldats, les moudjahidin connaissaient les lieux et se retranchaient dans les montagnes. Ils attendaient que les Russes et les traîtres afghans atteignent les cols. C'est dans l'un d'eux que Nesar Ahmad devait disparaître. Bibi Gul est persuadée qu'il est toujours en vie. Peut-être a-t-il été fait prisonnier. Peut-être est-il devenu amnésique, peut-être a-t-il une bonne vie ailleurs. Tous les jours elle prie Allah pour qu'il revienne.

Après Nesar Ahmad vint Bulbula, qui tomba malade de chagrin lorsque son père fut emprisonné et qui passe le plus clair de son temps à la maison à regarder dans le vide.

Mariam, née quelques années plus tard, allait se révéler plus dynamique. Elle travaillait bien, était déterminée et excellente élève. Elle devint belle et allait rapidement s'attirer une multitude d'admirateurs. À dix-huit ans, elle fut mariée à un garçon du village. Il avait une boutique et Bibi Gul le jugeait bon parti. Mariam quitta sa famille pour s'installer dans celle de son mari, avec son frère et sa mère.

Elle avait beaucoup de travail, parce que la mère s'était abîmé les mains en se brûlant dans un four à pain, certains doigts avaient complètement disparu, d'autres s'étaient soudés entre eux. Avec deux demi-pouces, elle était capable de manger toute seule et d'exécuter des tâches simples, de surveiller les petits enfants et de porter des objets en les plaçant contre son corps. Mariam était heureuse dans son nouveau foyer. Jusqu'à ce qu'éclate la guerre civile. Alors qu'une cousine de Mariam allait se marier à Jalala-bad, la famille courut le risque de s'y rendre malgré l'insécurité des routes. Son mari, Karimullah, devait rentrer à Kaboul pour s'occuper de la boutique. Mais un matin, alors qu'il s'y rendait, il s'était trouvé pris au milieu de tirs croisés. Une balle l'atteignit en plein cœur et il mourut sur le coup. Trois ans durant, Mariam pleura. Finalement, Bibi Gul et la mère de Karimullah décidèrent de la marier à Hazim, le frère de son défunt mari. Elle eut une nouvelle famille dont s'occuper et se ressaisit pour son mari et ses deux enfants. Aujourd'hui, elle attend son cinquième enfant. Fazil, dix ans, fils aîné de son mariage avec Karimullah, travaille déjà. Il porte des caisses et vend des livres dans l'une des librairies de Sultan et vit chez lui pour alléger la charge de Mariam.

Puis vint Yunus, le fils préféré de Bibi Gul. Il est celui qui la cajole, lui offre de menus présents, lui demande si elle a besoin de quelque chose et quand, après le dîner, les membres de la famille somnolent, assis ou allongés sur les matelas, il finit souvent la tête sur ses genoux. Yunus est le seul dont sa mère connaisse précisément la date de naissance, il est né le jour où un coup d'État a privé Zaher Shah du pouvoir, le 17 juillet 1973.

Les autres enfants n'ont ni jour ni année de naissance. Les papiers de Sultan indiquent des années de naissance allant de 1947 à 1955. Quand Sultan additionne ses années d'enfance, d'école et d'études, la première guerre, la deuxième guerre, la troisième guerre, il arrive à un résultat de cinquante et quelques années. Tous emploient cette méthode pour déterminer leur âge. Et comme personne n'est vraiment sûr, chacun peut choisir son âge. Ainsi, Shakila peut dire qu'elle a trente ans, mais il se pourrait fort bien qu'elle en ait en réalité cinq ou six de plus.

Après Yunus vint Basir. Il vit au Canada car sa mère avait arrangé son mariage avec une parente qui vivait là-bas. Elle ne l'a pas vu et ne lui a pas parlé depuis les noces et son déménagement il y a deux ans. Bibi Gul verse encore une larme. Elle ne connaît rien de pire que d'être éloignée de ses enfants. Hormis les pralines au fond de son coffre, ils sont la seule chose qu'elle ait dans la vie.

Le dernier fils que Bibi Gul a mis au monde est la raison pour laquelle elle s'est mise à manger, manger et manger encore. Quelques jours après sa naissance elle a dû le donner à une parente sans enfant. Ses seins étaient gonflés de lait et ses larmes roulaient. Une femme acquiert de la valeur en devenant mère, avant tout de garçons. Quand une femme n'a pas d'enfant, cela signifie qu'elle n'est pas appréciée. Comme la parente de Bibi Gul était restée quinze ans sans mettre d'enfant au monde, qu'elle avait prié Dieu, désespéré, pris tous les remèdes imaginables et suivi tous les conseils possibles et que

Bibi Gul attendait son dixième enfant, elle lui demanda de le lui donner.

Bibi Gul refusa.

— Je ne peux pas donner mon enfant.

La parente continua de la supplier, de geindre et de la menacer.

— Compatis, tu as déjà beaucoup d'enfants et je n'en ai aucun. Donne-moi seulement celui-ci, pleura-t-elle. Je ne peux pas vivre sans enfant.

Bibi Gul finit par lui promettre son enfant. Lorsqu'il naquit, elle le garda pendant vingt jours. Elle l'allaitait, le câlinait et pleurait de devoir renoncer à lui. Bibi Gul était devenue une femme importante grâce à ses enfants et elle souhaitait en avoir autant que possible. Hormis eux, elle n'avait rien, sans eux, elle n'était rien. Après les vingt jours convenus, elle le donna, et même si son lait coulait à flots, elle n'eut pas le droit de continuer à l'allaiter. Il ne devait avoir aucun lien avec sa mère, qui dorénavant ne serait rien d'autre qu'une parente éloignée. Elle sait qu'il se porte bien, mais souffre encore de cette séparation. Quand elle le voit, elle doit prétendre qu'il n'est pas son fils. Elle l'a promis en le donnant.

Leila est sa fille cadette. Travailleuse, soigneuse Leila qui assume la majorité des tâches ménagères du foyer. Comme dernière-née, âgée de dix-neuf ans, elle est inférieure à tous les autres. Cadette, célibataire, fille. À son âge, Bibi Gul avait déjà donné naissance à quatre enfants, deux qui étaient morts et deux qui avaient survécu. Mais elle n'y pense plus à présent, à présent elle songe que le thé a refroidi et elle aussi. Elle cache ses pralines sous le matelas et veut que quelqu'un aille chercher son châle en laine.

— Leila ! ! ! crie-t-elle.

Leila quitte ses marmites.

Tentations

Elle entre avec la lumière du soleil, grâce ondoyante qui pénètre dans l'obscurité de la pièce. Mansur émerge de sa léthargie et aiguise son regard endormi à la vue de cette créature qui se faufile le long des rayonnages.

— Puis-je t'aider ?

Il sait aussitôt qu'il a affaire à une femme belle et jeune. Il observe son maintien, ses pieds, ses mains, la façon dont elle porte son sac.

— Est-ce que vous avez *Chimie niveau II* ?

Mansur prend son air de libraire le plus professionnel. Il sait qu'il n'a pas cet ouvrage, mais la prie de l'accompagner tout au fond du local pour le chercher. Il se tient tout près d'elle et parcourt les rayons tandis que son parfum lui chatouille les narines. Il se met sur la pointe des pieds, se penche, prétend fouiller. De temps en temps, il se retourne pour examiner l'ombre de ses yeux. Il n'a jamais entendu parler de ce livre.

— Malheureusement, nous n'en avons plus, mais j'en ai quelques exemplaires à la maison. Si tu pouvais revenir demain, j'en apporterais.

Le lendemain, il passe sa journée à attendre cette

merveille, sans livre de chimie, mais avec un plan. Il emploie son attente à élaborer sans cesse des nouveaux scénarios. Jusqu'à la fermeture au crépuscule. Frustré, il rabat les grilles métalliques qui protègent les vitrines brisées pendant la nuit.

Le jour suivant, il se morfond derrière le comptoir, de mauvaise humeur. Privée d'électricité, la pièce est plongée dans la pénombre. Là où entrent des rayons de soleil, la poussière vole et accentue le caractère chagrin de l'endroit. Quand des clients lui réclament un livre, Mansur répond sèchement qu'il ne l'a pas, même s'il se trouve dans l'étagère sous son nez. Il maudit les fers qui le rivent à la librairie de son père, sans même la liberté du vendredi, il maudit son père qui l'empêche de faire des études, l'empêche d'acheter une bicyclette, l'empêche de voir ses amis. Il déteste les ouvrages poussiéreux qui habillent les rayonnages. D'ailleurs, il déteste les livres en général, il l'a toujours fait et il n'en a pas lu un seul jusqu'au bout depuis qu'il a été retiré de l'école.

Des pas légers associés au frou-frou d'une étoffe lourde l'extirpent de son humeur maussade. Comme la dernière fois, elle se tient au beau milieu d'un rayon de soleil qui fait danser la poussière autour d'elle. Mansur veille à ne pas bondir de joie et revêt de nouveau son air de libraire.

— Je t'ai attendue hier, remarque-t-il, faisant montre d'une bonne volonté toute professionnelle. J'ai le livre à la maison, mais j'ignorais quelle édition, quelle reliure et quel prix tu souhaitais. Il existe tant d'éditions que je ne pouvais pas toutes les apporter. Voudrais-tu m'accompagner et choisir celle que tu veux ?

La burkha le considère avec surprise. Elle tripote son sac avec une légère incertitude.

— Chez toi ?

Ils restent sans rien dire pendant un instant. Le silence est le meilleur moyen de persuasion, pense Mansur, tremblant de nervosité. C'est une invitation osée qu'il lui a faite.

— Tu as besoin de ce livre, non ? demande-t-il finalement.

Miracle des miracles, elle accepte. La jeune fille s'installe sur le siège arrière, mais de sorte qu'elle puisse le voir dans le rétroviseur. Pendant la conversation, Mansur essaie de soutenir ce qu'il croit être son regard.

— Belle voiture, remarque-t-elle. Elle est à toi ?

— Oui, mais elle n'est pas terrible, répond Mansur avec nonchalance.

Ainsi, la voiture semblera plus belle encore et lui plus fortuné.

Il conduit au hasard des rues de Kaboul, une burkha sur le siège arrière. Il n'a pas ce livre et chez lui se trouvent sa grand-mère et ses tantes. La présence si proche de cette inconnue le trouble et l'affriole. Dans un instant de courage, il demande à voir son visage. Elle reste complètement figée quelques secondes puis soulève la pièce avant de sa burkha et soutient son regard dans le rétroviseur. C'est bien ce qu'il pensait, elle est très belle, avec ses grands yeux sombres exquis, qu'elle a maquillés ; elle a quelques années de plus que lui. Grâce à des pirouettes exceptionnelles, un charme insistant et son pouvoir de persuasion, il arrive à lui faire oublier le livre de chimie et à l'inviter au restaurant.

Il arrête la voiture, elle se glisse dehors et monte les marches du restaurant Marco Polo, où Mansur commande l'intégralité du menu, brochettes de poulet grillé, kébab, *mantu* – nouilles afghanes farcies à la viande et *palao*, riz avec de gros morceaux de viande de mouton et en dessert, un entremets à la pistache.

Pendant le déjeuner, il essaie de la faire rire, se sentir élue, il l'invite à manger davantage. Elle est assise dans un coin du restaurant, dos aux autres tables, sa burkha rejetée en arrière. Elle laisse le couteau et la fourchette et, comme la plupart des Afghans, mange avec les doigts. Elle raconte sa vie, sa famille, ses études, mais, en proie à l'excitation, Mansur ne l'écoute pas. C'est son premier rendez-vous galant. Rendez-vous galant parfaitement illégal. En partant, il laisse au serveur un pourboire outrageusement généreux, l'étudiante fait les yeux ronds. Il voit à sa robe qu'elle n'est pas riche mais pas pauvre non plus. Mansur doit se hâter de retourner au magasin, la burkha saute dans un taxi, ce qui, au temps des taliban, lui aurait valu d'être fouettée, à l'instar du chauffeur. Cette rencontre au restaurant aurait été impossible, un homme et une femme qui n'étaient pas de la même famille ne pouvaient se promener ensemble dans la rue, et elle aurait encore moins pu enlever sa burkha en public. Les choses ont changé. Heureusement pour Mansur. Il promet d'apporter le livre le lendemain.

Il passe alors sa journée à réfléchir à ce qu'il lui dira lorsqu'elle reviendra. Il lui faut changer de stratégie et passer de libraire à séducteur. De la langue de l'amour, Mansur ne connaît que l'enchaînement de phrases grandiloquentes des films indiens et pakistanais, qui invariablement commencent par une rencontre, passent par la haine, la trahison et la déception, avant de se terminer par de merveilleuses promesses d'amour éternel – une bonne école pour un jeune séducteur.

Derrière le comptoir, près d'une pile de livres et de papiers, Mansur rêve à la manière dont se déroulera sa conversation avec l'étudiante : « Depuis que tu m'as quitté hier, je n'ai pas passé une seconde sans penser à toi. Je savais que tu avais quelque chose de particulier, que tu étais faite pour moi. Tu es mon destin ! » Ça lui plaira sûrement, et il faut qu'il plonge ses yeux dans les siens, peut-être pourrait-il même attraper son poignet : « Il faut que je sois seul avec toi. Je veux te voir tout entière, je veux me noyer dans tes yeux. » Voilà ce qu'il va dire. Ou alors il pourrait aussi se montrer plus réservé : « Je ne demande pas beaucoup, juste que tu passes quand tu n'as rien d'autre à faire, je comprendrais que tu ne veuilles pas, mais disons au moins une fois par semaine ? » Peut-être devrait-il faire des promesses : « Quand j'aurai dix-huit ans, nous pourrons nous marier. »

Il faut qu'il soit Mansur à l'onéreuse voiture, Mansur au beau magasin, Mansur au pourboire, Mansur aux vêtements occidentaux. Il doit la tenter en évoquant la vie qu'elle aura avec lui : « Tu auras une grande maison avec un jardin et plein de serviteurs et nous partirons en vacances à l'étranger. » Il faut qu'elle se sente élue et qu'elle comprenne combien elle compte pour lui : « Je n'aime que toi. Chaque seconde sans toi est une souffrance. » Si elle refuse encore de faire ce qu'il souhaite, il lui faudra être plus dramatique : « Si tu me quittes, tue-moi avant ! Ou je brûlerai le monde entier ! »

Mais l'étudiante ne revient pas le lendemain du repas au restaurant. Ni le surlendemain ni le jour suivant. Mansur continue de répéter ses phrases, mais perd de plus en plus espoir. Ne lui a-t-il donc pas plu ? Ses parents ont-ils découvert ce qu'elle avait fait ? Est-elle privée de sortie ? Quelqu'un les a-t-il vus et dénoncés ? Un voisin, un parent ? A-t-il dit une sottise ?

Un vieillard avec une canne et un grand turban interrompt ses élucubrations. Il le salue d'un marmonnement et demande une œuvre religieuse. Agacé, Mansur la trouve et la jette sur le comptoir. Il n'est pas Mansur le séducteur. Il est juste Mansur le fils du libraire, Mansur aux rêves roses et dorés.

Tous les jours, il attend qu'elle revienne. Tous les jours, il ferme la grille devant la porte sans qu'elle soit venue. Les heures au magasin sont de plus en plus pesantes.

Dans la rue de la librairie de Sultan s'en trouvent plusieurs autres ainsi que des magasins de fournitures de bureau, qui relient des livres ou copient des documents pour leurs clients. Dans l'un d'eux travaille Rahimullah. Il passe souvent dans la boutique de Mansur boire le thé et bavarder. Ce jour-là, c'est Mansur qui se rend chez lui pour exprimer son désespoir. Rahimullah ne fait que rire.

— Il ne faut pas que tu t'essaies sur une étudiante. Elles sont trop vertueuses. Essaie plutôt quelqu'un qui a besoin d'argent. Le plus simple, c'est les mendiantes. Il y en a beaucoup qui ne sont pas si mal que ça. Ou alors va là où l'ONU distribue de la farine et de l'huile. Il y a beaucoup de jeunes veuves.

Mansur reste bouche bée. Il connaît ce coin où l'on distribue de la nourriture aux plus nécessiteux, avant tout aux veuves de guerre avec des enfants en bas âge.

— Vas-y et trouves-en une qui ait l'air jeune. Achète une bouteille d'huile et dis-lui de venir ici. D'habitude, je dis : « Si tu viens au magasin, je t'aiderai à l'avenir. » Quand elles viennent, je leur propose un peu d'argent et je les emmène dans l'arrière-boutique. Elles arrivent en burkha, elles repartent en burkha – ça n'éveille les soupçons de personne. J'obtiens ce dont j'ai besoin et elles de l'argent pour les enfants.

Incrédule, Mansur regarde Rahimullah, qui ouvre la porte de l'arrière-boutique pour lui montrer comment les choses se déroulent. La pièce mesure à peine quelques mètres carrés. Sur le sol sont étalés des cartons, sales, largement piétinés, imprégnés de taches sombres.

— J'enlève leur voile, leur robe, leurs sandales, leur pantalon, leurs sous-vêtements. Quand elles sont là, il est trop tard pour changer d'avis. Elles ne peuvent pas hurler, parce que si quelqu'un venait les aider, tous les torts seraient de leur côté de toute façon. Le scandale détruirait leur vie. Avec les veuves, ça va, mais quand c'est des jeunes vierges, je le fais entre leurs cuisses, je leur dis juste de serrer les jambes. Ou je le fais par-derrière, oui tu sais, par-derrière, explique le marchand.

Interdit, Mansur regarde le vendeur. Est-ce donc si simple ?

L'après-midi, lorsqu'il s'arrête vers la masse bleue des burkhas, ce n'est toutefois pas si facile. Il achète une bouteille d'huile, mais les mains qui la lui tendent sont rugueuses et usées. Il regarde autour de lui et ne voit que de l'indigence, il jette la bouteille sur la banquette arrière et démarre la voiture.

Il a renoncé à répéter ses phrases de cinéma. Mais un jour, il se dit qu'il en aura peut-être besoin malgré tout. Une jeune fille entre dans la boutique et demande un livre anglais. Mansur prend son expression la plus aimable. Il apprend qu'elle s'est inscrite dans un cours d'anglais pour débutants. Le galant fils de libraire lui propose de l'aider.

— Il y a si peu de clients que je peux te faire réciter tes leçons, une fois de temps en temps.

L'aide commence dans un canapé du magasin et se poursuit derrière une étagère avec des promesses de mariage et de fidélité éternelle. Une fois, il soulève sa burkha et l'embrasse. Elle s'arrache à son étreinte et ne revient plus jamais.

Un jour, il ramasse une fille dans la rue, une analphabète qui n'a jamais vu de livres. Elle attend à l'arrêt de bus devant le magasin et il lui dit qu'il a quelque chose à lui montrer. Elle est belle. Belle et douce. De temps à autre, elle passe au magasin, il lui promet un avenir en or. Parfois, elle le laisse la toucher sous la burkha, mais il n'en brûle que davantage.

Il se sent sale.

— Je suis sale dans mon cœur, confie-t-il à Eqbal, son petit frère.

Il sait qu'il ne doit pas penser à ces filles.

— Je me demande pourquoi elles sont si ennuyeuses, dit Rahimullah un jour que Mansur est passé boire le thé.

— Comment ça, ennuyeuses ?

— Ici, les femmes ne sont pas comme dans les films. Elles sont complètement figées, elles se contentent de rester allongées, approfondit Rahimullah.

Il s'est procuré quelques films pornographiques et raconte en détail certaines scènes à Mansur – ce que les femmes font, ce à quoi elles ressemblent.

— Peut-être que les femmes afghanes sont différentes ? J'essaie de leur expliquer ce qu'elles doivent faire, mais elles n'y arrivent pas, soupire-t-il.

Mansur soupire aussi.

Une fillette entre dans la boutique. Elle a peut-être douze ans, peut-être quatorze ans. Elle tend une main crasseuse et les supplie du regard. Sur la tête et les épaules, elle porte un foulard raide blanc avec des fleurs rouges. Elle est trop petite pour porter une burkha. Ce n'est qu'à la puberté que son port devient habituel.

Les mendiants entrent souvent dans les commerces. Mansur a coutume de les renvoyer immédiatement. Rahimullah, lui, reste à regarder ce visage d'enfant en forme de cœur et sort dix billets de sa poche. La mendiante écarquille les yeux et s'apprête à les saisir avec avidité, mais juste avant qu'elle n'y parvienne, la main disparaît et dessine un grand cercle en l'air, tandis que Rahimullah soutient son regard.

— Rien n'est gratuit dans la vie, déclare-t-il.

La main de la jeune fille s'immobilise. Il lui donne deux billets.

— Va au hammam te laver et reviens ensuite, je te donnerai le reste.

Elle glisse vite l'argent dans la poche de sa robe et cache à demi son visage derrière son foulard à fleurs rouges. Elle le regarde d'un œil. L'une de ses joues est grêlée, vestige d'anciennes plaies. Les phlébotomes ont laissé leurs stigmates sur son front. Elle tourne les talons et sort, son corps menu disparaît dans les rues de Kaboul.

Quelques heures plus tard, elle revient, fraîchement lavée. Mansur est de nouveau en visite.

— Bon, allez, murmure Rahimullah à part soi, bien qu'elle porte les mêmes vêtements crasseux. Viens avec moi dans l'arrière-boutique, je vais te donner le reste de l'argent, promet-il à la jeune fille, avant d'ajouter à l'adresse de Mansur : surveille la boutique pendant ce temps.

L'enfant et Rahimullah sont absents pendant longtemps. Une fois qu'il a terminé, le marchand s'habille et la prie de rester allongée sur les cartons.

— Elle est à toi.

Mansur reste à le dévisager. Il jette un œil en direction de la porte de l'arrière-boutique avant de sortir en courant du magasin.

L'appel d'Ali

Pendant plusieurs jours, Mansur se sent nauséeux. C'est impardonnable, pense-t-il. Impardonnable. Il essaie de se laver, mais ça ne change rien. Il essaie de prier, mais ça ne change rien. Il cherche dans le Coran, va à la mosquée, mais se sent toujours sale, si sale. Les pensées impures qu'il a eues ces derniers temps font de lui un mauvais musulman. Dieu va me punir. Tout ce qu'on fait nous revient en retour, se dit-il. Une enfant. J'ai péché contre une enfant. Je l'ai laissé lui porter atteinte. Je n'ai rien fait pour l'en empêcher.

Le temps passant, la mendiante devenant lointaine, la nausée se mue en dégoût. Mansur est las de la vie qu'il mène, de la routine, des contraintes, il est de mauvaise humeur et odieux avec tous. Il est en colère contre son père qui l'enchaîne au magasin alors que la vie est ailleurs.

J'ai dix-sept ans, songe-t-il. J'ai dix-sept ans et ma vie est terminée avant même d'avoir commencé. Assis derrière le comptoir, il se morfond, les coudes sur le plan de travail, le front dans les mains. Le fils du libraire lève la tête et regarde autour de lui, les livres sur l'islam, sur le prophète Mahomet, les interprétations célèbres du Coran. Il feuillette les contes afghans, les biographies de rois et de seigneurs, les grands ouvrages sur les guerres contre les Britanniques, des manuels de broderie afghane et de fins cahiers photocopiés à partir de livres sur les coutumes et traditions afghanes. Il les regarde de travers et abat son poing sur la table.

Pourquoi suis-je né afghan ? Je déteste être afghan. Toutes ces coutumes et traditions sclérosées me tuent à petit feu. Respecte ci, respecte ça, je n'ai aucune liberté, je ne peux rien décider moi-même. La seule chose dont se préoccupe mon père, c'est de compter l'argent que lui rapportent ces ouvrages. Il peut se foutre ses livres au cul, profère-t-il à mi-voix. Il espère que personne ne l'a entendu. Après Allah et le Prophète, c'est « Père » qui a la position la plus élevée dans la société afghane. S'insurger contre lui est impossible, même pour un dur comme Mansur. Il écrase et houspille tous les autres, ses tantes, ses sœurs, sa mère, ses frères, mais jamais, jamais son père. Je suis un esclave, rumine-t-il. Je me tue au travail pour être nourri, logé et blanchi. Plus que tout, Mansur aspire à faire des études. Il regrette les amis et la vie qu'il avait au Pakistan. Ici, il n'a pas le temps d'avoir des amis et le seul qu'il avait, Rahimullah, il ne veut plus le voir.

C'est juste avant le nouvel an afghan – *norouz*. Des festivités se préparent dans tout le pays. Pendant les cinq dernières années, les taliban en avaient interdit la célébration. Ils le considéraient comme une fête païenne, un culte rendu au soleil, parce qu'il trouve ses racines dans le zoroastrisme – la religion des « adorateurs du feu » – qui naquit en Perse au VIe siècle avant notre décompte du temps. Ainsi, les taliban ont donc aussi interdit le traditionnel pèlerinage du nouvel an auprès du tombeau d'Ali, à Mazar-i-Sharif. Pendant des siècles, les pèlerins se sont rendus au tombeau d'Ali, pour se purifier de leurs péchés, demander le pardon, être guéris, et pour saluer la nouvelle année qui dans le calendrier afghan commence le 21 mars, date de l'équinoxe de printemps, quand le jour et la nuit sont d'égale longueur.

Cousin et gendre du prophète Mahomet, Ali était le quatrième calife. C'est à son sujet que chiites et sunnites sont en désaccord. Les chiites estiment qu'il est le troisième dans la lignée de Mahomet, les sunnites le quatrième, mais les sunnites aussi, comme Mansur et la plupart des Afghans, le considèrent comme l'un des grands héros de l'islam. L'histoire dit de lui qu'il était un guerrier courageux, toujours prêt à combattre. Ali fut assassiné à la mosquée de Kufa en Irak en 661 et, d'après la plupart des historiens, il a été enterré à Nadjaf en Irak, mais les Afghans affirment qu'il fut ensuite déterré par ses partisans, de crainte que ses ennemis ne viennent se venger sur le corps du calife et ne le mutilent. Ils fixèrent le corps d'Ali sur le dos d'une chamelle blanche et la laissèrent courir loin dans le désert. Là où elle s'effondrerait, Ali serait enterré. La légende dit que cet endroit allait être Mazar-i-Sharif, qui signifie « la tombe de l'élevé ». Pendant cinq cents ans, il n'y eut rien d'autre sur la tombe qu'une petite pierre, mais au XIIe siècle, une petite chambre funéraire fut édifiée après qu'un mollah avait vu Ali en songe. Puis vint Gengis Khan, qui la détruisit, et la tombe resta à nouveau sans marque pendant plusieurs siècles. Ce n'est qu'à la fin du XVe siècle que l'on construisit un nouveau mausolée au-dessus de ce que les Afghans affirment être les reliques d'Ali. C'est cette chambre funéraire et la mosquée construite plus tard à ses côtés qui sont le but des pèlerins.

Mansur est fermement décidé à faire le pèlerinage, pour se purifier. Il y a longuement réfléchi. Il s'agit juste d'obtenir l'autorisation de Sultan, car le voyage impliquera une absence de plusieurs jours du magasin. Or s'il est une chose que son père ne supporte pas, c'est l'absence de Mansur.

Il s'est même trouvé un compagnon de voyage, un journaliste iranien qui vient souvent lui acheter des livres. Un jour, ils en sont venus à parler de la célébration du nouvel an et l'Iranien lui a dit qu'il avait de la place dans sa voiture. Je suis sauvé, a alors pensé Mansur. Ali m'appelle. Il veut me pardonner.

Mais son père ne lui accorde pas la permission de partir, arguant qu'il ne peut se passer de lui au magasin pendant la petite semaine que durera le voyage : Mansur doit faire du classement, surveiller le menuisier qui fabrique de nouvelles étagères, vendre. Il n'a confiance en nul autre, pas même en Rasul, son futur beau-frère. S'il savait seulement combien d'heures Rasul a passées seul dans le magasin. Mansur bout. Comme il redoutait de faire cette demande à son père, il a attendu la veille du départ. C'est hors de question. Mansur insiste. Son père refuse.

— Tu es mon fils et tu dois faire ce que je dis, explique Sultan. J'ai besoin de toi au magasin.

— Des livres, des livres, de l'argent, de l'argent, tu ne penses qu'à l'argent ! crie Mansur. Et moi je suis censé vendre des livres sur l'Afghanistan sans même connaître le pays, je suis à peine sorti de Kaboul, ajoute-t-il sèchement.

Le lendemain matin l'Iranien part. Mansur est révolté, comment son père a-t-il pu lui refuser cela ? Il dépose son père au magasin sans souffler mot et ne répond aux questions que par monosyllabes. La haine accumulée contre lui fait rage. Mansur n'avait passé que dix ans à l'école lorsque son père l'en a retiré, il n'a pas pu terminer son lycée. Tout ce qu'il demande lui est refusé. La seule chose que son père lui ait donnée, c'est une voiture, pour se faire conduire, et la responsabilité d'une librairie dans laquelle il pourrit.

— Comme tu voudras, soupire-t-il soudain. Je ferai tout ce que tu me demandes, mais ne crois pas que ce soit de gaieté de cœur. Tu ne me laisses jamais faire ce que je veux. Tu me brises.

— Tu pourras y aller l'année prochaine, répond Sultan.

— Non, je n'irai jamais et je ne te demanderai plus jamais rien.

On prétend que seul celui qui est appelé par Ali peut se rendre à Mazar. Pourquoi Ali ne veut-il pas qu'il vienne ? Ses actes ont-ils été trop impardonnables ? Ou est-ce son père qui est sourd à l'appel d'Ali ?

L'animosité de son fils à son égard glace Sultan.

Il regarde ce grand adolescent découragé et n'est pas loin de s'en effrayer.

Après avoir conduit Sultan à sa librairie et ses deux frères aux leurs, Mansur ouvre son magasin et s'installe derrière le bureau poussiéreux. Il est assis dans sa « position pensées noires », les coudes sur la table, et le sentiment l'envahit que la vie le fait prisonnier et se charge sans cesse de poussière de livres.

Une nouvelle cargaison est arrivée. Pour sauver les apparences, il faut qu'il sache de quoi ils parlent et les parcourt à contrecœur. Il s'agit d'un recueil de poésie de Rûmî le mystique, l'un des poètes favoris de son père et le plus célèbre des soufis afghans, les mystiques de l'islam. Rûmî est né au XIIIe siècle à Balkh, près de Mazar-i-Sharif. Encore un signe, songe Mansur. Il décide de trouver quelque chose qui puisse lui donner raison et tort à son père. Dans les poèmes, il est question de se purifier, de se rapprocher de Dieu – qui est la perfection. Il est question de s'oublier soi-même, d'oublier son ego. Rûmî dit : « L'ego est un voile entre l'homme et Dieu. » Mansur lit comment il peut se tourner vers Dieu, comment la vie doit évoluer autour de Dieu, pas autour de soi-même. De nouveau, Mansur se sent sale. Plus il lit, plus son désir de purification grandit. Il s'arrête sur l'un des poèmes les plus simples :

L'eau dit au crasseux : viens ici
Le crasseux répondit : j'ai trop honte
L'eau répondit : comment veux-tu te laver de ton péché sans moi ?

L'eau, Dieu et Rûmî semblent abandonner Mansur. Il songe que l'Iranien doit être bien haut dans les montagnes enneigées de l'Hindou Kouch. La colère ne le quitte à aucun moment de la journée. Au crépuscule, il est temps de fermer le magasin, avant d'aller chercher son père et ses frères et de les reconduire à la maison pour manger le sempiternel plat de riz, passer encore une soirée avec cette famille débile.

Alors qu'il s'apprête à fermer la grille devant la porte avec un gros cadenas, surgit soudain, à pied, Akbar, le journaliste iranien. Mansur n'en croit pas ses yeux.

— Tu n'es pas parti ? s'étonne-t-il.

— Si, nous sommes partis, mais le tunnel du Salang était fermé aujourd'hui, alors nous allons réessayer demain. J'ai rencontré ton père dans la rue, il m'a demandé de t'emmener. Nous partons de chez moi demain matin à 5 heures, tout de suite après la levée du couvre-feu.

— Il a vraiment dit ça ? – Mansur est sans voix. – Ce doit être l'appel d'Ali, dire qu'il a réussi à m'appeler si fort, murmure-t-il.

Mansur passe la nuit chez Akbar pour prévenir tout revirement de son père. Le lendemain matin, avant l'aurore, ils se mettent en route. Mansur n'a d'autre bagage qu'un sac en plastique rempli de boîtes de Coca et de Fanta et de biscuits fourrés à la banane et au kiwi. Akbar est accompagné d'un ami et l'ambiance est excellente dans la voiture. Ils passent de la musique indienne et chantent à pleine gorge. Mansur a apporté son petit trésor, une cassette occidentale : « *Pop from the 80's* ». « *Is this love ?*

Baby, don't hurt me, don't hurt me, no more ! »
retentit dans la fraîcheur de l'aube. Ils n'ont pas
encore passé une demi-heure dans la voiture que
Mansur a déjà avalé le premier paquet de gâteaux et
bu deux Coca. Il se sent libre ! Il a envie de hurler
et passe la tête par la fenêtre :

— Youhoouu ! Aliiii ! Ali ! J'arrive !

Ils traversent des régions qu'il n'a jamais vues.
Juste au nord de Kaboul s'étend la plaine de Shomali, l'une des régions d'Afghanistan les plus dévas-
tées par la guerre. Ici, il y a quelques mois
seulement, pleuvaient les bombes lâchées par les
B52 américains.

— Comme c'est beau ! crie Mansur.

Et de loin, en effet, la plaine est belle, avec les
imposantes cimes enneigées de l'Hindou Kouch en
toile de fond. Hindou Kouch signifie « le tueur
d'hindous » : dans ce massif, des milliers de soldats
indiens ont péri de froid lors de marches guerrières
contre Kaboul.

Lorsque l'on atteint la plaine, le paysage de guerre
apparaît. Contrairement aux soldats indiens, les B52
n'ont pas été arrêtés par l'Hindou Kouch. De nombreux camps des taliban n'ont pas été déblayés après
les bombardements. Les cabanes sont soit devenues
de grands cratères soit elles se sont éparpillées après
avoir explosé quand les bombes atteignaient le sol.
Au bord de la route, un lit en fer tordu, sur lequel
un taleb a peut-être été fusillé dans son sommeil,
évoque un squelette. Juste à côté gît un matelas,
complètement éventré.

Ces camps ont toutefois été largement pillés. Dans
les heures suivant la fuite des taliban, la population

locale était déjà en place et venait prendre les bassines, les lampes à gaz, les tapis et les matelas des soldats. La pauvreté faisait du pillage des corps une évidence. Nul ne pleurait les morts gisant sur le bord de la route ou dans le sable. Bien au contraire, la population locale s'acharna sur plusieurs d'entre eux. Des yeux furent exorbités, des peaux arrachées, des membres coupés ou hachés en morceaux. C'était une vengeance sur les taliban qui, pendant des années, avaient terrorisé la population de la plaine de Shomali.

Pendant cinq ans cette plaine avait été la ligne de front entre les taliban et les hommes de Massoud de l'Alliance du Nord, et la souveraineté avait changé de camp six ou sept fois. Comme le front bougeait sans cesse, la population locale dut fuir, soit vers la vallée du Panshir ou vers le sud en direction de Kaboul. Surtout des Tadjiks vivaient là et ceux qui ne parvenaient pas à fuir risquaient d'être victimes de la purification ethnique taleb. Avant de se retirer, les taliban empoisonnèrent les puits et firent sauter des canalisations d'eau et des systèmes d'irrigation vitaux pour cette plaine sèche, qui, avant la guerre civile, avait fait partie de la ceinture agricole de Kaboul.

Mansur observe en silence les terribles villages qu'il dépasse en voiture. La plupart ne sont plus que ruines, squelettes dans le paysage. Nombre d'entre eux ont été systématiquement brûlés par les taliban lorsqu'ils essayaient de gagner les derniers restes du pays, le dixième restant : la vallée du Panshir, les montagnes de l'Hindou Kouch, et les zones désertiques vers le Tadjikistan de l'autre côté. Ils y seraient peut-être parvenus sans le 11 septembre, date à laquelle le monde commença à s'intéresser à l'Afghanistan.

Partout, des restes de tanks tordus, des véhicules militaires bombardés et des morceaux de métal dont Mansur ne peut que deviner ce qu'ils étaient. Un homme seul se déplace avec une houe. Au milieu du champ se trouve un gros tank, il fait consciencieusement le tour de l'épave, trop lourde à déplacer.

La voiture roule à vive allure sur cette route accidentée. Mansur essaie de trouver le village de sa mère, il n'y est pas allé depuis l'âge de cinq ou six ans. Son doigt pointe toujours vers de nouvelles ruines : « là ! là ! », mais rien ne permet de distinguer un village de l'autre. L'endroit où il a rendu visite à la famille de sa mère lorsqu'il était enfant pourrait être n'importe lequel de ces monceaux de ruines. Il se souvient d'avoir couru sur des chemins et dans les champs. Aujourd'hui, cette plaine est l'une des régions les plus minées du monde. Seules les routes sont sûres. Au bord marchent des enfants portant des brassées de bois et des femmes avec des seaux d'eau. Ils essaient d'éviter les creux où pourraient se trouver des mines. La voiture des pèlerins dépasse des équipes de démineurs, qui systématiquement déclenchent ou désamorcent les explosifs et nettoient ainsi quelques mètres par jour. Au-dessus des pièges mortels, les fossés sont peuplés de tulipes sauvages rose foncé, à tige courte, mais il faut les admirer de loin. Les ramasser pourrait entraîner la perte d'une jambe ou d'un bras.

Akbar s'amuse de la lecture d'un guide touristique publié par l'office de tourisme afghan en 1967.

— « Au bord des routes, des enfants vendent des colliers de tulipes roses, lit-il. Au printemps, cerisiers, abricotiers, amandiers et poiriers se disputent l'attention du voyageur. C'est une débauche de fleurs qui accompagne le voyageur tout au long de sa route depuis Kaboul. »

Ils éclatent de rire. Ce printemps-là, on ne peut voir qu'un ou deux cerisiers rebelles qui ont survécu aux bombes, aux missiles, à trois ans de sécheresse et à l'empoisonnement des puits ; et la question se pose de savoir s'il est possible de trouver un sentier sans mines pour aller en cueillir les fruits.

— « La céramique locale compte parmi les plus exquises d'Afghanistan. N'hésitez pas à vous arrêter dans les ateliers qui longent la route, où les artisans fabriquent des plats et des vases selon une tradition séculaire », poursuit Akbar.

— Eh bien, il semblerait que cette tradition ait subi un coup sévère, remarque Saïd, l'ami d'Akbar, qui est au volant.

Pas une échoppe de céramique n'est visible sur la route qui monte vers le col du Salang.

La côte débute. Mansur ouvre son quatrième Coca, le vide et, d'un geste élégant, le jette par la fenêtre. Mieux vaut polluer un cratère de bombe que de salir la voiture. La route grimpe vers le tunnel de montagne le plus haut du monde. Elle se rétrécit, d'un côté la montagne abrupte, de l'autre, de l'eau qui s'écoule en torrent ou en ruisseau.

— « Le gouvernement a introduit des truites dans la rivière. Dans quelques années, elle abritera une population viable », lit encore Akbar.

À présent, les truites ont déserté la rivière. Après

la rédaction du guide, le gouvernement a eu d'autres sujets de préoccupation que l'élevage de poissons.

Aux endroits les plus saugrenus, gisent des tanks carbonisés. Du côté de la vallée, à moitié dans la rivière, balançant au-dessus d'un précipice, sur le flanc, renversés ou éparpillés en plusieurs morceaux. Mansur les compte et arrive vite à cent. La plupart datent de la guerre contre l'Union soviétique, lorsque l'armée rouge est arrivée des républiques soviétiques d'Asie centrale, au nord, se figurant qu'elle avait les Afghans sous contrôle. Les Russes furent vite victimes de l'intelligence de guerre des moudjahidin. En montagne, ils avaient le pied aussi sûr que des chèvres. De loin, depuis leurs postes d'observation, ils voyaient les lourds tanks russes avancer comme des escargots au fond de la vallée. Même avec des armes de fortune, la guérilla était quasiment imbattable quand elle se trouvait à l'arrière-plan. Les guérilleros étaient partout, déguisés en bergers, leurs kalachnikovs cachées sous le ventre des chèvres. Ils pouvaient lancer des attaques éclairs contre les tanks à tout moment.

— Sous le ventre des moutons à poil long, ils cachaient même des lance-roquettes, raconte Akbar, qui a lu tout ce qui a été écrit sur la guerre contre l'Union soviétique.

Alexandre le Grand aussi a eu de la peine à passer ces montagnes. Après la prise de Kaboul, il est rentré en Iran, qui était alors la Perse, en passant par l'Hindou Kouch.

— « Alexandre aurait écrit des odes à ces montagnes, qui *inspiraient à l'imagination mystères et repos éternel* », lit Akbar dans le guide de l'office de tourisme. Le gouvernement avait prévu de monter une station de ski, ici ! s'écrie-t-il soudain en regardant les versants abrupts de la montagne. En 1967 ! Le livre précise : « Dès que les routes seront asphaltées ! »

Comme prévu, les routes ont été asphaltées. Mais il ne reste pas grand-chose de l'asphalte. Et la station de ski est toujours à l'état de projet.

— Ça aurait pu être une descente explosive, plaisante Akbar. Ou peut-être qu'on pourrait marquer les mines avec des portes de slalom ! *Adventurous Travels !* Ou *Afghan AdvenTours* – pour les dégoûtés de la vie !

Tous rient. Parfois, le tragique de la réalité prend des allures de dessin animé ou peut-être plutôt de thriller violent. Ils imaginent un surfeur déchiqueté sur les pentes.

Le tourisme, qui était l'une des ressources principales de l'Afghanistan, appartient aujourd'hui à un temps révolu. Autrefois, la route qu'ils empruntent était surnommée « *the hippietrail* ». Les jeunes progressistes et pas si progressistes que cela venaient y trouver une belle nature, un mode de vie sauvage et le meilleur haschich du monde. De l'opium pour les plus avertis. Dans les années soixante et soixante-dix, des milliers de hippies vinrent dans ces montagnes, ils louaient de vieilles Lada et partaient en voyage. Les femmes se promenaient également seules dans la montagne. À cette époque aussi elles risquaient d'être attaquées par des bandits et des brigands de grand chemin, mais ce n'était là qu'un piment du voyage. Pas même le coup d'État contre Zaher Shah, en 1973, n'interrompit ce flux. C'est le coup d'État communiste en 1978 et l'invasion, l'année suivante, qui rapidement allaient barrer la route aux « *hippietrailers* ».

Les trois garçons sont sur la route depuis deux ou trois heures lorsqu'ils rejoignent la file des pèlerins. Elle est complètement immobile. Il s'est mis à neiger. Le brouillard se densifie. La voiture dérape. Saïd n'a pas de chaînes.

— Avec quatre roues motrices, on n'a pas besoin de chaînes, assure-t-il.

Ils sont de plus en plus nombreux à patiner dans les profondes ornières creusées dans la neige et la glace. Quand une voiture s'arrête, elles s'arrêtent toutes. L'étroitesse de la voie n'autorise pas les dépassements. Ce jour-là la circulation va du sud au nord, de Kaboul à Mazar. Le lendemain ce sera l'inverse. Cette route de montagne ne peut pas accueillir de voitures roulant dans les deux sens. Parcourir les quatre cent cinquante kilomètres qui séparent Kaboul de Mazar prend au minimum douze heures, parfois le double, voire le quadruple.

— Beaucoup de voitures prises dans des tempêtes de neige et des avalanches ne sont pas dégagées avant l'été, c'est maintenant, au printemps, qu'ils sont les plus nombreux à y passer, les taquine Akbar.

Ils doublent l'autocar qui créait l'embouteillage, il a été complètement poussé sur le côté, tandis que ses passagers, en route pour le tombeau d'Ali, font du stop auprès des voitures qui passent devant, à allure d'escargot. Mansur rit en lisant les lettres peintes sur le flanc du véhicule : « *Hmbork – Frankfork – Landan – Kabal* », lit-il en riant de plus belle

à la vue du pare-brise : « *Wellcam ! Kaing of Road* »
indiquent les lettres rouges fraîchement peintes.

— Tu parles d'un trajet royal, rit-il.

Ils ont de la place dans la voiture, mais ne prennent pas d'auto-stoppeur du *Kabal-express*. Saïd,
Mansur et Akbar se suffisent à eux-mêmes.

Ils entrent dans la première galerie, d'épais piliers
en béton avec un toit pour protéger des avalanches.
Mais les galeries aussi se révèlent difficiles à traverser : comme elles sont ouvertes, elles sont pleines
d'une neige soufflée par le vent et transformée en
glace. Les profondes empreintes de pneus gelées
sont une véritable gageure pour cette voiture sans
chaînes.

Le tunnel du Salang, à trois mille quatre cents
mètres d'altitude, et les galeries, culminant à cinq
mille mètres, étaient un cadeau de l'Union soviétique à l'Afghanistan lorsqu'elle essayait d'en faire
un État satellite. La construction fut commencée par
des ingénieurs soviétiques en 1956 et le tunnel
achevé en 1964. C'est aussi les Russes qui engagèrent les premiers travaux d'asphaltage des routes du
pays dans les années cinquante. Sous Zaher Shah,
l'Afghanistan passait pour un pays ami. Ce roi libéral se vit contraint de se tourner vers l'Union soviétique car ni les États-Unis ni l'Europe ne voyaient
l'intérêt d'investir dans le pays des montagnes. Le
roi avait besoin d'argent et d'expertise, il choisit
donc de fermer les yeux sur les liens qui se resserraient constamment avec la grande puissance
communiste.

Le tunnel devint un élément stratégique essentiel
de la résistance contre les taliban. À la fin des années

quatre-vingt-dix, le commandant Massoud le fit sauter, dans une tentative désespérée de mettre un frein à la progression des taliban vers le nord. Ils arrivèrent là, mais pas plus loin.

Il fait complètement nuit ou plutôt tout gris. La voiture dérape, s'enlise dans la neige, se fige dans les traces de pneus. Le vent souffle, on ne voit goutte dans ce tourbillon de neige et Saïd n'a plus qu'à suivre ce qu'il pense être une trace de pneus. Ils roulent sur de la glace pure mêlée de neige. Sans chaînes, seul Ali peut garantir que la route est sûre. Je ne peux pas mourir avant d'arriver à son tombeau, se dit Mansur. Ali m'a appelé.

Il fait à peine plus clair. Ils sont à l'entrée du tunnel du Salang. Un panneau indique : « Attention ! Risque d'intoxication. En cas d'arrêt dans le tunnel, couper le moteur et se rendre rapidement à la sortie la plus proche. » Mansur interroge Akbar du regard.

— Ça fait juste un mois que cinquante personnes se sont trouvées enfermées dans le tunnel à cause d'une avalanche, raconte Akbar, toujours bien informé. Il faisait moins vingt et les chauffeurs ont laissé tourner les moteurs pour rester au chaud. Plusieurs heures plus tard, quand on avait dégagé la neige, on a trouvé des dizaines de personnes qui s'étaient endormies sous l'effet du monoxyde de carbone et étaient mortes intoxiquées. Ça arrive souvent, affirme Akbar tandis qu'ils pénètrent lentement dans le tunnel.

La voiture s'arrête, la file est immobile.

— C'est sûrement mon imagination, observe Akbar, mais j'ai vraiment mal à la tête.

— Moi aussi, approuve Mansur. On va à la sortie la plus proche ?

— Non, misons sur le fait que la colonne se mettra bientôt en route et sortira du tunnel, objecte Saïd. Imaginez que la colonne se mette en route et que nous ne soyons pas dans la voiture, alors c'est nous qui créerions un embouteillage.

— C'est comme ça de mourir intoxiqué ? s'inquiète Mansur.

Les vitres sont fermées. Saïd allume une cigarette. Mansur hurle.

— T'es fou ou quoi ? crie Akbar avant de lui arracher la cigarette de la bouche et de l'écraser. Tu veux nous intoxiquer encore plus ?

Un vent de panique tenace souffle dans la voiture. Ils ne bougent pas d'un pouce. Puis il se passe quelque chose : devant eux, les voitures se mettent lentement à bouger. Lorsqu'ils arrivent au bon air, leur mal de tête se dissipe d'un coup ; mais ils ne voient toujours rien dans cette purée de pois gris-blanc tourbillonnante. Il ne reste plus qu'à suivre les traces de pneus et les lueurs fugaces des phares. Le demi-tour est exclu. Ils roulent ensemble vers un même destin. Tous les pèlerins suivent les traces tassées par maintes voitures et gelées. Même Mansur a cessé de grignoter ses biscuits, un silence de mort pèse dans l'habitacle. C'est comme de rouler dans le néant, mais dans un néant où précipices, mines, avalanches et autres dangers risquent à tout moment de frapper.

Le brouillard s'allège enfin, mais ils sont encore au bord du précipice. C'est presque pire maintenant qu'ils ont de la visibilité. Ils ont entamé leur descente. La voiture zigzague d'un bord de la route à l'autre. Soudain elle dérape en travers de la descente. Saïd ne contrôle plus rien et jure. Akbar et Mansur s'accrochent, comme si cela pouvait être de quelque secours en cas de sortie de route. De nouveau, un silence nerveux s'abat sur la voiture. Elle glisse en travers, se redresse, glisse avant de recommencer à zigzaguer. Elle passe devant un panneau qui les abat davantage : « Attention ! Grand danger de mines ! » Juste en dehors, ou peut-être à l'intérieur de leur zone de dérapage, se cache donc un tas de mines. Aucune neige au monde ne saurait offrir de protection contre les mines anti-tanks. C'est de la folie, estime Mansur ; mais il se tait. Il refuse de se faire taxer de lâcheté, d'autant plus qu'il est le plus jeune. Il observe les tanks qui, ici aussi, sont disséminés, presque couverts de neige, et les épaves de voitures qui, elles non plus, ne sont pas arrivées à destination. Mansur fait une prière, il ne peut être vraisemblable qu'Ali l'ait appelé juste pour le voir plonger d'une falaise. Si nombre de ses actes n'ont pas été conformes à l'islam, il est venu pour se purifier, mettre derrière lui ses pensées pécheresses et devenir un bon musulman. Il passe la dernière partie de la montagne dans une sorte de transe.

Au bout d'une petite éternité, ils atteignent les steppes dégagées, et les dernières heures jusqu'à Mazar-i-Sharif sont un jeu d'enfant.

En route vers la ville, ils sont dépassés par des pick-up transportant des hommes lourdement armés. Sur les plates-formes des soldats barbus pointent leurs kalachnikovs dans toutes les directions. Ils sautent à cent à l'heure au-dessus des trous de la route.

Le paysage n'est que désert, steppes et collines rocheuses. De temps à autre, ils passent de petites oasis vertes et des villages de maisons en pisé. À l'entrée de la ville, ils sont arrêtés à un poste de contrôle. Des hommes brusques leur font signe de passer le barrage, une corde attachée entre deux missiles usagés.

Ils pénètrent dans la ville, fatigués, tendus. Si incroyable que cela puisse paraître, ils ont mis douze heures pour arriver.

— C'était donc un passage tout à fait normal du tunnel du Salang, note Mansur. Imaginez tous ceux qui mettent plusieurs jours ! Youhououou ! Nous sommes arrivés ! *Ali, here I come !*

Sur les toits des maisons, des soldats tiennent leurs armes prêtes. On redoute de l'agitation le soir du nouvel an ; ici, point de force de paix internationale, mais au contraire deux ou trois seigneurs de guerre en lutte. Les soldats sur les toits sont des hommes du gouverneur, un Hazara. Les soldats des pick-up sont ceux du Tadjik Atta Muhammad. Ceux qui se battent pour l'Ouzbek Abdul Rashid Dostom se reconnaissent à leur uniforme. Tous visent les rues avec leurs armes, rues où des milliers de pèlerins flânent et bavardent en groupes, près de la mosquée, dans le parc, sur les trottoirs.

La mosquée bleue, tache de lumière dans l'obscurité, est une révélation. Elle est le plus bel édifice que Mansur ait jamais vu. Le faisceau lumineux est un don de l'ambassade des États-Unis, à l'occasion de la visite de l'ambassadeur dans la ville pour le nouvel an. Des lanternes rouges éclairent le parc autour de la mosquée, qui à présent est bondée.

Ici Mansur va demander le pardon de ses péchés. Ici il va se purifier. À la vue de cette grande mosquée, il se sent épuisé et affamé. Pour un voyageur, Coca et biscuits fourrés à la banane et au kiwi sont une bien maigre pitance.

Les restaurants débordent de pèlerins. Mansur, Saïd et Akbar finissent par trouver un bout de tapis où s'asseoir dans un restaurant sombre dans la rue des kébabs. Partout, un fumet de mouton grillé. Servi avec du pain et de petits oignons entiers.

Mansur avale un gros morceau d'oignon et se sent presque ivre. De nouveau, l'envie le prend d'exprimer sa joie et de hurler. Il reste cependant tranquillement assis à dévorer son repas, à l'instar de ses deux compagnons. Après tout, il n'est plus un gamin et s'efforce de garder le même masque qu'Akbar et Saïd. Cool, détendu, civilisé.

Le lendemain matin Mansur est réveillé par l'appel à la prière du mollah. « *Allahu akbar* – Dieu est grand », résonne comme si d'énormes haut-parleurs avaient été fixés dans ses tympans. Il regarde par la fenêtre droit sur la mosquée qui étincelle sous le soleil matinal. Des centaines de colombes blanches volent au-dessus de la zone sainte. Elles sont logées dans deux tours devant la chambre funéraire et l'on prétend que si un pigeon participe à leur vol, ses plumes deviendront blanches dans les quarante jours. On dit en outre qu'une colombe sur sept est une âme sainte.

Avec Akbar et Saïd, il se presse à travers les barrières de la mosquée vers 6 h 30. Grâce à la carte de presse d'Akbar, ils arrivent jusqu'au minbar. Ils sont nombreux à avoir passé la nuit ici pour être aussi près que possible lorsque Hamid Karzaï, nouveau dirigeant de l'Afghanistan, hissera le drapeau d'Ali. D'un côté se trouvent les femmes, certaines en burkha, d'autres simplement en voile blanc, de l'autre, les hommes. Tandis que les femmes sont tranquillement assises par terre, les hommes se serrent énormément. Dehors, les arbres sont noirs de monde. Bravant la police qui se promène avec des fouets, ils sont de plus en plus nombreux à franchir les barrières d'un saut et à courir pour échapper aux coups. La sécurité est renforcée car tous les ministres sont attendus.

Le gouvernement fait son entrée, Hamid Karzaï à sa tête, vêtu de sa caractéristique cape en soie rayée de bleu et de vert. Il s'habille toujours ainsi lorsqu'il représente l'Afghanistan entier, bonnet en peau de mouton de Kandahar au sud, cape des régions du Nord et tunique des provinces de l'Ouest, à la frontière iranienne.

Mansur tend le cou et essaie de se rapprocher. Il n'a jamais vu Karzaï en vrai. L'homme qui a réussi à évincer les taliban de leur siège principal, Kandahar, et qui a manqué d'être tué lorsqu'un missile américain s'est perdu et a atterri sur ses troupes. Karzaï, Pachtoune de Kandahar, a lui-même soutenu les taliban pendant une courte période, mais s'est par la suite servi de sa position de chef de tribu du puissant clan popolzaï pour gagner des partisans dans la lutte contre les taliban. Lorsque les Américains ont lancé leur campagne de bombardements, il est parti pour un voyage suicidaire à moto dans le fief des taliban afin de convaincre les conseils des anciens que l'ère des taliban était révolue. On prétend que c'est plus son courage que ses arguments qui ont su convaincre. Tandis que les combats faisaient rage dans les environs de Kandahar, Karzaï à la tête de l'offensive contre la ville, les délégués de la conférence des Nations unies à Bonn le nommaient nouveau dirigeant du pays.

— Ils ont essayé de détruire notre culture. Ils ont essayé de briser nos traditions. Ils ont essayé de nous enlever l'islam ! crie Karzaï à la foule. Les taliban ont tenté de salir l'islam, de tous nous traîner dans la boue, de nous attirer l'inimitié du monde entier. Mais nous savons ce qu'est l'islam, l'islam, c'est la paix ! La nouvelle année qui commence aujourd'hui, l'an 1381 [calendrier islamique], est l'année de la reconstruction. C'est l'année qui va faire de l'Afghanistan un pays sûr, nous allons établir pour de bon la paix et développer notre société ! Aujourd'hui, le monde entier nous aide, un jour, un jour nous serons un pays qui aide le monde, crie-t-il sous les vivats de la foule.

— Nous ? chuchote Mansur. Aider le monde ?

L'idée lui paraît absurde. Mansur a passé toute sa vie en guerre, à ses yeux, l'Afghanistan est un pays qui obtient tout de l'extérieur, de la nourriture aux armes.

Après Karzaï, c'est l'ex-président Burhanuddin Rabbani qui prend la parole. Un homme de grande puissance, mais de peu de pouvoir. Théologien et professeur à l'université du Caire, il a fondé le parti *Jamiat-i-Islami*, qui rassemblait une fraction des moudjahidin. Il avait avec lui le stratège militaire Ahmad Shah Massoud, qui allait être le grand héros de la lutte contre l'Union soviétique et de la résistance contre les taliban.

Massoud était un dirigeant charismatique, profondément religieux, mais aussi tourné vers l'Occident. Il parlait couramment le français et souhaitait moderniser son pays. Victime d'un attentat suicide à la bombe perpétré par deux Tunisiens deux jours avant les attaques terroristes aux États-Unis, il a été érigé en mythe. Les Tunisiens avaient des passeports belges et se sont présentés comme journalistes. « Commandant, que ferez-vous d'Oussama ben Laden quand vous aurez conquis tout l'Afghanistan ? » allait être la dernière question que Massoud entendrait. Il a eu le temps de rire une dernière fois avant que les terroristes n'amorcent la bombe cachée dans leur caméra. Même les Pachtounes accrochent aujourd'hui des photos du Tadjik Massoud – le lion du Panshir.

Rabbani dédie son discours à Massoud, mais c'est la guerre sainte contre l'Union soviétique qui a marqué son époque de gloire.

— Nous avons repoussé les communistes hors de notre pays, nous pouvons repousser tous les envahisseurs hors de notre Afghanistan sacré ! s'exclame-t-il.

Les troupes russes se sont retirées au printemps 1989. Quelques mois plus tard, le mur de Berlin tombait et la dissolution de l'Union soviétique débutait, ce dont Rabbani assume volontiers l'honneur.

— Sans le djihad, le monde entier serait encore sous la coupe des communistes. Le mur de Berlin est tombé grâce aux blessures que nous avons infligées à l'Union soviétique et à l'inspiration que nous avons ainsi donnée aux peuples opprimés. Nous avons morcelé l'Union soviétique en quinze. Nous avons libéré le peuple du communisme ! Le djihad a rendu le monde plus libre ! Nous avons sauvé le monde parce que le communisme a vu sa fin, ici, en Afghanistan !

Mansur se tient debout à tripoter son appareil photo. Il s'est avancé presque jusqu'au minbar pour photographier de près les orateurs. C'est avant tout Karzaï qu'il souhaite immortaliser. Il mitraille et mitraille ce petit homme mince. Il aura ainsi quelque chose à montrer à son père.

Les hommes se succèdent au minbar dans un enchaînement de prières et de discours. Un mollah remercie Allah, tandis que le ministre de l'Éducation explique que l'Afghanistan doit être un pays où les armes cèdent le pas à l'Internet.

— Remplacez les armes par des ordinateurs, crie-t-il avant d'ajouter que les Afghans doivent cesser de faire la distinction entre les groupes ethniques. Regardez, en Amérique, ils vivent tous ensemble dans un pays, ils sont tous américains. Ils n'ont pas de problèmes !

Pendant les discours, la police cingle la foule de coups de fouet ; en vain, les spectateurs sont de plus en plus nombreux à franchir les barrières vers l'enceinte sacrée. Ils poussent tant de cris et de hurlements qu'ils entendent à peine les discours. Le tout évoque plus un happening qu'une cérémonie religieuse. Sur les marches et les toits alentour se tiennent les soldats armés. Une dizaine de membres des forces spéciales américaines, équipés de mitrailleuses et de lunettes noires, ont pris position sur les toits plats de la mosquée pour protéger l'ambassadeur américain, rose pâle. D'autres marchent devant ou à côté de lui.

Pour beaucoup d'Afghans, que des mécréants foulent ainsi le toit de la mosquée est sacrilège. Aucun non-musulman ne peut pénétrer à l'intérieur. Des gardes veillent à refouler ceux qui s'y essaient ; quoi qu'il en soit, ils ne sont pas submergés de travail, car on ne peut guère parler d'un véritable afflux de touristes occidentaux en ce premier printemps après la chute des taliban. Seuls un ou deux travailleurs humanitaires sont venus se perdre dans cette célébration du nouvel an.

Atta Muhammad et le général Abdul Rashid Dostom aussi, seigneurs de guerre en conflit, ont trouvé place au minbar. Atta Muhammad est celui qui dirige la ville, l'Ouzbek Dostom estime lui qu'il aurait dû la diriger. Ces deux ennemis jurés se tiennent à présent côte à côte pour écouter les discours. Atta Muhammad avec une barbe de taleb. Dostom avec la prestance d'un boxeur en préretraite. À leur corps défendant, ils ont collaboré lors de la dernière offensive contre les taliban. Aujourd'hui, c'est de nouveau le front froid entre eux. Dostom est le membre le plus connu du nouveau gouvernement, il a été choisi pour la seule et unique raison que l'on voulait éviter qu'il ne soit tenté de le saboter. L'homme qui se tient à présent en clignant des yeux face au soleil est l'un de ceux sur lesquels le plus d'histoires terribles ont circulé en Afghanistan. Pour les punir d'une faute, il lui arrivait d'attacher ses soldats à un tank et de rouler jusqu'à ce qu'ils ne soient plus que des lambeaux sanglants. Un jour des milliers de soldats taliban ont été conduits dans le désert et enfermés dans un container. Le container a été cadenassé et abandonné. Lorsqu'on l'a ouvert, plusieurs jours plus tard, les prisonniers étaient morts, la peau carbonisée par la cuisante chaleur. Dostom a aussi la réputation de roi de la trahison et a servi moult seigneurs avant de les trahir les uns après les autres. Lors de l'invasion soviétique, il était du côté des Russes, athée et grand buveur de vodka. À présent, il se tient respectueusement, loue Allah et prône le pacifisme.

— En 1381 nul n'a le droit de distribuer des armes, car cela conduira à des combats et plus de conflits. C'est une année pour ranger les armes, pas pour en distribuer de nouvelles !

Mansur rit. Dostom passe pour dyslexique. Il peine à lire son discours et sa lecture est saccadée comme celle d'un élève de cours préparatoire. De temps à autre, il s'interrompt complètement, mais se rattrape en rugissant de plus belle.

Le dernier mollah invite à combattre contre le terrorisme. Dans l'Afghanistan d'aujourd'hui, il y a des luttes contre tout ce qu'on n'aime pas, et cela change en fonction de l'orateur.

— L'islam est la seule religion qui, dans son livre sacré, commande de lutter contre le terrorisme. Le terrorisme a montré son visage à l'Afghanistan, c'est notre devoir de lutter contre lui. Ce n'est écrit dans aucun autre texte sacré. Dieu a dit à Mahomet : « Tu ne prieras pas dans une mosquée bâtie par des terroristes. » Les vrais musulmans ne sont pas des terroristes, car l'islam est la plus tolérante de toutes les religions. Lorsque Hitler a tué les juifs d'Europe, les juifs en terre islamique étaient en sûreté. Les terroristes sont de faux musulmans !

Après des heures de discours, le *janda*, drapeau vert d'Ali, peut enfin être hissé, il n'a pas servi depuis cinq ans. Le mât entier est par terre, son sommet dirigé vers la mosquée. Au son des tambours et de la liesse, Karzaï hisse le mât et le drapeau religieux. Il va flotter pendant quarante jours. On tire des coups de feu en l'air et les barrières s'ouvrent. Les dizaines de milliers de personnes restées à l'extérieur se déversent en direction de la mosquée, du tombeau et du drapeau.

Mansur a eu sa dose de foule et de célébration, il veut faire les magasins. Ali attendra. Il y pense depuis longtemps, chaque membre de la famille doit recevoir un cadeau. Si chacun reçoit une partie de ce voyage, son père fera preuve de plus de clémence quand, à l'avenir, il lui présentera ses requêtes.

D'abord, il achète des tapis de prière, des foulards et des chapelets, puis des pains de sucre à casser et à croquer avec le thé. Il sait que sa grand-mère, Bibi Gul, lui pardonnera tous ses péchés passés et futurs s'il revient avec ces pains de plusieurs kilos que l'on fabrique uniquement à Mazar. Il achète en outre des robes et des bijoux pour ses tantes et des lunettes de soleil pour ses frères et ses oncles. Il n'en a jamais vu en vente à Kaboul. Chargé de tous ces achats entreposés dans de grands sacs roses affublés de publicités pour « *Pleasure – Special light cigarettes* », il retourne au tombeau du calife Ali. Les cadeaux de la nouvelle année doivent être bénis.

Il les emporte à l'intérieur de la crypte et se dirige

vers les mollahs assis près du mur d'or de la
chambre funéraire. Il pose les cadeaux devant l'un
d'eux, qui lit le Coran et souffle sur eux. La prière
lue, Mansur remballe ses cadeaux dans les sacs et
repart en hâte.

Au mur d'or, on peut faire un vœu. Conformément aux discours patriotiques, il colle son front
contre le mur d'or et prie : qu'il soit un jour fier
d'être afghan. Qu'il soit un jour fier de lui-même et
de son pays et que l'Afghanistan soit respecté dans
le monde. Hamid Karzaï lui-même n'aurait pas pu
mieux l'exprimer.

Ivre de toutes ses impressions, Mansur a oublié la
prière de purification et de pardon, raison pour
laquelle il est venu à Mazar. Il a oublié sa trahison
contre la petite mendiante, son menu corps d'enfant,
ses grands yeux noisette, ses cheveux emmêlés. Il a
oublié qu'il n'était pas intervenu pour empêcher le
crime du gros vendeur de stylos.

Il sort de la chambre funéraire et se dirige vers le
drapeau d'Ali. Près du mât aussi se tiennent des mollahs qui reçoivent les sacs de Mansur, sans toutefois
prendre le temps d'en sortir les cadeaux. La file de
pèlerins venus faire bénir tapis, chaînes, nourriture
et foulards est gigantesque. Les mollahs se contentent de prendre ses sacs et de les passer rapidement
sur le mât, de dire une brève prière avant de les lui
rendre. Mansur leur jette quelques billets et les tapis
de prière et les pains de sucre ont droit à une béné-
diction de plus.

Il se réjouit de les offrir à sa grand-mère, à Sultan,
à ses oncles et tantes. Mansur se promène le sourire
aux lèvres. Il n'est que joie. Il est sorti du magasin,

de la coupe de son père. Il marche sur le trottoir devant la mosquée avec Akbar et Saïd.

— C'est le plus beau jour de ma vie ! Le plus beau ! crie-t-il.

Akbar et Saïd le dévisagent avec surprise, presque inquiétude, mais se laissent aussi toucher par son bonheur.

— J'adore Mazar, j'adore Ali, j'adore la liberté ! ! Je vous adore ! crie Mansur en sautant dans la rue.

C'est la première fois qu'il part sans sa famille, le premier jour de sa vie où il n'en a pas vu un seul membre.

Ils décident d'aller voir un *bouzkachi*. Les régions du Nord sont réputées pour la dureté, la brutalité, la rapidité de leurs *bouzkachis*. De loin, ils constatent que le jeu a déjà commencé. Des nuages de poussière couvrent la plaine où deux cents hommes à cheval luttent pour une dépouille, qui est aujourd'hui celle d'un veau décapité, et non d'une chèvre comme c'est souvent le cas. Les chevaux mordent et ruent, se cabrent et sautent, tandis que les cavaliers, cravache entre les dents, s'efforcent de saisir le cadavre qui est au sol. Le veau change de mains à une telle vitesse que l'on pourrait parfois croire à des passes entre les cavaliers. Le but est de déplacer le veau d'un bout à l'autre de la plaine et de le placer à l'intérieur d'un cercle tracé par terre. Certains jeux sont d'une telle violence que l'animal est déchiqueté.

Avant de se familiariser avec le jeu, on a l'impression qu'il consiste en des chevaux qui se livrent à une chasse effrénée les uns des autres sur la plaine, tandis que les cavaliers sont en équilibre sur leur selle. Ils portent de longues capes brodées, des cuissardes en cuir décorées à hauts talons et des chapeaux de *bouzkachi*, petites toques en agneau à large bord en fourrure.

— Karzaï ! s'exclame Mansur en apercevant le dirigeant de l'Afghanistan sur la plaine. Et Dostom !

Le chef de tribu et le seigneur de guerre luttent pour attraper le veau. Pour apparaître en dirigeant fort, il faut participer à des *bouzkachis*, pas seulement à l'extérieur de la mêlée, mais en son beau milieu, au plus vif du combat. Tout peut toutefois s'arranger avec de l'argent : souvent, les puissants paient pour qu'on les aide à la victoire.

Karzaï galope à l'extérieur de la mêlée et ne parvient pas vraiment à soutenir le rythme meurtrier des autres cavaliers. Le chef de tribu du Sud n'a jamais vraiment appris les brutales règles du *bouzkachi*. C'est un jeu des steppes et c'est le grand fils des steppes, le général Dostom, qui l'emporte, ou que les *tchopendoz* laissent gagner. L'entreprise pourrait porter ses fruits. Dostom se tient comme un chef d'armée à cheval et reçoit les applaudissements.

Parfois, deux équipes se battent l'une contre l'autre, d'autres fois, tous luttent contre tous. Le *bouzkachi* est l'un des sports les plus sauvages du monde, il a été importé en Afghanistan par les Mongols sous Gengis Khan. C'est un jeu dans lequel il s'agit aussi d'argent, des spectateurs puissants promettent chaque fois des millions d'afghanis. Plus il y a d'argent en jeu, plus les combats sont sauvages. Le *bouzkachi* est aussi un jeu à l'importance politique significative. Tout dirigeant local doit soit être bon *tchopendoz* lui-même soit avoir une écurie de bons chevaux et cavaliers. La victoire est synonyme de respect.

Depuis les années cinquante, les autorités afghanes se sont efforcées de le réglementer. Les *tchopendoz* ont approuvé les règles, sachant pertinemment qu'elles seraient quoi qu'il en soit impossibles à respecter. Même après l'invasion soviétique, les tournois ont continué, en dépit du chaos dans lequel se trouvait le pays et du fait que de nombreux participants n'arrivaient pas car il fallait traverser des zones de combat. Les communistes, qui s'efforçaient de mettre fin aux autres traditions ancestrales des Afghans, n'allaient jamais oser s'attaquer aux *bouzkachis*. Au contraire, ils essayèrent de se rendre populaires en organisant des tournois, un dictateur communiste succédant à l'autre dans les tribunes, au fur et à mesure qu'ils s'éliminaient les uns les autres lors de coups d'État sanglants. Ils parvinrent toutefois à détruire une grande partie de la base des *bouzkachis*. Avec la collectivisation, rares furent ceux qui purent garder une écurie de trente chevaux bien entraînés. Ils furent dispersés et affectés aux travaux agricoles. Quand un propriétaire disparaissait, les chevaux de combat et les cavaliers disparaissaient avec lui.

Les taliban les interdirent et les définirent comme non-islamiques. La célébration du nouvel an à Mazar est l'occasion du premier grand *bouzkachi* après la chute des taliban.

Mansur trouve une place tout devant, il doit parfois reculer en courant pour éviter les sabots des chevaux qui se cabrent devant le public. Il prend plusieurs pellicules de photos – des poitrails de chevaux lorsqu'ils semblent vouloir s'abattre sur lui, des tourbillons de poussière, du veau malmené, d'un petit Karzaï au loin, d'un Dostom vainqueur. Après le jeu, il se prend en photo aux côtés d'un *tchopendoz*.

Le soleil amorce sa descente et inonde la plaine poussiéreuse de ses rayons rouges. Les pèlerins aussi sont couverts de poussière. Hors de l'arène, les camarades exténués trouvent un restaurant. Assis les uns en face des autres sur de minces nattes, ils mangent en silence. Soupe, riz, mouton et oignons crus. Mansur dévore, puis commande une autre portion. Ils saluent sans parler des hommes assis en cercle à côté d'eux, qui se livrent à un bras de fer.

Le thé arrive et les conversations peuvent s'engager.

— De Kaboul ?

Mansur opine d'un hochement de tête.

— Pèlerinage ?

Les hommes hésitent.

— Mouais. En fait, nous voyageons avec des cailles, répond un vieillard presque édenté. Nous venons de Herat. On a fait un grand tour, Kandahar, Kaboul, et puis ici. C'est ici qu'il y a les meilleurs combats de cailles.

L'homme sort délicatement un petit sac en tissu de sa poche, duquel sort un oiseau, une petite caille ébouriffée.

— Il a gagné tous les combats auxquels nous l'avons fait participer. Il nous a rapporté plein d'argent. Maintenant, il vaut plusieurs milliers de dollars, se vante-t-il.

Le vieillard nourrit la caille avec ses vieux doigts

d'aigle crochus. La caille secoue ses plumes et se réveille. Elle est si petite qu'elle tient dans les grandes mains usées de l'homme. Il s'agit de travailleurs qui ont pris des vacances. Après cinq ans de combats de cailles clandestins, cachés des taliban, ils peuvent enfin vivre ouvertement leur passion – voir deux oiseaux se becqueter jusqu'à la mort. Ou plus exactement, exulter quand leur propre petite caille tue sa congénère à coups de bec.

— Venez demain matin à sept heures, c'est à ce moment que nous commencerons, dit le vieil homme.

En partant, il leur glisse un gros morceau de haschich.

— Le meilleur du monde, précise-t-il. De Herat.

À l'hôtel, ils goûtent le haschich et roulent joint sur joint. Ils dorment d'un sommeil de plomb douze heures durant.

Mansur se réveille en sursaut au deuxième appel à la prière du mollah. Il est midi et demi. Dans la mosquée voisine, la prière commence. La prière du vendredi. Soudain, il a la sensation de ne plus pouvoir vivre sans la prière du vendredi. Il doit y aller. Et à l'heure. Il a oublié sa *shalwar kamiz* à Kaboul, sa tunique avec son pantalon large. Il est désespéré, où peut-il acheter les vêtements de prière qu'il lui faut ? Tous les magasins sont fermés. Furieux, il n'est que jurons.

— Allah n'a que faire des vêtements que tu portes, ronchonne un Akbar tout ensommeillé dans l'espoir de se débarrasser de lui.

— Il faut que je me lave et l'eau de l'hôtel a été coupée, maugrée Mansur.

Mais ici, point de Leila à gourmander, Akbar le rabroue dès le début de ses jérémiades. Mais l'eau ! Un musulman ne peut pas prier sans s'être lavé le visage, les mains et les pieds. Mansur continue de se plaindre.

— Je n'y arriverai pas.

— Il y a de l'eau près de la mosquée, dit Akbar avant de refermer les yeux.

Mansur se précipite dehors, dans ses vêtements de voyage maculés. Comment a-t-il pu oublier sa tunique en partant en pèlerinage ? Et son bonnet de prière ? Il maudit son imprévoyance en courant vers la mosquée bleue pour arriver à temps pour la prière. À l'entrée, il aperçoit un mendiant au pied bot. Ses jambes gonflées et tachées reposent dans le couloir, complètement infectées. Mansur lui arrache son bonnet de prière.

— Je te le rendrai, lance-t-il avant de poursuivre sa course avec le bonnet gris-blanc, dont le bord s'est teinté d'un jaune brun causé par la sueur.

Il pose ses chaussures à l'entrée et marche pieds nus sur les dalles en marbre polies par des milliers de pieds. Il se lave les mains et les pieds, enfonce le bonnet sur sa tête et marche dignement vers les rangées d'hommes tournés vers La Mecque. Il est arrivé à temps. Sur des dizaines de rangs, chacun comptant au moins cent pèlerins, les hommes se prosternent. Mansur s'installe tout au fond et suit les prières, au bout d'un petit moment, il est au milieu de la foule, d'autres rangs sont venus s'ajouter derrière lui. Il est le seul à porter des vêtements occidentaux, mais il suit comme les autres, le front au sol, le postérieur dressé, quinze fois. Il récite les prières qu'il sait et écoute le prêche du vendredi de Rabbani, une redite de la veille.

La prière est dite tout près de barrières entourant la mosquée, où des malades incurables espèrent la guérison. Ils sont maintenus derrière de hautes barrières pour éviter les risques de contagion. Les joues jaune pâle creusées, des tuberculeux prient Ali de leur donner de la force. Parmi eux, se trouve aussi un handicapé mental, adolescent qui tape dans ses mains avec fébrilité tandis qu'un de ses frères aînés s'efforce de le calmer. La plupart se contentent de regarder à travers les barreaux l'œil éteint. Mansur n'a jamais vu autant de mourants à la fois. Le groupe exhale des effluves de maladie et de mort. Seuls les plus gravement malades ont eu l'honneur d'être assis là à prier Ali de les guérir. Adossés au mur de la chambre funéraire, ils se serrent : plus ils sont proches du mur de mosaïque bleue, plus ils sont proches de la guérison.

D'ici deux semaines, ils seront tous morts, songe Mansur. Son regard croise celui d'un homme aux profondes cicatrices rouges protubérantes. Ses longs bras osseux sont couverts d'éruptions et de blessures grattées jusqu'au sang, à l'instar de ses jambes, qui dépassent de sa tunique, mais il a de belles lèvres fines rose pâle qui évoquent les pétales des fleurs printanières de l'abricotier.

Mansur tressaille et détourne son regard, qui se pose sur l'enclos suivant, où se trouvent les femmes et les enfants. Des burkhas bleues fanées avec des enfants malades sur leurs genoux. Une mère s'est endormie tandis que son enfant trisomique essaie de raconter quelque chose, mais c'est comme de parler à une statue couverte d'un tissu bleu. Peut-être a-t-elle marché pendant des jours et des jours, pieds nus, pour venir à la mosquée et au tombeau d'Ali pour le nouvel an. Peut-être a-t-elle porté l'enfant dans ses bras pour le guérir. Nul médecin ne peut lui venir en aide, Ali le pourra peut-être.

Un autre enfant tape en rythme sa tête dans ses mains. Certaines femmes sont apathiques, d'autres dorment, d'aucunes sont elles-mêmes boiteuses ou aveugles, mais, dans leur très grande majorité, elles sont venues pour leurs enfants. Elles attendent les miracles d'Ali.

Mansur est parcouru de frissons dans le dos. Sous l'effet de cette atmosphère très intense, il décide de devenir neuf. Il va être un homme bon, un musulman pieux. Il va respecter les heures de prière, il va faire l'aumône, il va jeûner, il va aller à la mosquée, il ne va pas regarder une fille avant de se marier, il va se laisser pousser la barbe et il va aller à La Mecque.

À l'instant où se termine la prière et où Mansur a fait sa promesse, la pluie arrive. L'édifice sacré et les dalles polies étincellent, brillent à travers les gouttes de pluie. Il pleut des cordes. Mansur s'élance, trouve ses chaussures et le mendiant à qui appartient le bonnet de prière. Il lui jette quelques billets et traverse la place en courant sous la pluie.

— Je suis béni, crie-t-il. Je suis pardonné ! Je suis purifié !

L'eau dit au crasseux : viens ici

Le crasseux répondit : j'ai trop honte

L'eau répondit : comment veux-tu te laver de ton péché sans moi ?

L'odeur de la poussière

La vapeur voltige autour des corps nus. Les mains se déplacent en mouvements rapides et rythmés. Les rayons de soleil filtrent à travers deux lucarnes du toit et nimbent fesses, seins et cuisses d'une lumière pittoresque. De prime abord, on ne peut, dans la chaleur de la pièce, qu'entrapercevoir les corps. Les visages ont une expression concentrée. Il n'est pas question de plaisir, mais de dur labeur.

Dans deux grandes halles, des femmes sont assises ou debout et se frictionnent elles-mêmes, mutuellement ou frottent leurs enfants. Certaines ont des rondeurs rubensiennes, d'autres, les côtes saillantes, la maigreur d'un fil de fer. Munies de grandes moufles en chanvre, qu'elles ont fabriquées, elles se frottent mutuellement le dos, les bras, les jambes. Elles gomment la peau dure de leurs plantes de pieds avec des pierres ponces. Des mères frottent leurs filles qui vont se marier, en étudiant avec soin leur corps. Dans peu de temps, ces fillettes aux seins pointus seront des mères qui allaitent. Sur la peau de minces adolescentes s'étirent de larges vergetures, vestiges d'accouchements à un âge où leur corps n'avait pas encore achevé sa croissance. Les femmes ont presque toutes la peau du ventre craquelée par la précocité ou la trop grande fréquence des naissances.

Les enfants hurlent et poussent des cris stridents, exprimant leur peur ou leur joie. Ceux qui sont frottés et rincés jouent avec les bassines d'eau. D'autres crient leur douleur et s'agitent comme des poissons pris dans un filet. Ici, point de petit gant de toilette pour protéger ses yeux du savon. Les mères frictionnent avec leur gant de chanvre les corps d'enfants noirs de crasse jusqu'à ce qu'ils rosissent. Bain et toilette sont une lutte que, prisonniers de la ferme main de leur mère, les enfants sont condamnés à perdre.

Leila déroule la crasse et les peaux mortes de son corps. De grands lambeaux se détachent pour choir dans le gant ou par terre. Leila ne s'est pas véritablement lavée depuis plusieurs semaines et sa dernière visite au hammam remonte à plusieurs mois. À la maison, l'eau est rare et Leila ne voit aucune raison pour se laver trop souvent, puisque de toute façon on se resalit aussitôt.

Cette fois, elle a accompagné sa mère et ses cousines au hammam. En tant que jeunes filles célibataires, elles sont particulièrement pudiques et restent en culotte et soutien-gorge. Le gant de chanvre passe hors de ces zones, mais leurs bras, cuisses, jambes, dos et nuque sont soumis à rude épreuve. Gouttes de sueur et d'eau se mêlent sur leur visage, tandis qu'elles frottent, gomment et exfolient, la propreté est proportionnelle à la force employée.

La mère de Leila, la septuagénaire Bibi Gul, est assise nue dans une flaque sur le sol. Le long de son dos descendent en cascades ses longs cheveux gris, qui autrement sont toujours cachés dans un foulard bleu clair. Il n'y a qu'au hammam qu'elle les laisse pendre ainsi. Ils sont si longs que leurs pointes flottent à la surface de l'eau. Elle semble être en transe ; les yeux clos, elle savoure la chaleur. De temps à autre, elle esquisse une tentative paresseuse pour se laver et trempe un gant de toilette dans la bassine que lui a préparée Leila. Très vite cependant elle renonce, car elle n'arrive pas à se mouvoir au-delà de son gros ventre, sur lequel reposent lourdement ses seins. Elle reste donc en état de transe, raide, telle une grande statue grise.

Épisodiquement, Leila jette de furtifs coups d'œil à sa mère pour s'assurer qu'elle se porte bien, tandis qu'elle se frictionne et babille avec ses cousines. Le corps de cette jeune fille de dix-neuf ans est enfantin, entre fille et femme. La famille Khan tout entière est plutôt ronde, en tout cas par rapport à la norme afghane. Sa morphologie est la traduction de la graisse et de l'huile versées en portions généreuses sur les plats. Crêpes frites, morceaux de pommes de terre ruisselants de graisse, mouton en sauce à base d'huile épicée. La peau de Leila est pâle et impeccable, tendre comme celle des fesses d'un bébé. La carnation de son visage hésite entre le blanc, le jaune et le gris pâle. La vie qu'elle mène se reflète sur sa peau d'enfant qui ne voit jamais le soleil et sur ses mains, rugueuses et usées comme celles d'une vieille femme. Leila avait des vertiges et se sentait faible depuis longtemps lorsque finalement elle s'est rendue chez le médecin, qui a diagnostiqué un manque de soleil et de vitamine D.

Paradoxalement, Kaboul est l'une des villes les plus ensoleillées du monde. À 1 800 mètres d'altitude, le soleil y tape presque chaque jour de l'année. Il crevasse la terre, dessèche ce qui autrefois était des jardins luxuriants, brûle la peau des enfants. Mais Leila ne le voit jamais. Le soleil n'atteint pas l'appartement du rez-de-chaussée de Microyan, pas plus qu'il ne s'infiltre derrière le grillage de sa burkha. C'est seulement quand elle rend visite à sa grande sœur Mariam, qui possède une cour dans sa maison de village, qu'elle laisse le soleil chauffer sa peau. Cependant elle n'a que rarement le temps d'y aller.

Dans la famille, Leila est celle qui se lève la première et se couche la dernière. Au son du ronflement de ceux qui dorment dans le salon, elle fait du feu dans le poêle à l'aide de brindilles. Ensuite, elle chauffe le poêle à bois de la salle de bains et fait bouillir de l'eau pour la cuisine, la lessive et la vaisselle. Il fait encore noir ; elle remplit d'eau des bouteilles, des casseroles et des vases. Il n'y a jamais d'électricité à cette heure de la journée et Leila a l'habitude de tâtonner dans l'obscurité. Parfois, elle s'aide d'une petite lampe. Puis, elle prépare le thé, qui doit être prêt quand les hommes de la maison se réveillent, vers 6 h 30, faute de quoi elle s'expose à des réprimandes. Tant qu'il y a de l'eau, elle remplit constamment les récipients qu'elle utilise, car elle ne sait jamais quand elle sera coupée, parfois cela se produit au bout d'une heure, parfois au bout de deux.

Tous les matins, Eqbal pousse des cris de cochon que l'on égorge. Si stridents qu'ils glacent l'échine. Raide ou recroquevillé sur sa natte, il refuse de se

lever. À quatorze ans, il invente chaque jour de nouvelles maladies pour échapper à ses douze heures
dans le magasin. En vain, point de merci. Toujours,
il finit par se lever, mais le lendemain matin, les
mêmes cris déchirants reprennent.

— Espèce de pimbêche ! Paresseuse ! Il y a des
trous dans mes chaussettes, crie-t-il en les jetant sur
Leila.

Il se venge sur qui il peut.

— Leila, l'eau a refroidi ! Il n'y a pas assez d'eau
chaude ! Où sont mes habits ? Où sont mes chaussettes ? Apporte du thé ! Petit déjeuner ! Cire mes
chaussures ! Pourquoi t'es-tu levée si tard ?

Les portes claquent, les murs résonnent de coups.
Les quelques chambres, le couloir et la salle de bains
prennent des allures de véritable champ de bataille.
Les fils de Sultan se disputent, hurlent et pleurent.
Sultan reste en général avec Sonya à boire son thé
et à manger son petit déjeuner. Sonya s'occupe de
lui, Leila du reste. Elle remplit les bassines de toilette, trouve les vêtements, sert le thé, cuit des œufs,
va chercher du pain, cire les chaussures... Les cinq
hommes de la maison vont partir travailler.

À réel contrecœur, elle aide ses trois neveux,
Mansur, Eqbal et Aimal, à se préparer pour le départ.
Jamais on ne la remercie, jamais on ne l'aide.

— Gosses mal élevés, siffle Leila à part soi quand
les trois garçons, de quelques années ses cadets, lui
donnent des ordres.

— On n'a plus de lait ? Je t'avais dit d'en acheter ! crie Mansur. Espèce de parasite.

Si elle ose dire quoi que ce soit, elle obtient toujours la même réponse qui tue.

— Ferme-la, mégère.

Il n'hésite pas à la frapper, l'atteignant au ventre ou au dos.

— C'est pas ta maison, c'est ma maison, dit-il durement.

Leila non plus n'a pas le sentiment d'être chez elle. C'est la maison de Sultan, de ses fils et de sa seconde femme. Elle, Bulbula, Bibi Gul et Yunus ne se sentent pas accueillis dans cette famille. Déménager n'est cependant pas possible. Désunir une famille est un scandale. De toute façon, ils ne sont que les serviteurs. En tout cas Leila.

Parfois elle regrette de n'avoir pas été donnée à sa naissance, comme son frère aîné. On m'aurait inscrite à des cours d'informatique et d'anglais dès l'enfance, j'irais à l'université maintenant, j'aurais de beaux vêtements, je ne serais pas une esclave, rêve-t-elle. Leila aime sa mère, ce n'est pas le problème, mais elle a le sentiment que personne ne s'est jamais vraiment soucié d'*elle*. Elle s'est toujours sentie comme la dernière de la lignée, ce qu'elle est d'ailleurs. Bibi Gul n'a pas eu d'autres enfants après elle.

Après le chaos matinal et le départ de Sultan et de ses fils, Leila peut respirer, boire son thé et prendre son petit déjeuner. Puis elle balaie les chambres, pour la première fois de la journée. Elle marche penchée sur un petit balai en paille et balaie, balaie, balaie, pièce après pièce. La poussière se soulève en tourbillon avant de se reposer par terre derrière elle. Son odeur ne quitte jamais l'appartement. Elle n'est jamais débarrassée de la poussière, ses gestes, son corps, ses pensées sont empoussiérés.

Elle parvient toutefois à ramasser les miettes, les bouts de papier, les ordures. Plusieurs fois par jour elle balaie. Comme tout se déroule par terre, le sol se salit vite.

C'est cette poussière qu'elle essaie à présent de gommer de son corps. C'est elle qu'elle roule en petits boudins épais. C'est cette poussière qui colle à sa vie.

— Ah ! Si j'avais une maison où je pouvais me contenter de ne faire le ménage qu'une seule fois par jour, qui resterait propre après, où je n'aurais pas besoin de balayer avant le lendemain matin, soupire Leila en bavardant avec ses cousines.

Elles hochent la tête. Filles cadettes elles aussi, elles mènent la même vie qu'elle.

Leila a apporté des sous-vêtements qu'elle veut laver au hammam. En principe, elle fait sa lessive dans la pénombre de la salle de bains sur un tabouret à côté du trou des toilettes. Elle a alors devant elle plusieurs grandes bassines, une avec du savon, une sans, une pour les vêtements clairs, une pour les foncés. Elle lave draps, tapis, serviettes et vêtements familiaux. Elle les frotte et les essore avant de les étendre. Le séchage est difficile, surtout en hiver. Des fils sont accrochés devant les immeubles, mais les vols sont fréquents, donc Leila ne veut pas y suspendre son linge, à moins que certains des enfants ne le surveillent jusqu'à ce qu'il soit sec. Le reste du temps, il reste serré sur des fils tendus sur le petit balcon. Ce balcon ne mesure qu'environ deux mètres carrés et est couvert de nourriture et de babioles, une caisse de pommes de terre, un panier d'oignons, un autre d'ail, un grand sac de riz, des cartons, des vieilles chaussures, quelques torchons et autres objets que nul n'ose jeter de crainte que quelqu'un n'en ait besoin un jour.

Chez elle, Leila porte de vieux pulls peluchés, des chemises maculées et des jupes qui traînent par terre. Elles amassent la poussière que le balai a laissée. Aux pieds, elle porte des sandales éculées et sur la tête un petit fichu. Les seules choses qui brillent sont ses boucles d'oreilles dorées et ses bracelets en plastique lisse.

— Leila !

Une voix l'appelle faiblement, un peu fatiguée au milieu des cris et hurlements des enfants. Elle parvient à peine à couvrir le vacarme des femmes qui se versent des seaux d'eau les unes sur les autres.

— Leilaaa ! ! !

C'est Bibi Gul, qui est sortie de sa transe. Un gant de toilette à la main, elle la regarde l'air désemparé. Leila emporte gant de chanvre, savon, shampoing, bassine et se rend auprès de sa grosse mère toute nue.

— Mets-toi sur le dos.

Bibi Gul manœuvre pour s'allonger sur le sol. Leila frotte et pétrit le corps de sa mère au point qu'il est parcouru de secousses. Ses seins pendent de part et d'autre. Son ventre, si gros qu'il couvre son sexe quand elle est debout ou assise, s'étale en une masse blanche informe.

Bibi Gul se met à rire, elle aussi perçoit le comique de la situation. La fille petite et mignonne et sa grosse et vieille mère. Environ cinquante ans les séparent. Comme elles rient, les autres aussi peuvent sourire. Soudain, cette séance de gommage déclenche l'hilarité générale.

— Tu es tellement grosse, maman, bientôt tu en mourras, lui reproche Leila tandis qu'elle fait courir son gant dans les endroits que sa mère ne peut pas atteindre elle-même.

Au bout d'un moment, elle la roule sur le ventre et avec l'aide de ses cousines elles frottent chacune un côté de l'énorme Bibi Gul. À la fin, elle lave ses longs cheveux souples. Elle verse le shampoing rose de Chine sur son cuir chevelu et le masse délicatement, comme si elle craignait que ne disparaisse ce qui reste de ses cheveux fins. La bouteille de shampoing est finie. C'est un vestige du temps des taliban. La femme sur la bouteille est grimée par du feutre épais indélébile. Comme elle a démembré les livres de Sultan, la police religieuse s'est attaquée aux emballages. Quand un visage de femme ornait une bouteille de shampoing, celui d'un enfant un savon pour bébé, chaque image était gribouillée. Les êtres vivants ne devaient pas être représentés.

L'eau refroidit. Les enfants qui ne sont pas encore complètement lavés hurlent de plus belle. Bientôt il ne restera que de l'eau froide dans ce qui était un hammam plein de vapeur. Les femmes quittent les bains et après leur départ, la crasse apparaît. Dans les coins s'étalent des coquilles d'œufs et quelques pommes pourries. Restent des bandes de saleté, car les femmes portent au hammam les mêmes chaussures que sur les chemins du village, dans les toilettes d'extérieur et dans leurs arrière-cours.

Bibi Gul se relève, Leila et ses cousines lui emboîtent le pas. Elles se rhabillent. Personne n'a de tenue de rechange, toutes enfilent les vêtements dans lesquels elles sont venues. À la fin, elles passent les burkhas sur leurs têtes fraîchement lavées. Des burkhas qui ont toutes une odeur caractéristique. La burkha de Bibi Gul sent les effluves dont elle est elle-même entourée, vieille haleine qui se mêle aux fleurs sucrées et à quelque chose d'âcre ; celle de Leila est marquée par la jeune sueur et les odeurs de cuisine. D'ailleurs, toutes les burkhas de la famille Khan sentent la nourriture, parce qu'elles sont accrochées à des clous devant la cuisine. À présent, les femmes sont propres comme des sous neufs sous leur burkha et leurs vêtements, mais le savon noir et le shampoing rose luttent contre une puissance supérieure. Ici une odeur de vieille esclave, là une odeur de jeune esclave.

Bibi Gul marche devant, pour une fois les trois jeunes filles sont à la traîne. Elles cheminent ensemble et pouffent. Dans une rue déserte, elles rejettent leurs burkhas en arrière, ici, il n'y a de toute façon que des petits garçons et des chiens errants. Le vent doux est une caresse sur leur peau qui transpire encore. Frais en revanche, l'air ne l'est pas. Dans les ruelles et passages de Kaboul, règne la pestilence des ordures et des égouts. Une rigole crasseuse longe le chemin de terre entre les maisons en pisé. Les filles ne remarquent pas l'odeur putride ni la poussière qui lentement se colle à leur peau et vient en boucher les pores. Le soleil atteint leur peau et elles rient. Soudain, un homme arrive à bicyclette.

— Couvrez-vous les filles, je brûle ! crie-t-il en les dépassant à toute allure.

Elles se regardent et s'amusent de l'expression

étrange de son visage, mais lorsqu'il revient vers elles, elles se couvrent.

— Quand le roi sera revenu, je ne mettrai plus jamais ma burkha, affirme Leila, soudainement grave. Alors nous aurons un pays en paix.

— Il ne reviendra certainement jamais, objecte sa cousine voilée.

— Il paraît qu'il va revenir ce printemps, répond Leila.

En attendant, il reste plus prudent de se voiler, et puis les trois jeunes filles sont seules.

Leila ne se promène jamais complètement seule. Il est malséant de ne pas être accompagnée. Qui saurait alors où elle irait ? Peut-être irait-elle rencontrer quelqu'un, peut-être irait-elle même pécher. Leila ne va jamais toute seule au marché aux légumes à quelques minutes à pied de l'appartement, elle emmène au moins un garçon du voisinage. Ou elle le prie d'aller faire la course à sa place. « Seule » est un concept inconnu de Leila. Elle n'a jamais, pas une fois, nulle part, été seule. Elle n'a jamais été seule dans l'appartement, elle n'est jamais allée toute seule quelque part, elle n'est jamais restée toute seule quelque part, elle n'a jamais dormi toute seule. Elle a passé chaque nuit sur la natte voisine de celle de sa mère. Leila ignore ce que c'est que d'être seule et, par conséquent, cela ne lui manque donc pas non plus. Ce qu'elle souhaite, c'est un peu plus de tranquillité, moins de travail.

Lorsqu'elle arrive à la maison, c'est le désordre complet. Partout, des caisses, des sacs, des valises.

— Sharifa est rentrée à la maison ! Sharifa !

montre Bulbula, enchantée que Leila soit arrivée et puisse lui succéder dans le rôle de l'hôtesse.

Shabnam, la fille cadette de Sultan et Sharifa, court comme une joyeuse pouliche. Elle embrasse Leila, qui, à son tour, embrasse Sharifa. Au milieu de cette scène, la seconde épouse de Sultan sourit, Latifa dans ses bras. À la surprise générale, Sultan a ramené Sharifa et Shabnam du Pakistan.

— Pour l'été, précise Sultan.

— Pour toujours, chuchote Sharifa.

Sultan est déjà reparti à la librairie, seules restent les femmes. Elles s'assoient en cercle par terre. Sharifa distribue des cadeaux : une robe pour Leila, un foulard pour Sonya, un sac pour Bulbula, une veste en tricot pour Bibi Gul, des vêtements et des bijoux en plastique pour le reste de la famille. Pour ses fils, elle a plusieurs garde-robes, achetées sur les marchés pakistanais, des vêtements que l'on ne trouve pas à Kaboul. Elle a aussi ramené ses propres objets de prédilection.

— Je ne veux jamais y retourner, explique-t-elle. Je déteste le Pakistan.

Elle sait cependant que tout est entre les mains de Sultan. Si Sultan souhaite qu'elle retourne au Pakistan, elle devra s'exécuter.

Les deux épouses papotent comme de vieilles amies. Elles examinent des étoffes, essaient des chemisiers et des bijoux. Sonya caresse les choses qu'elle a reçues pour elle et pour sa fille. Sultan rapporte rarement des cadeaux à sa jeune épouse et le retour de Sharifa vient délicieusement rompre la monotonie de sa vie. Elle habille Latifa en petite poupée dans la chatoyante robe rose qu'elle a reçue.

Elles échangent les dernières nouvelles ; les femmes ne se sont pas vues depuis plus d'un an. Il n'y a pas de téléphone dans l'appartement et elles ne se sont donc pas parlé non plus. Pour les femmes de Kaboul, l'événement le plus marquant a été le mariage de Shakila, qu'elles narrent dans ses moindres détails, les cadeaux, la robe, elles évoquent ensuite d'autres parents, leurs enfants, leurs fiançailles, leur mariage, leur mort.

Sharifa raconte sa vie d'exilée, qui est rentré, qui est resté.

— Saliqa s'est fiancée, dit-elle. Il fallait que ça se passe comme ça, même si la famille était contre. Le garçon ne possède rien du tout, et puis il est paresseux, il est inutilisable.

Toutes approuvent. Elles se souviennent de Saliqa comme d'une fillette ne pensant qu'à se pomponner, mais ont tout de même pitié de celle qui va devoir épouser un garçon pauvre.

— Après leur rencontre dans le parc, elle a été privée de sortie pendant un mois, raconte Sharifa. Puis un jour, la mère et la tante du garçon sont venues demander sa main. Les parents ont accepté, ils n'avaient pas le choix, le dommage était déjà occasionné. Et la célébration des fiançailles ! Quel scandale !

Les femmes l'écoutent les yeux écarquillés. Surtout Sonya. C'est le genre d'histoires qu'elle suit de tout son être. Les histoires de Sharifa sont ses soap-opéras.

— Quel scandale, reprend Sharifa pour insister sur ce fait.

Quand un jeune couple se fiance, l'usage veut que

la famille du prétendant paie la fête, la robe et les bijoux.

— Lorsqu'ils planifiaient la fête, le père du garçon a donné quelques milliers de roupies au père de Saliqa, qui était revenu d'Europe pour aider à trouver une issue à cette tragédie familiale. Quand il a vu l'argent, il l'a jeté par terre. Il a crié : « Tu crois qu'on peut célébrer des fiançailles avec du menu fretin ? »

Sharifa était assise dans l'escalier à écouter ce qui se passait, l'histoire est donc parfaitement véridique.

— Et il a dit : « Tu sais quoi ? Prends ta petite monnaie, nous nous chargeons de la fête. »

Le père de Saliqa non plus n'avait pas beaucoup d'argent, il attendait que lui fût accordé le droit d'asile en Belgique, pour ensuite chercher sa famille. On le lui avait déjà refusé aux Pays-Bas et il vivait à présent avec l'argent que lui donnait l'État belge. Toutefois, la célébration des fiançailles est une action symbolique importante et cet engagement est quasiment impossible à rompre. Le cas échéant, la jeune fille a le plus grand mal à se remarier, quel que soit le motif de la rupture. La fête sert aussi d'indicateur de la santé financière de la famille. Quelle décoration, combien a-t-elle coûté ? Quelle nourriture, combien a-t-elle coûté ? Quelle robe, combien a-t-elle coûté ? Quel orchestre, combien a-t-il coûté ? La réception doit témoigner combien la famille du garçon apprécie la mariée et avec elle toute sa famille. Que le père ait dû s'endetter pour payer des fiançailles qui ne rendaient réellement heureux que Saliqa et son amoureux ne comptait pas par rapport à la honte qu'il eût éprouvée à organiser une fête bon marché.

— Elle commence déjà à regretter, révèle Sharifa. Parce qu'il n'a pas d'argent. Très bientôt elle verra quel genre de bon à rien il est. Mais maintenant, c'est trop tard. Si elle rompt les fiançailles, personne ne voudra d'elle. Elle se promène en faisant tinter les six bracelets qu'il lui a offerts. Elle raconte qu'ils sont en or, mais je le sais, et elle le sait, ils sont en métal doré. Pour le nouvel an, elle n'a même pas eu de nouvelle robe. Vous avez déjà entendu parler d'une fille à qui son fiancé n'offrait pas de nouvelle robe pour le nouvel an ? – Sharifa reprend son souffle avant de poursuivre. – Il passe tout son temps chez eux maintenant, c'est bien trop. Sa mère n'a aucun contrôle sur ce qu'ils font. Terrible, c'est terrible, quelle honte, je lui ai dit, soupire Sharifa, avant que les trois femmes ne la bombardent de nouvelles questions.

Au sujet d'untel ou d'unetelle. Nombre de leurs parents sont encore au Pakistan, des tantes, des oncles et des cousins qui ne trouvent pas la situation suffisamment sûre pour rentrer. Ou qui n'ont pas de raison de rentrer, leur maison a subi l'assaut des bombes, leur terre est minée, leur magasin a brûlé. Mais leur pays leur manque à tous, comme c'était le cas de Sharifa. Cela fait presque un an qu'elle n'a pas vu ses fils.

Leila doit aller dans la cuisine pour préparer le dîner. Elle se félicite du retour de Sharifa. C'est plus juste ainsi. Elle redoute cependant les disputes qui viennent immanquablement avec elle, les disputes avec ses fils, avec ses belles-sœurs, avec sa mère.

Elle se souvient de quelle manière Sharifa les a tous rabroués.

— Emmène tes filles et va-t'en, avait-elle lancé à Bibi Gul, sa belle-mère. Nous n'avons pas de place pour vous ici. Nous voulons vivre seuls, avait-elle crié en l'absence de Sultan.

C'était l'époque où Sharifa régnait sur la maison comme sur le cœur de Sultan. C'est seulement ces dernières années, après le mariage de Sultan avec sa seconde épouse, que Sharifa a adopté un ton plus modéré avec les parents de Sultan.

— Mais il y aura encore moins de place, soupire Leila.

Ils ne sont plus onze, mais treize dans les petites chambres. Elle épluche des oignons et pleure des larmes amères. Les vraies larmes sont rares, elle a refoulé ses souhaits, ses regrets et ses déceptions. L'odeur propre de savon du hammam a disparu depuis longtemps. L'huile de la poêle éclabousse ses cheveux et leur donne une âpre odeur de graisse. Ses mains rugueuses souffrent du jus des piments qui perce sa peau affinée par l'usure.

Elle cuisine un repas simple, rien de particulier à l'occasion du retour de Sharifa. La famille Khan n'a pas pour habitude de célébrer les femmes ; et puis elle doit faire ce qu'aime Sultan. De la viande, du riz, des épinards et des haricots. Cuisinés à la graisse de mouton. Souvent, il n'y a de viande que pour Sultan et ses fils, à la rigueur un morceau pour Bibi Gul, mais les autres se contentent de riz et de haricots.

— Vous n'avez aucun droit. Vous vivez sur mon argent, souligne-t-il.

Tous les soirs Sultan rentre de ses magasins avec des liasses de billets, qu'il place dans la bibliothèque. Souvent il a aussi de grands sacs remplis de grenades juteuses, de bananes sucrées, de mandarines et de pommes, mais tous les fruits sont enfermés dans la bibliothèque. Seuls Sultan et Sonya en mangent. Ils sont les seuls à avoir la clef. Les fruits sont onéreux, surtout hors saison.

Leila aperçoit de petites oranges dures sur le rebord de la fenêtre. La pulpe commençait à s'assécher et Sonya les a mises dans la cuisine – pour la communauté. Jamais il ne viendrait à l'esprit de Leila de les goûter. Si elle est condamnée à manger des haricots, alors elle est condamnée à manger des haricots. Les oranges resteront là jusqu'à ce qu'elles pourrissent ou se dessèchent complètement. Leila relève la tête et pose la lourde marmite de riz sur le réchaud. Elle verse l'oignon haché dans la poêle à moitié remplie d'huile, ajoute des tomates, des épices et des pommes de terre. Leila est bonne cuisinière. Leila est douée en presque tout. C'est aussi pourquoi on lui fait presque tout faire. Pendant les repas, elle reste la plupart du temps dans le coin près de la porte et se relève d'un bond quand quelqu'un a besoin de quelque chose ou qu'il faut regarnir les plats. C'est seulement une fois que tous se sont servis qu'elle remplit son assiette de restes. Un peu de riz huileux et des haricots bouillis.

Élevée pour servir, elle est devenue servante. On lui donne de plus en plus d'ordres et, par voie de conséquence, on lui témoigne de moins en moins de respect. Quelqu'un est de mauvaise humeur ? C'est Leila qui subit. Une tache qui n'est pas partie sur un pull, de la viande mal cuite, les idées ne manquent pas quand on a besoin de libérer sa colère.

Des parents sont conviés pour une fête ? C'est Leila qui entre en scène et se lève tôt le matin et, après avoir préparé le petit déjeuner de sa propre famille, épluche les pommes de terre, cuit du bouillon, hache les légumes... Quand les convives arrivent, elle a à peine le temps de se changer et de revêtir une tenue propre avant de se remettre à servir et, à la fin, de passer le reste de la fête dans la cuisine à faire la vaisselle. C'est une Cendrillon, à ceci près que dans le monde de Leila, il n'y a aucun prince.

Sultan rentre avec Mansur, Eqbal et Aimal. Il embrasse Sonya dans le couloir et salue brièvement Sharifa dans le salon. Ils ont passé ensemble une journée entière en voiture de Peshawar à Kaboul et n'éprouvent pas le besoin de parler davantage. Leila arrive avec un plat en étain rempli d'eau et une cruche. Elle présente le plat à chacun pour qu'il se lave les mains, avant de lui tendre une serviette. La nappe en plastique est étalée par terre et le repas peut être servi.

Yunus, frère cadet de Sultan, salue Sharifa avec chaleur. Il lui demande les dernières nouvelles de la famille avant de replonger dans son silence habituel. Il parle peu pendant les repas. Calme et posé, il prend rarement part aux conversations familiales. C'est comme s'il ne s'y intéressait pas et gardait pour lui son esprit malheureux. À vingt-huit ans, il est profondément insatisfait de sa vie.

— Une vie de chien. Travail du matin au soir et miettes à la table du frère.

Yunus est le seul pour lequel Leila se mette en

quatre avec plaisir. C'est le frère qu'elle aime vraiment. De temps à autre, il lui ramène de menus présents, ici une barrette en plastique, là un peigne.

Ce soir-là, une question lui brûle les lèvres, mais il veut attendre avant de la poser. Sharifa le devance et laisse échapper :

— Ça se corse avec Belqisa. Son père est d'accord, mais pas sa mère. D'abord, elle voulait, mais ensuite elle a parlé à une parente qui a un fils, un fils plus jeune, qui veut l'épouser. Ils ont proposé de l'argent et la mère s'est mise à hésiter. Et puis ils ont aussi lancé des rumeurs sur notre famille. Donc je n'ai pas de réponse à te donner.

Yunus rougit et, sans mot dire, lance des regards en coin autour de lui. Cette situation est embarrassante. Mansur ricane.

— La petite-fille ne veut pas épouser son grand-père, marmonne-t-il à voix basse, afin que Yunus l'entende, mais pas Sultan.

Le dernier espoir de Yunus semble s'évanouir. Il se sent las, las d'attendre, las de chercher, las de vivre dans une boîte.

— Thé ! ordonne-t-il pour mettre fin au flot de paroles que Sharifa déverse au sujet de la famille de Belqisa qui ne veut pas lui donner la main de sa fille.

Leila se lève. Elle est déçue que la demande en mariage de Yunus s'éternise. Elle espérait que le jour où il se marierait, il les emmènerait, elle et sa mère. Leila serait gentille, si gentille, elle assurerait la formation de Belqisa et assumerait les tâches les plus lourdes. Belqisa pourrait même poursuivre sa scolarité si elle le souhaitait. La vie serait si douce. Elle ferait tout pour sortir de la maison de Sultan où

personne ne l'apprécie à sa juste valeur. Lui se plaint
sans cesse qu'elle ne cuisine pas comme il le souhaite, qu'elle mange trop, et ne fait pas tout ce que
Sonya la prie de faire. Mansur passe son temps à la
houspiller. Souvent, il la rabroue.

— Je me fiche de ceux qui n'ont aucune importance pour mon avenir. Et toi, toi tu ne signifies rien
pour moi. Tu vis aux crochets de mon père, sors de
là, ajoute-t-il en riant avec mépris, sachant pertinemment qu'elle n'a nulle part où aller.

Leila apporte le thé. Du thé vert léger. Elle
demande à Yunus si elle doit repasser son pantalon.
Elle vient de le laver et comme il n'a que deux pantalons, elle doit savoir s'il pense mettre le propre le
lendemain. Yunus répond d'un signe de tête, muet.

— Ma tante est tellement stupide, répète inlassablement Mansur. À chaque fois qu'elle parle, je sais
ce qu'elle va dire. C'est la personne la plus
ennuyeuse que je connaisse, ricane-t-il.

Il a grandi avec cette tante de trois ans son aînée,
pas comme un frère, mais comme un chef.

Leila est celle qui systématiquement répète les
choses, parce qu'elle croit qu'on ne l'entend pas.
Dans l'ensemble, elle parle surtout du quotidien, car
c'est son univers. Mais elle est aussi capable de rire
et de rayonner, avec ses cousines, ses sœurs ou ses
nièces. Leila peut surprendre et raconter des histoires
drôles. Elle rit parfois à s'en déformer le visage.
Mais jamais pendant le repas familial. Là, elle reste
en général silencieuse. Parfois, elle pouffe des plai-
santeries lourdes de ses neveux, mais comme elle
l'explique à ses cousines : je ris avec ma bouche,
pas avec mon cœur.

Après cette décevante nouvelle au sujet de Belqisa, nul n'est d'humeur loquace pendant le premier dîner de Sharifa. Aimal joue avec Latifa, dont les poupées sont entre les mains de Shabnam, Eqbal chahute avec Mansur et Sultan fait les yeux doux à Sonya. Les autres mangent en silence. Puis la famille va se coucher. Sharifa et Shabnam sont logées dans la chambre où couchent déjà Bibi Gul, Leila, Bulbula, Eqbal, Aimal et Fazil. Sultan et Sonya conservent leur chambre à coucher. Vers minuit, tous sont couchés sur leurs nattes, ne faisant qu'un.

À la lueur d'une bougie, Leila cuisine. Sultan veut manger des plats maison quand il travaille. Elle cuit un poulet dans de l'huile, fait bouillir du riz, prépare une sauce aux légumes. Pendant la cuisson, elle fait la vaisselle. La flamme de la bougie éclaire son visage. Ses yeux sont ombrés de grands cernes noirs. Elle retire les casseroles du feu, les emballe dans de grands torchons qu'elle ferme d'un nœud serré pour éviter la chute des couvercles quand Sultan et ses fils les prendront le lendemain matin. Elle se lave les mains pour les dégraisser et se couche, dans les vêtements qu'elle a portés toute la journée. Elle déroule sa natte, se glisse sous une couverture et s'endort. Quelques heures plus tard, elle est réveillée par le mollah et une nouvelle journée, accompagnée de « *Allahu akhbar* – Dieu est grand ».

Une nouvelle journée qui a l'odeur et le goût de toutes les précédentes. Ceux de la poussière.

Tentative

Un après-midi, Leila enfile sa burkha et ses chaussures à talons hauts et se glisse hors de l'appartement. Elle passe la porte d'entrée branlante, l'étendage de vêtements, la place de l'immeuble. Elle ramasse un petit garçon du voisinage pour lui servir de chaperon. Ils traversent le pont au-dessus de la Kaboul et disparaissent dans l'une des rares allées de la ville. Ils passent devant des cireurs de chaussures, des vendeurs de melons et des boulangers. Et des hommes qui sont juste là à traîner. C'est d'eux que Leila a peur, de ceux qui ont du temps, qui prennent leur temps, pour *regarder*.

Pour la première fois depuis longtemps le feuillage des arbres est vert. Au cours des trois dernières années, il n'est pas tombé une seule goutte de pluie sur Kaboul et les bourgeons se desséchaient avant même d'éclore. Ce printemps, le premier printemps après la fuite des taliban, il a beaucoup plu, une pluie bénie, une pluie délicieuse. Non seulement la Kaboul s'est remplie jusqu'aux rives, mais les rares arbres ayant survécu se sont aussi mis à bourgeonner et à verdir. Il a suffisamment plu pour que la poussière se pose. La poussière, cette fine poudre de sable, est la damnation de Kaboul. Quand il pleut, elle devient argile, quand le temps est sec, elle tourbillonne et bouche les nez, provoque des conjonctivites, se fait boue dans les poumons. Ce matin-là, il a plu et la température s'est rafraîchie. Mais l'air humide ne pénètre pas sous la burkha, Leila ne sent que l'odeur nerveuse de sa propre respiration et son pouls qui bat dans ses tempes.

Sur un immeuble en béton, le numéro quatre de Microyan, de grands placards annoncent « Cours ». Devant s'étirent de longues files, ici se donnent des cours d'alphabétisation, des cours d'informatique et des cours d'écriture. Leila souhaite s'inscrire en cours d'anglais. Devant l'entrée, deux hommes sont assis à une table, Leila s'acquitte des frais d'inscription et se met dans la file où des centaines de personnes s'apprêtent à chercher leur salle de classe. Elles descendent des marches et se rendent dans un sous-sol aux allures d'abri anti-bombe. Des balles ont créé des motifs sur les murs. Ce local, situé juste au-dessous des logements, a servi d'entrepôt d'armes pendant la guerre civile. Les « salles de classe » sont séparées par des planches. Chaque box est équipé d'un tableau, d'une baguette et de quelques bancs. Certains disposent aussi de bureaux. La faible rumeur des voix se fait entendre, la chaleur se répand doucement dans la pièce.

Leila trouve sa section. Anglais pour faux débutants. Elle est arrivée tôt, à l'instar de quelques dadais. Est-ce vraiment possible ? Des garçons dans la classe ? Elle a envie de faire demi-tour et de partir, mais s'arme de courage et reste. Elle s'installe tout au fond. Deux jeunes filles se tiennent en silence dans l'autre coin. Des voix se fondent en un gros bourdonnement. Un certain temps passe avant que leur professeur n'arrive. Les garçons se mettent à griffonner sur le tableau. Ils écrivent « *Pussy* », « *Dick* », « *Fuck* ». Indifférente, Leila regarde ces mots. Elle a emporté son dictionnaire anglais-persan et l'ouvre sous la table, à l'abri du regard des garçons. Les mots n'y figurent pas. Elle ressent une profonde gêne. Elle est seule, ou presque seule, parmi une multitude de jeunes garçons de son âge, certains sont même plus âgés. Elle n'aurait jamais dû venir, elle le regrette. Et s'ils lui parlaient. Quelle honte ! De plus, elle est allée jusqu'à enlever sa burkha, se disant qu'on ne gardait pas sa burkha dans une salle de classe. À présent, c'est trop tard, elle s'est déjà montrée.

Le professeur arrive et les garçons effacent hâtivement les mots qu'ils ont inscrits. Une heure de souffrance commence. Tous doivent se présenter, dire leur âge et quelques mots en anglais. Le professeur, un jeune homme svelte, la désigne de sa baguette et la prie de parler. Elle a le sentiment de tordre son âme devant ces garçons. Elle a le sentiment de s'être salie, de s'être montrée, d'avoir ruiné son honneur. À quoi pensait-elle en voulant aller à ce cours ? Jamais elle n'aurait pu s'imaginer que la classe serait mixte. Jamais. Ce n'est pas sa faute.

Elle n'ose pas partir. Le professeur risquerait d'exiger des explications. Mais à la fin de l'heure, elle se précipite hors de la classe. Elle enfile en vitesse sa burkha et court dehors. En sécurité à la maison, elle accroche sa burkha sur le clou dans le couloir.

— C'était épouvantable ! Il y avait des garçons dans la classe !

Les autres restent bouche bée.

— C'est pas bien, commente sa mère. Tu ne devrais pas y retourner.

Cette idée n'effleure même pas son esprit. Si les taliban ont disparu, ils sont toujours présents dans sa tête. Et dans celle de Bibi Gul, de Sharifa, et de Sonya. Les femmes de Microyan se sont félicitées de la fin du temps des taliban. Elles ont pu enfin écouter de la musique, danser, se vernir les ongles – tant que personne ne les voyait et qu'elles se cachaient toujours sous leur burkha.

Leila est une véritable enfant de la guerre civile, du régime des mollahs et des taliban. Elle est une enfant de la peur. Elle pleure intérieurement. Sa tentative d'éclore, de faire preuve d'indépendance, d'apprendre quelque chose, a échoué. Elle en a pourtant le droit, à présent. La seule qui le lui interdise c'est elle-même. Si encore Sultan l'avait laissée aller au lycée, il n'y aurait pas eu de problème. C'étaient des classes de filles.

Elle s'assied dans la cuisine pour hacher des oignons et des pommes de terre. Sonya y mange des œufs au plat en donnant le sein à Latifa. Leila n'a pas la force de bavarder avec elle, cette idiote qui n'a pas même appris l'alphabet, qui n'a pas même essayé. Sultan avait bien fait venir un répétiteur pour lui apprendre à lire et à écrire, mais elle oubliait tout, chaque cours était le premier, et après avoir appris cinq lettres en quelques mois, elle avait renoncé et prié son mari de la dispenser de cet enseignement. Dès le début, Mansur s'était gaussé de ces cours privés.

— Quand un homme a tout et ne sait pas ce qu'il pourrait faire de plus, il apprend à son âne à parler, avait-il dit à haute voix en riant.

Même Leila, qui trouvait désagréables la plupart des propos de Mansur, n'avait pu s'empêcher de rire.

Leila essaie de s'élever au-dessus de Sonya et de la remettre à sa place quand elle dit une ineptie ou ne parvient pas à faire quelque chose, mais uniquement en l'absence de Sultan. Aux yeux de Leila, Sonya est la pauvre villageoise qui s'est élevée à leur richesse relative uniquement parce que Sultan la trouvait belle. Elle ne l'aime pas, à cause de tous les privilèges que lui confère Sultan et de l'inégalité flagrante de la répartition du travail entre elles. En réalité, elle n'a rien de personnel contre Sonya, qui, la plupart du temps, reste assise, avec une expression douce, absente, à regarder ce qui se passe autour d'elle. Elle n'est pas fainéante, elle travaillait bien pour ses parents au village, c'est Sultan qui ne la laisse pas faire. Quand il n'est pas à la maison, elle effectue volontiers quelque tâche. Malgré tout, elle agace Leila. Elle passe sa journée à attendre Sultan et se rue sur lui dès son retour. Quand il est en voyage d'affaires, elle ne se lave pas et porte des guenilles. Quand il est présent, elle poudre sa peau sombre jusqu'à la blancheur, assombrit son regard et peint ses lèvres.

Sonya est passée de l'état d'enfant à celui d'épouse à l'âge de seize ans. Elle avait pleuré avant le mariage, mais comme la jeune fille bien élevée qu'elle était, elle s'était bientôt résignée. Elle avait grandi sans rien attendre de la vie et Sultan avait su utiliser les deux mois de fiançailles. Il avait soudoyé ses parents pour pouvoir passer du temps seul avec elle avant le mariage. Les fiancés ne doivent normalement pas se voir entre les fiançailles et le mariage, ce qui est rarement respecté. Cependant, une chose était d'aller ensemble acheter de l'équipement et une autre était de passer des nuits ensemble. Du jamais vu. Le grand frère de Sonya avait voulu défendre son honneur au couteau lorsqu'il avait su que Sultan avait payé ses parents pour dormir avec elle avant la nuit de noces, mais Sultan avait réussi à acheter le silence du frère rebelle et à obtenir ainsi ce qu'il voulait. À ses yeux, il rendait service à Sonya.

— Il faut la préparer à la nuit de noces, elle est très jeune et je suis un homme plus expérimenté, avait-il expliqué aux parents. Si nous passons plus de temps ensemble maintenant, la nuit de noces ne sera pas aussi choquante. Mais je promets de ne pas abuser d'elle.

Pas à pas, il avait préparé la jeune fille de seize ans à la nuit de noces.

Deux ans plus tard, Sonya est satisfaite de sa vie monotone. Elle n'a d'autre souhait que de rester à la maison, de rendre quelques visites à des parents et d'en recevoir de temps en temps, de se faire offrir parfois une nouvelle robe et un bracelet en or tous les cinq ans. Une fois, Sultan l'a emmenée en voyage d'affaires à Téhéran. Ils y ont passé un mois, et à leur retour, les autres femmes de Microyan étaient curieuses de savoir ce qu'elle avait vécu à l'étranger, mais Sonya n'avait strictement rien à

raconter. Ils avaient habité chez des parents, elle
avait joué par terre avec Latifa, comme d'habitude.
Elle avait à peine vu Téhéran et n'avait pas eu de
désir d'explorer la ville davantage. La seule chose
qu'elle avait trouvée à dire était que les marchandises du bazar de Téhéran étaient plus belles que
celles de Kaboul.

Le principal souci de Sonya est d'avoir d'autres
enfants. Des fils, plus exactement. Actuellement, elle
est de nouveau enceinte et la crainte l'étreint d'avoir
une autre fille. Quand Latifa lui enlève son foulard
en tirant dessus ou se met à jouer avec, Sonya lui
donne une tape et le remet, parce que quand le der-
nier-né joue avec le foulard de sa mère, cela signifie
que le prochain enfant sera une fille.

— Si j'ai une fille, Sultan prendra une troisième
épouse, confie-t-elle à sa belle-sœur au bout d'un
moment de silence, par terre dans la cuisine.

— Il a dit ça ? s'étonne Leila.

— Hier.

— C'est juste pour te faire peur.

Sonya n'écoute pas.

— Il ne faut pas que j'aie une fille, il ne faut pas
que j'aie une fille, marmonne-t-elle tandis que sa
fille d'un an s'endort sur son sein, bercée par sa voix
monocorde.

Elle est bête comme une oie, pense Leila de sa
belle-sœur qui a le même âge qu'elle.

Leila n'est pas d'humeur bavarde. Il faut qu'elle
parte, elle le sait. Elle sait qu'elle n'aura pas la force
de passer ses journées à la maison avec Sonya, Sharifa, Bulbula et sa mère. Je deviens folle. Je n'ai plus
la force de rester ici, se dit-elle en son for intérieur.

Je n'ai rien à faire dans cette maison à laquelle je n'appartiens pas.

Elle songe à Fazil, à la manière dont Sultan l'a traité. C'est ce qui lui a permis de se rendre à l'évidence qu'il était temps de voler de ses propres ailes et d'essayer le cours d'anglais.

Le jeune garçon de onze ans travaillait tous les jours et portait des caisses dans la librairie, chaque soir il dînait avec la famille et chaque nuit, il dormait enroulé sur lui-même sur la natte voisine de celle de Leila. Fazil est le fils aîné de Mariam et le neveu de Sultan et Leila. Mariam et son mari n'avaient pas les moyens de nourrir tous leurs enfants et comme Sultan avait besoin d'aide au magasin, ils ont accepté avec joie sa proposition de nourrir et de loger leur fils. En contrepartie, Fazil se tuait à la tâche douze heures par jour. Son seul jour libre était le vendredi et il pouvait alors rentrer au village chez sa mère et son père.

Fazil était content. Il rangeait et portait des caisses dans les magasins pendant la journée et jouait ou se battait avec Aimal le soir. Le seul qu'il n'aimait pas était Mansur, qui le tapait sur la tête ou le frappait du poing dans le dos quand il commettait une erreur, mais Mansur savait aussi être gentil et l'emmener soudain dans une boutique pour lui acheter de nouveaux vêtements ou l'inviter à déjeuner dans un restaurant. De manière générale, Fazil appréciait cette vie loin des rues boueuses de son village. Mais un soir, Sultan dit :

— J'en ai marre de toi. Rentre chez toi. Ne te montre plus au magasin.

La famille était restée sans voix. Il avait pourtant

promis à Mariam de s'occuper de lui pendant un an. Nul ne s'était exprimé. Ni Fazil d'ailleurs. D'abord, il était resté couché sur sa natte à pleurer, Leila avait essayé de le consoler, mais il n'y avait de toute façon rien à dire, la parole de Sultan était loi.

Le matin suivant, elle emballait ses quelques affaires et le renvoyait chez lui. Elle dut elle-même expliquer à Mariam pourquoi il avait été renvoyé : Sultan s'était lassé de lui.

Elle bout. Comment Sultan a-t-il pu traiter Fazil de la sorte ? Elle-même pourrait fort bien être la prochaine qu'il repousse. Il faut qu'elle trouve une solution.

Leila échafaude un nouveau plan. Un matin, après le départ de Sultan et de ses fils, elle met de nouveau sa burkha et se glisse hors de l'appartement. De nouveau, elle trouve un petit garçon pour l'accompagner. Ce jour-là, elle emprunte un autre chemin, sort complètement de Microyan, ce désert de béton bombardé. À la lisière du quartier, les maisons sont endommagées au point de n'être plus habitables. Quelques rares familles séjournent néanmoins dans ces ruines et vivent de la charité de voisins à peine moins démunis mais disposant au moins d'un toit au-dessus de leurs têtes. Leila traverse un petit pré, où un troupeau de chèvres broute des touffes d'herbe disséminées tandis qu'un petit berger somnole à l'ombre du seul arbre restant. C'est la frontière entre la ville et le village. De l'autre côté du pré commence le village de Deh Khudaïdad. D'abord, Leila passe chez sa grande sœur Shakila.

C'est Saïd, fils aîné de Wakil avec qui Shakila

s'est récemment mariée, qui ouvre le portail. Il manque trois doigts à l'une de ses mains. Il les a perdus en réparant une batterie de voiture, qui a explosé, mais raconte à tous qu'il a marché sur une mine. C'est plus prestigieux d'avoir été blessé par une mine, c'est presque comme d'avoir fait la guerre. Leila ne l'aime pas, elle le trouve simplet et grossier. Il ne sait ni lire ni écrire et s'exprime comme un paysan, à l'instar de Wakil. À sa vue, elle est parcourue de frissons sous sa burkha. Il lui sourit et caresse sa burkha lorsqu'elle passe devant lui. Elle frissonne encore. Elle frissonne de crainte de finir avec lui. Ils sont en effet nombreux dans la famille à essayer de créer des liens entre eux. Et Shakila et Wakil sont venus demander sa main à Bibi Gul.

— C'est trop tôt, a répondu Bibi Gul.

— Il serait pourtant temps, a objecté Sultan.

Nul n'a demandé à Leila ce qu'elle en pense et, de toute manière, elle se serait bien gardée de répondre. Une jeune fille bien élevée ne répond jamais quand on lui demande si untel ou untel lui plaît. Mais elle espère, elle espère qu'elle lui échappera.

Shakila arrive en se balançant. Souriante, rayonnante. Toute crainte est dissipée en ce qui concerne le mariage de Shakila avec Wakil. Elle a eu le droit de rester professeur de biologie. Les enfants l'idolâtrent, elle essuie leurs nez et lave leurs vêtements. Elle a obtenu de son mari qu'il répare la maison et lui donne de l'argent pour confectionner nouveaux rideaux et coussins. Elle a envoyé les enfants à l'école, ce qui n'avait jamais été une préoccupation majeure de Wakil et de sa femme. Lorsque les aînés se sont renfrognés à l'idée de se trouver dans la même classe que des petits enfants, elle a simplement répondu : Ce sera encore plus embarrassant plus tard si vous n'y allez pas maintenant.

Elle exulte d'avoir enfin son propre mari. Ses yeux brillent d'un nouvel éclat. Elle semble amoureuse. Après trente-cinq ans de célibat, elle s'épanouit pleinement dans son rôle d'épouse.

Les sœurs s'embrassent. Elles passent leurs burkhas et sortent. Leila en chaussures d'extérieur à talons hauts, Shakila dans ses vertigineux escarpins blancs à boucles dorées, ses chaussures de mariage. Les chaussures deviennent importantes quand on ne peut montrer ni corps ni vêtements, ni cheveux ni visage.

Elles sautillent au-dessus des flaques de boue, passent à l'extérieur de la bordure d'argile durcie et des profondes traces de pneus, tandis que le gravier s'incruste dans leurs fines semelles. Le chemin qu'elles empruntent est celui de l'école. Leila va déposer sa candidature à un poste d'enseignante. C'est cela son plan secret.

Shakila s'est renseignée auprès de l'école du village où elle travaille et a appris qu'il n'y avait pas de professeur d'anglais. Leila n'a passé que neuf ans à l'école, mais pense qu'elle parviendra sans problème à enseigner l'anglais à des débutants. Lorsqu'elle vivait au Pakistan, elle prenait des cours du soir d'anglais.

L'école se trouve derrière un mur d'argile si haut que l'on ne voit pas par-dessus. À l'entrée est assis un vieux gardien. Il veille à empêcher les indésirables d'entrer, particulièrement les hommes, parce que c'est une école de filles et que tous les professeurs sont des femmes. La cour était autrefois une plaine herbeuse, aujourd'hui on y cultive des pommes de terre. Autour du champ, des boxes ont été aménagés dans le mur. Ce sont les salles de classe avec trois murs ; le grand mur et les murs de côté, tandis que le quatrième côté est ouvert sur la place. Ainsi, la directrice peut à tout moment voir ce qui se passe dans toutes les classes. Les boxes contiennent quelques bancs, des tables et un tableau. Seules les filles les plus grandes disposent de chaises et de tables, les autres suivent la leçon assises par terre. Nombre d'élèves n'ont pas les moyens d'acheter des cahiers, mais utilisent leurs propres petites ardoises ou un bout de papier qu'elles ont trouvé.

La plus grande confusion règne, chaque jour offre son nouveau lot d'élèves qui souhaitent s'inscrire, les classes ne font que s'agrandir. Les autorités ont su rendre leur campagne de publicité pour l'école très visible. Dans tout le pays, de grands placards représentent des enfants heureux, des livres sous le bras, avec comme slogan : « De retour à l'école. »

Lorsque Shakila et Leila arrivent, la directrice est en train de s'occuper de l'inscription d'une jeune femme qui prétend avoir déjà passé trois ans à l'école et souhaite commencer en neuvième.

— Je ne te trouve pas dans nos listes, explique l'inspectrice en cherchant dans un registre d'élèves qui, accidentellement, est resté dans un placard pendant toute l'époque des taliban.

La femme se tait.

— Tu sais lire et écrire ?

Elle hésite. Finalement, elle avoue n'être jamais allée à l'école.

— Mais j'aurais bien aimé pouvoir commencer en sixième, chuchote-t-elle. En cours primaire, ils sont si petits, c'est déshonorant de suivre les mêmes cours qu'eux.

La directrice lui explique que si elle veut apprendre quelque chose, elle doit commencer par le commencement, en cours préparatoire. Dans une classe où les élèves vont de l'enfant de cinq ans à l'adolescent. La femme serait la plus âgée. Elle la remercie et part.

Puis vient le tour de Leila. La directrice se souvient d'elle, du temps d'avant les taliban. Leila a été élève de cette école et la directrice voudrait volontiers l'embaucher.

— Mais d'abord, tu dois t'enregistrer. Tu dois te rendre au ministère de l'Éducation avec tes papiers et demander à travailler ici.

— Mais vous n'avez pas de professeur d'anglais, ne pouvez-vous pas faire la demande vous-même ? Ou alors je pourrais commencer maintenant et faire la demande ensuite ?

— Non, tu dois d'abord avoir une autorisation personnelle des autorités. C'est le règlement.

Les hurlements de petites filles bruyantes parviennent dans le bureau ouvert. Une enseignante les fait taire avec une baguette et elles retournent dans leurs classes.

Démoralisée, Leila passe le portail de l'école et la rumeur des écolières agitées s'amenuise. Elle rentre à la maison, allant jusqu'à oublier qu'elle se promène toute seule en talons hauts. Comment aller au ministère de l'Éducation sans que personne s'en aperçoive ? Le plan était de trouver un emploi d'abord et ensuite seulement de l'annoncer à Sultan. S'il l'apprend avant, il refusera, alors que si elle a déjà été embauchée, il la laissera peut-être continuer. De toute façon, les cours n'auraient duré que quelques heures par jour, elle n'aurait fait que se lever encore plus tôt et travailler plus dur.

Ses attestations sont au Pakistan. L'envie la prend de renoncer, puis elle songe au sombre appartement et aux sols poussiéreux de Microyan et se rend au télégraphe à proximité. Elle appelle des parents à Peshawar et les prie de trouver ses papiers. Ils promettent de l'aider et de les confier à quelqu'un qui se rendra à Kaboul. Les services postaux afghans ne fonctionnent pas, donc la plupart des courriers sont confiés à des voyageurs.

Quelques semaines plus tard, les papiers arrivent. L'étape suivante consiste à se rendre au ministère de l'Éducation. Mais comment procéder ? En aucun cas, elle ne peut y aller seule. Elle s'adresse à Yunus, mais il n'est pas favorable à ce qu'elle travaille.

— Tu ne peux jamais savoir quel genre d'emploi tu obtiens. Reste donc à la maison et occupe-toi de ta vieille mère.

Son frère préféré ne lui est pas d'un grand secours. Elle n'arrive à rien. L'année scolaire est déjà bien engagée.

— C'est trop tard, dit sa mère. Attends l'année prochaine.

Leila désespère. Peut-être n'ai-je en réalité pas envie d'enseigner ? se dit-elle pour qu'il lui soit plus facile de faire une croix sur le projet. Peut-être que je n'en ai plus envie ?

Elle piétine. Dans la boue de la société et la poussière des traditions. Elle piétine dans ce système séculaire qui paralyse la moitié de la population. Le ministère de l'Éducation se trouve à une demi-heure de bus. Une impossible demi-heure. Leila n'a pas l'habitude de se battre, bien au contraire, elle a l'habitude de renoncer. Mais il doit bien exister une porte de sortie. Il faut juste qu'elle la trouve.

Dieu peut-il mourir ?

Le sempiternel ennui des punitions s'empare de Fazil. Il a envie de bondir et de hurler, mais s'en garde et assume sa punition comme il incombe de le faire à un garçon de onze ans qui ne savait pas sa leçon. Sa main court par saccades sur la feuille. Il écrit en minuscules pour ne pas prendre trop de place, les cahiers d'écriture coûtent cher. La lumière de la lampe à gaz donne une teinte rougeâtre à sa feuille. Il songe que c'est comme d'écrire sur des flammes.

Assise dans un coin, sa grand-mère le regarde de son seul œil. L'autre a brûlé lorsqu'elle est tombée dans un four creusé dans le sol. Sa mère, Mariam, donne le sein à Osip, deux ans. Plus la fatigue le gagne, plus il met d'acharnement à écrire. Il faut qu'il termine, quitte à y passer la nuit. Il n'a pas la force de subir une fois de plus les coups de baguette du professeur sur ses doigts. Il n'a en tout cas pas la force de subir la honte.

Il doit écrire dix fois ce que Dieu est : Dieu est le créateur, Dieu est éternel, Dieu est tout-puissant, Dieu est bon, Dieu est connaissance, Dieu est la vie,

Dieu voit tout, Dieu entend tout, Dieu est omniscient, Dieu commande tout, Dieu juge tout, Dieu...

La punition de Fazil lui a été infligée car il avait donné une mauvaise réponse en cours d'islam.

— Je réponds toujours faux, se plaint-il auprès de sa mère. Parce que quand je vois le professeur, j'ai si peur que j'oublie. Il est toujours en colère et si tu fais une toute petite faute, il se met à te haïr.

Tout s'était mal passé, du début à la fin, lorsque Fazil avait été interrogé sur sa leçon sur Dieu au tableau. Il l'avait pourtant apprise, mais lorsqu'il avait été interrogé, c'était comme s'il avait eu la tête ailleurs pendant la révision et il ne s'était plus souvenu de rien. Le professeur d'islam, avec sa longue barbe, son turban, sa tunique et son pantalon ample, l'avait dévisagé avec un regard noir et perçant et lui avait demandé :

— Dieu peut-il mourir ?

— Non, avait répondu Fazil, tremblant sous son regard.

Quoi qu'il dise, il craignait que ce ne fût faux.

— Pourquoi pas ?

Fazil était resté muet. Pourquoi Dieu ne peut pas mourir ? N'y a-t-il aucun couteau qui puisse le transpercer ? Aucune balle qui puisse le blesser ? Les questions se bousculaient en lui.

— Alors ? avait insisté le professeur.

Fazil avait rougi et s'était mis à bégayer, mais n'avait rien osé dire.

Un autre garçon avait alors pu répondre.

— Parce qu'il est éternel, avait-il dit en hâte.

— Exact. Dieu peut-il parler ? s'était-il de nouveau adressé à Fazil.

— Non, avait répondu Fazil. Ou plutôt oui.

— Si tu penses qu'il peut parler, comment parle-t-il ?

Fazil était de nouveau resté muet. Comment parle-t-il ? D'une voix grondante ? D'une voix basse ? D'une voix chuchotante ? De nouveau, il n'avait pas réussi à répondre.

— Ah ha, donc tu dis qu'il peut parler, est-ce qu'il a une langue alors ?

— Si Dieu a une langue ?

Fazil avait essayé de réfléchir à ce qui pourrait être exact. Il ne pensait pas que Dieu eût une langue, mais n'osait rien dire. Mieux valait se taire plutôt que de se tromper et d'être la risée de toute la classe. De nouveau, un autre garçon des premiers rangs eut la parole.

— Il parle à travers le Coran. Le Coran est sa langue.

— Exact. Dieu peut-il voir ? avait poursuivi le professeur.

Fazil avait remarqué qu'il tripotait sa baguette et tapait légèrement ses propres paumes, en manière de répétition des coups qui pleuvraient bientôt sur les doigts de Fazil.

— Oui, avait répondu Fazil.

— Comment voit-il ? Est-ce qu'il a des yeux ?

Fazil était resté silencieux avant de dire :

— Je n'ai pas vu Dieu, comment pourrais-je le savoir ?

Le professeur l'avait frappé sur les doigts avec sa règle jusqu'à ce qu'il fonde en larmes. Il avait eu le sentiment d'être le pire imbécile de la classe, la douleur n'était rien auprès de la honte à se trouver dans cette situation. Finalement, il avait eu cette punition.

Le professeur lui rappelait un taleb. Pas plus de six mois auparavant, ils étaient tous habillés comme lui.

— Si tu ne sais pas ça, tu ne pourras pas continuer dans cette classe, avait-il conclu.

Peut-être que c'est vraiment un taleb, pensait Fazil. Il savait qu'ils étaient sévères.

Après avoir écrit dix fois ce qu'est Dieu, il doit l'apprendre par cœur. D'abord il murmure pour lui-même, puis il récite sa leçon à sa mère. À la fin, c'est gravé. La grand-mère a pitié de son petit-fils. En ce qui la concerne, elle n'est jamais allée à l'école et pense que les devoirs sont bien trop difficiles pour ce petit garçon. Elle tient un verre de thé entre les deux moignons qui restent de ses mains et boit par lampées bruyantes.

— Quand le prophète Mahomet buvait, il ne faisait jamais un bruit, dit Fazil avec sévérité. Chaque fois qu'il buvait une gorgée, il retirait trois fois le verre de ses lèvres et remerciait Dieu, poursuit-il.

Sa grand-mère le regarde du coin de son unique œil.

— Oui, ah, bon, si tu le dis.

La vie du prophète Mahomet est l'étape suivante de la leçon. Fazil est arrivé au chapitre qui traite de ses habitudes et lit à voix haute, tandis que son doigt court le long des lettres, de droite à gauche.

« Le prophète Mahomet, la paix soit avec lui, s'asseyait toujours à même le sol. Il n'avait aucun meuble dans sa maison, parce qu'il estimait qu'un homme doit passer sa vie comme un voyageur, qui se repose juste à l'ombre avant de repartir. Une maison ne devait être rien d'autre qu'une aire de repos et un abri contre le froid et la chaleur, contre les animaux sauvages et un lieu de protection de la paix de la vie privée.

« Mahomet, la paix soit avec lui, avait l'habitude de se reposer sur son bras gauche. Quand il méditait, il aimait creuser la terre avec une pelle ou un bâton ou rester les bras autour des jambes. Quand il dormait, il était allongé sur le côté droit, sa main droite sous son visage. Parfois, il dormait sur le dos, parfois il croisait ses jambes, mais il veillait toujours à ce que son corps entier fût couvert. Dormir le visage contre le sol lui déplaisait fortement et il interdisait aussi aux autres de le faire. Il n'aimait pas dormir dans une pièce sombre ou à ciel ouvert. Il se lavait toujours avant de se coucher et récitait des prières jusqu'à ce qu'il s'endorme. Il ronflait faiblement. Quand il se réveillait au milieu de la nuit pour uriner, il se lavait les mains et le visage en revenant. Il portait un pagne dans son lit, mais en général, il enlevait sa chemise. Comme il n'y avait pas de latrines dans les maisons à cette époque, le Prophète marchait souvent plusieurs kilomètres hors de la ville afin d'être à l'abri des regards, il choisissait une terre souple afin d'éviter les éclaboussures sur son corps. Il veillait aussi très consciencieusement à se cacher derrière une pierre ou un talus. Il se baignait toujours à l'abri d'un tapis ou utilisait un pagne quand il pleuvait. Quand il se mouchait, il portait toujours un mouchoir devant son nez. »

Fazil poursuivit à voix haute sa lecture sur les habitudes alimentaires du Prophète : il aimait les dattes qu'il mélangeait volontiers avec du lait ou du beurre, dans la viande, les morceaux qu'il préférait étaient le collier et les côtes, il ne mangeait jamais ni oignons ni ail, parce qu'il n'aimait pas avoir mauvaise haleine. Avant de s'asseoir par terre pour manger, il enlevait toujours ses chaussures et se lavait les mains. Il n'utilisait que sa main droite pour manger et ne se servait que de son côté du plat, il ne plongeait jamais la main au milieu du récipient. Il n'utilisait jamais de couverts et ne se servait que de trois doigts quand il mangeait. Pour chaque morceau qu'il avalait, il remerciait Dieu.

Et donc, il ne faisait aucun bruit en buvant.

Il referme le livre.

— Maintenant, il faut aller te coucher, Fazil.

Mariam lui a préparé sa natte, dans la pièce où ils ont mangé. Autour de lui ronflent déjà ses trois frères et sœurs, mais Fazil doit encore lire ses prières en arabe. Il révise ces mots incompréhensibles du Coran avant de plonger sur sa couche, tout habillé. Le lendemain matin, il devra être à l'école à 7 heures. Il frissonne. Le premier cours est celui d'islam. Épuisé, il s'endort, son sommeil est agité, il rêve qu'il est de nouveau interrogé sans donner une seule bonne réponse. Il connaît les réponses, mais elles refusent de sortir.

Là-haut, au-dessus de lui, de gros nuages lourds se dirigent vers le village. Après qu'il s'est endormi, des trombes d'eau se mettent à tomber. La pluie s'infiltre à travers le toit d'argile et s'abat sur la terrasse en maçonnerie. Les gouttes se déposent sur le plastique qui couvre les ouvertures des fenêtres. Un courant d'air froid entre dans la pièce, la grand-mère se réveille et se retourne.

— Dieu soit loué, dit-elle en voyant la pluie.

Elle fait glisser ses moignons sur son visage comme lors des prières, se retourne et continue de dormir. Autour d'elle, la respiration des quatre enfants est paisible.

Lorsque Fazil est réveillé, à 6 heures, la pluie a cessé et le soleil dépose ses premiers rayons sur les hauteurs qui entourent Kaboul. Il se lave avec l'eau que sa mère lui a préparée, s'habille et fait son cartable, le soleil est déjà en train d'assécher les flaques laissées par la pluie nocturne. Fazil boit son thé et prend son petit déjeuner. Il est grincheux et fâché contre sa mère. Il se met en colère quand elle ne fait pas ce qu'il l'a priée de faire suffisamment vite. Il pense uniquement au professeur d'islam.

Mariam ne sait que faire pour son fils aîné. De ses quatre enfants, il est celui qui reçoit la meilleure nourriture, qui est l'objet de la plus grande sollicitude. Elle craint constamment de ne pas donner à Fazil une nourriture d'une qualité suffisante pour son cerveau. C'est à lui qu'elle achète un nouveau vêtement les rares fois où elle a de l'argent supplémentaire. C'est en lui qu'elle fonde de grands espoirs. Elle se souvient de son bonheur, il y a onze ans. Elle se sentait bien dans son mariage avec Kari-mullah. Elle se souvient de la naissance, de la joie d'apprendre que c'était un garçon. On avait organisé une grande fête et elle et son fils avaient reçu de beaux cadeaux. On lui avait rendu de nombreuses visites et elle avait été l'objet de beaucoup d'attentions. Deux ans plus tard, elle mettait au monde une fille. Ce qui ne donna lieu ni à une fête ni à des cadeaux.

Elle n'eut que quelques années avec Karimullah. Lorsque Fazil avait trois ans, son père fut tué dans un échange de balles. Devenue veuve, Mariam pensa que sa vie était finie. Sa belle-mère borgne et sa propre mère, Bibi Gul, décidèrent qu'elle devait être mariée à Hazim, le plus jeune frère de Karimullah. Las, il n'était pas comme son aîné, pas aussi doué, pas aussi fort. La guerre civile avait détruit la boutique de Karimullah et ils devaient se contenter des revenus d'employé de douane de Hazim.

Elle espère néanmoins que Fazil fera des études et deviendra célèbre. D'abord, elle pensait qu'il travaillerait dans le magasin de son frère, Sultan. Elle pensait qu'une librairie constituerait un univers stimulant. Sultan avait assumé la charge de le nourrir et Fazil avait reçu une nourriture bien meilleure que chez elle. Elle avait pleuré toute une journée lorsque Sultan l'avait renvoyé à la maison. Elle craignait que Fazil n'eût fait quelque chose de mal, mais elle connaissait les humeurs de Sultan et comprit peu à peu qu'il n'avait tout simplement plus besoin de porteur de caisses.

C'est à ce moment-là que son frère cadet, Yunus, était venu lui proposer d'essayer d'inscrire Fazil à Esteqlal, l'une des meilleures écoles de Kaboul. Fazil avait eu la chance de pouvoir rentrer en cours moyen. En fait, tout s'était arrangé pour le mieux, se disait-elle. Mariam frémissait en pensant à Aimal, cousin du même âge que Fazil, qui voyait à peine le soleil et commençait de travailler dans l'un des magasins de Sultan tôt le matin pour terminer tard le soir.

Elle caresse Fazil sur la tête alors qu'il s'élance sur le chemin boueux. Il essaie d'éviter les flaques et saute d'un tas de terre à l'autre. Fazil doit traverser tout le village pour arriver à l'arrêt de bus. Il monte à l'avant, où s'asseyent les hommes, et cahote jusqu'à Kaboul.

Il est l'un des premiers à entrer dans la classe et s'installe à sa place, au troisième rang. Un par un, les garçons arrivent. La plupart sont maigres et mal habillés, dans des vêtements bien trop grands, probablement hérités de leurs aînés. C'est un joyeux mélange de styles vestimentaires. Certains portent toujours la tenue imposée par les taliban à tous les hommes et garçons. Le bas des pantalons s'orne souvent de pièces ajoutées quand les garçons ont grandi. D'autres ont sorti de la cave ou du grenier des pantalons et des pulls des années soixante-dix, utilisés par leurs frères avant l'arrivée au pouvoir des taliban. Un garçon porte un jean en forme de ballon, étroitement ceinturé à la taille, d'autres ont des pantalons pattes d'éléphant. L'un d'eux est engoncé dans des vêtements bien trop petits et laisse son slip dépasser par-dessus son pull trop court. Deux garçons ont leur braguette ouverte. Ils ont porté la longue tunique depuis leur tendre enfance et ont tendance à oublier les nouveaux mécanismes de fermeture auxquels ils ne sont pas habitués. Certains sont vêtus de ces chemises à carreaux en coton usées que les orphelins russes portent souvent. On dirait qu'ils ont aussi le même regard affamé, un peu fou. L'un d'eux a un blazer bien trop grand, usé jusqu'à la trame, dont il a retroussé les manches.

Les garçons jouent, crient et jettent des objets dans la salle, le sol crisse sous les bureaux que l'on tire. Quand la cloche sonne et que le professeur arrive, les cinquante élèves sont en place. Ils sont assis sur des bancs hauts fixés aux tables. Les bancs sont conçus pour deux écoliers, mais ils sont souvent trois à se les partager, afin que tous puissent s'asseoir.

À l'arrivée du professeur, tous se lèvent à la vitesse de l'éclair et le saluent.

— *Salaam alaikum*. La paix de Dieu soit avec toi.

Le professeur passe lentement entre les rangs et vérifie que tous ont apporté les bons livres et ont fait leurs devoirs, il s'assure aussi de la propreté de leurs ongles, de leurs vêtements et de leurs chaussures. S'ils ne sont pas complètements propres, ils ne doivent en tout cas pas être complètement crasseux. Auquel cas c'est le retour direct à la maison.

Ensuite, il les interroge. Ce matin-là, ceux qui sont interrogés savent leur leçon.

— Alors, on continue. *Haram !* s'exclame-t-il en écrivant ce mot étranger au tableau. Est-ce que quelqu'un sait ce que ça veut dire ?

Un écolier lève le doigt.

— Une mauvaise action est *haram*.

Il a raison.

— Une mauvaise action, qui est anti-islamique, est *haram*, explique le maître. Par exemple de tuer sans motif. Ou de punir sans raison. Boire de l'alcool est *haram*. Les mécréants se moquent de ce que quelque chose est *haram*. Ils considèrent comme bonnes de nombreuses choses qui sont *haram* pour les musulmans. C'est mal.

Le professeur embrasse la classe du regard. Il fait un grand schéma avec les trois concepts de *haram*, *halal* et *mubah*. *Haram* est ce qui est mauvais et interdit, *halal* est ce qui est bien et autorisé, *mubah* désigne les cas litigieux.

— *Mubah* est ce qui n'est pas bien, mais sans être un péché. Par exemple de manger du porc quand on serait mort de faim autrement. Ou de chasser, de tuer pour survivre.

Les garçons écrivent et écrivent. À la fin, le professeur pose ses questions habituelles pour s'assurer qu'ils ont bien compris.

— Si un homme trouve que *haram* est une bonne chose, qu'est-ce qu'il est ?

Nul ne parvient à répondre.

— Un mécréant, doit-il finalement répondre lui-même. Et *haram*, c'est bien ou mal ?

À présent, presque toutes les mains se lèvent. Fazil n'ose pas lever la sienne, de peur de se tromper. Il se fait aussi petit que possible au troisième rang. Le maître désigne un garçon qui se dresse droit comme un i et répond : « Mal ! »

C'est ce que Fazil avait pensé répondre. Un mécréant est mauvais.

La chambre triste

Aimal est le fils cadet de Sultan, il a douze ans et travaille douze heures par jour. Tous les jours, sept jours par semaine, il est réveillé à l'aube. Il se recroqueville, mais Leila ou sa mère le force à se lever. Il lave son visage pâle, s'habille, mange un œuf au plat avec les doigts en trempant des mouillettes dans le jaune et boit du thé.

À 8 heures Aimal ouvre la porte d'une petite échoppe dans le sombre lobby d'un hôtel de Kaboul. Il y vend des chocolats, des biscuits, des sodas et des chewing-gums. Il compte son argent et s'ennuie. En lui-même, il appelle cette boutique « la chambre triste ». Chaque fois qu'il ouvre la porte, il sent son cœur et son ventre transpercés. C'est ici qu'il va attendre, jusqu'à ce qu'on vienne le chercher vers 20 heures. La nuit est alors déjà tombée et il rentre directement à la maison pour dîner et dormir.

Juste devant sa porte sont posées trois grandes bassines : le réceptionniste s'efforce en vain de recueillir l'eau qui s'écoule du toit. Quel que soit leur nombre, de grandes flaques s'étalent toujours devant la porte d'Aimal et les gens évitent donc les bassines et par conséquent le magasin. Souvent, le lobby reste plongé dans l'obscurité. La journée, on ouvre les lourds rideaux, mais la lumière ne parvient pas vraiment à pénétrer jusque dans les coins sombres. Le soir, si l'électricité fonctionne, les lampes sont allumées, sinon, de grandes lampes à gaz sont posées sur le comptoir de la réception.

Lorsque l'hôtel fut construit dans les années soixante, il était le plus moderne de Kaboul. À l'époque le hall n'était qu'hommes en costumes élégants et femmes en jupes courtes et coiffures modernes. On leur servait de l'alcool sur fond de musique occidentale. Le roi lui-même venait volontiers y participer à quelque réunion ou dîner.

Les années soixante et soixante-dix ont été celles des régimes les plus libéraux de Kaboul. D'abord sous le bon vivant Zaher Shah, ensuite sous son cousin Daoud, qui durcit la politique et remplit les geôles de prisonniers politiques, mais épargna le vernis de fête occidental et moderne. Le bâtiment abritait bars et boîtes de nuit. Puis l'hôtel commença à décliner, à l'instar du pays. Pendant la guerre civile, il fut complètement détruit. Les chambres donnant sur la ville furent grêlées de balles, des grenades atterrirent sur les balcons et des missiles rasèrent le toit.

Après la guerre, à l'arrivée des taliban, les travaux de rénovation s'éternisèrent. De toute façon, les clients étaient rares et les chambres bombardées inutilisables. Les mollahs au pouvoir ne se souciaient guère de développer le tourisme, bien au contraire, ils souhaitaient éviter autant que faire se peut d'avoir des étrangers dans le pays. Les plafonds s'effondrèrent et comme le bâtiment était à moitié bombardé, les couloirs devinrent bancals.

À l'heure où un nouveau régime souhaite lui aussi laisser son empreinte sur Kaboul, les ouvriers ont commencé à reboucher les trous dans les murs et à changer les carreaux cassés. Aimal reste souvent à observer leurs tentatives de réparation des plafonds ou à suivre des yeux la lutte désespérée des électriciens pour faire fonctionner le générateur quand a lieu une réunion importante où micros et haut-parleurs sont nécessaires. Le lobby est le terrain de jeu d'Aimal. Ici, il fait des glissades sur l'eau, ici, il se promène. Mais c'est à peu près tout. D'un ennui à périr. D'une solitude à périr.

De temps à autre, il bavarde avec les autres dans ce hall de la tristesse. Les hommes qui font le ménage, les réceptionnistes, les portiers, les gens de la sécurité, un ou deux clients et les autres vendeurs. Il est rare qu'ils aient du monde. Un homme se tient derrière un comptoir et vend des bijoux afghans traditionnels. Lui aussi passe généralement sa journée à s'ennuyer. La demande de bijoux est faible parmi les clients de l'hôtel. Un autre vend des souvenirs, à des prix si prohibitifs qu'ils dissuadent tout acheteur potentiel.

De nombreuses vitrines se noient sous la poussière et sont fermées par des rideaux ou des cartons. « Ariana Airlines » indique un panneau brisé – la compagnie aérienne nationale de l'Afghanistan. Autrefois, elle disposait d'avions. Des hôtesses dynamiques servaient les passagers, qui pouvaient commander du whisky comme du cognac. De nombreux appareils périclitèrent pendant la guerre civile, le reste de la flotte allait être bombardé par les Américains dans leur chasse à Oussama ben Laden et au mollah Omar. Un seul avion a réussi à échapper aux bombes, il se trouvait à New Delhi le 11 septembre. C'est l'avion qui va sauver Ariana, il fait encore des allers-retours Kaboul-New Delhi, mais ce n'est pas suffisant pour rouvrir le comptoir de vente à l'hôtel.

À une extrémité du hall se trouve le restaurant qui sert la plus mauvaise cuisine de Kaboul, mais dont les serveurs sont les plus aimables de la ville. C'est comme s'ils devaient compenser la fadeur du riz, la sécheresse du poulet et les carottes gorgées d'eau.

Au milieu du lobby se trouve un petit enclos de quelques mètres carrés. Une barrière en bois basse sert de frontière entre le sol à l'extérieur et le tapis vert à l'intérieur. Sans cesse, clients, ministres, portiers et serveurs se retrouvent côte à côte sur les petits tapis posés sur le tapis vert. Devant la prière, tous sont égaux. Il y a aussi une salle de prière plus spacieuse au sous-sol, mais la plupart se contentent de quelques minutes sur le tapis entre deux groupes de canapés.

Sur une table branlante trône une télévision constamment allumée. Elle se trouve juste devant son échoppe, mais Aimal s'arrête rarement pour la regarder. Kaboul TV, la seule chaîne de la ville, a rarement des choses intéressantes à communiquer. Elle diffuse de nombreuses émissions religieuses, de longs débats, quelques informations et beaucoup de musique traditionnelle qui accompagne des images fixes de paysages afghans. La chaîne a maintenant ouvert ses portes à des femmes pour présenter le journal télévisé, mais pas pour chanter ni pour danser.

— Le peuple n'est pas encore prêt pour cela, affirme la direction.

Parfois, passent des dessins animés polonais ou tchèques. Alors Aimal se précipite. Mais il est souvent déçu, parce que, pour la plupart, il les a déjà vus.

Devant l'hôtel se trouve ce qui un jour fut sa fierté – une piscine. Inaugurée en grande pompe par une belle journée estivale, tous les habitants de Kaboul, en tout cas les hommes, étaient les bienvenus le premier été. Le bassin a connu une triste fin. L'eau a vite viré au gris-brun, personne n'avait pensé à installer de système de filtration. Comme l'eau devenait de plus en plus sale, la piscine fut fermée. Les gens disaient qu'ils avaient attrapé cloques et autres maladies de peau en se baignant. La rumeur se répandit même que plusieurs en étaient morts. Le bassin fut vidé et jamais rouvert. Aujourd'hui, une épaisse couche de poussière recouvre le fond bleu pâle, tandis que, le long du grillage, des rosiers desséchés essaient timidement de dissimuler le monstre. Juste à côté se trouve un court de tennis, inutilisé lui aussi. L'hôtel garde son entraîneur de tennis dans son carnet d'adresses. Mais s'il a de la chance, il a trouvé un autre travail, parce que ses services ne sont pas particulièrement demandés ce printemps où tout va recommencer à Kaboul.

Les jours d'Aimal sont faits d'errances interminables entre la boutique, le restaurant et les groupes de canapés usés. Il est responsable et garde un œil sur son échoppe au cas où quelqu'un viendrait. Un jour de grand passage, les marchandises se sont arrachées. Lorsque les taliban venaient de fuir, les journalistes fourmillaient dans les couloirs. Pendant des mois ils avaient vécu de riz pourri et de thé vert avec les soldats de l'Alliance du Nord et ce jour-là ils se remplissaient le ventre des Snickers et Bounty d'Aimal, passés en contrebande depuis le Pakistan. Ils achetaient de l'eau à quatre dollars la bouteille, des petits fromages ronds à tartiner à douze dollars la boîte et des bocaux d'olives dont chaque olive valait une fortune.

Les journalistes ne se souciaient pas des prix, parce que maintenant ils avaient conquis Kaboul et éliminé les taliban. Ils étaient crasseux et barbus comme des soldats de guérilla, les femmes étaient vêtues comme des hommes, avec de grandes bottes crottées. Nombre d'entre elles avaient les cheveux jaunes et la peau rose pâle.

Parfois, Aimal se glissait sur le toit où des reporters se tenaient un micro à la main et s'adressaient à de grandes caméras. Lavés et coiffés, ils n'avaient alors plus rien de guérillistes. Le hall était plein de gars rigolos qui plaisantaient et bavardaient avec lui. Aimal avait acquis quelques notions d'anglais au Pakistan, où il avait passé, comme réfugié, la majeure partie de sa vie.

À cette époque, il n'y avait personne pour lui demander pourquoi il n'allait pas à l'école. Aucune école ne fonctionnait de toute façon. Il comptait ses dollars et calculait à la machine et rêvait de devenir un grand homme d'affaires. À cette époque, Fazil était avec lui et les deux garçons observaient les yeux écarquillés le monde étrange qui avait envahi l'hôtel, tandis qu'ils remplissaient leur caisse d'argent. Mais après de brèves semaines, les journalistes disparurent de l'hôtel, où ils étaient nombreux à avoir des chambres sans eau ni électricité ni fenêtres. La guerre terminée, un dirigeant en place, l'Afghanistan ne présentait plus d'intérêt.

Les journalistes partis, les nouveaux ministres afghans, leurs secrétaires et collaborateurs leur succédèrent. Des Pachtounes sombres en turban de Kandahar, des Afghans revenus d'exil dans des costumes sur mesure et des seigneurs de guerre des steppes fraîchement rasés occupaient les canapés du lobby. L'hôtel était devenu le foyer de ceux qui dirigeaient le pays mais n'avaient pas de domicile à Kaboul. Nul ne se souciait d'Aimal ni n'achetait quoi que ce fût dans sa boutique. Des Bounty, ils n'en avaient jamais goûté, et pour ce qui est de l'eau, ils buvaient celle du robinet. Ils n'auraient jamais songé à jeter leur argent par les fenêtres en achetant les produits importés d'Aimal. Olives italiennes, Weetabix et Kiri périmés ne les tentaient guère.

Quelques rares fois, un ou deux journalistes revenaient se perdre en Afghanistan, à l'hôtel, et dans la boutique.

— Tu es encore là ? Pourquoi n'es-tu pas à l'école ? avaient-ils l'habitude de demander.

— J'y vais l'après-midi, répondait Aimal quand la question lui était posée le matin.

— J'y vais le matin, répondait-il quand la question lui était posée l'après-midi.

Il n'osait pas avouer que, tel un garçon de la rue, il n'allait pas à l'école. Aimal est en effet un petit garçon riche. Il a pour père un libraire prospère, un père qui brûle pour les mots et les histoires, un père qui fait de grands rêves et de grands projets pour son empire du livre ; mais un père qui n'a confiance en nul autre que ses propres fils pour gérer ses boutiques. Un père qui ne s'est pas préoccupé d'y inscrire ses enfants lorsque les écoles de Kaboul ont rouvert après la célébration du nouvel an afghan. Aimal a insisté et insisté, mais Sultan a martelé que :

— Tu seras homme d'affaires, et ça, le meilleur moyen de l'apprendre, c'est au magasin.

Chaque jour Aimal devenait de plus en plus inadapté et insatisfait. Sa peau pâlissait et ternissait. Son corps d'enfant se voûtait et perdait sa tonicité. On l'appelait « le garçon triste ». Quand il rentrait à la maison, il se battait et se disputait avec ses frères, seul moyen de libérer un peu d'énergie. Aimal voyait avec envie que son cousin Fazil avait été admis à Esteqlal, une école soutenue par l'État français. Fazil rentrait avec des cahiers de brouillon, son stylo, une règle, des compas, un taille-crayon, de la boue sur les jambes de son pantalon et une foultitude d'anecdotes amusantes.

— Fazil qui est orphelin de père et pauvre a le droit d'aller à l'école, se plaignit Aimal à Mansur, son frère aîné, mais moi, moi qui ai un papa qui a lu tous les livres du monde, moi je dois travailler douze heures par jour. C'est pourtant les années où j'aurais dû jouer au foot, avoir des amis, courir partout.

Mansur était d'accord, il n'aimait pas qu'Aimal dût ainsi passer toutes ses journées dans cette boutique sombre. Lui aussi demanda à Sultan d'envoyer son fils cadet à l'école.

— Plus tard, répondit le père. Plus tard. Pour

l'instant, il faut que nous nous serrions les coudes. C'est maintenant que nous posons les pierres de notre empire.

Que peut faire Aimal ? Fuguer ? Refuser de se lever le matin ?

Une fois son père parti, Aimal se risque hors du lobby, il ferme la boutique et va faire un tour sur le parking. Peut-être trouvera-t-il quelqu'un avec qui parler ou jouer avec une pierre. Un jour qu'il se tenait là, un travailleur humanitaire britannique est arrivé. Il avait soudain retrouvé sa voiture volée sous les taliban. Il est allé à l'intérieur se renseigner : la voiture appartenait à présent à un ministre, qui jurait ses grands dieux l'avoir achetée en toute légalité. Le Britannique accusateur passait parfois par la boutique d'Aimal. Aimal ne manquait alors jamais de lui demander comment évoluait l'affaire de la voiture.

— Ben ça, tu peux me croire, elle est partie pour toujours, répondait le Britannique. De nouveaux brigands succèdent aux anciens !

Quelques rares fois un événement venait rompre la monotonie et le lobby se remplissait de monde, de sorte que l'écho de ses pas ne s'entendait plus lorsqu'il se glissait hors de la boutique pour faire un tour aux toilettes. Comme le jour où le ministre de l'Aviation fut tué. Comme les autres ministres qui n'étaient pas originaires de Kaboul, Abdur Rahman habitait à l'hôtel. Pendant la conférence des Nations unies à Bonn, après la chute des taliban, lorsqu'il s'agissait de désigner en toute hâte un nouveau gouvernement, il avait eu suffisamment de partisans pour être nommé ministre.

— C'est un play-boy et un charlatan, disaient de lui ses opposants.

Le drame se produisit lorsque des milliers de hadjis, pèlerins en route pour La Mecque, restèrent coincés à l'aéroport de Kaboul après avoir été escroqués par une agence de voyages qui leur avait vendu des billets sans qu'il existât d'avion. Ariana avait affrété un avion qui faisait la navette jusqu'à La Mecque, mais il n'avait pas, loin s'en faut, la capacité d'accueillir tous les passagers.

Soudain, les pèlerins virent un avion Ariana rouler sur la piste et se précipitèrent pour avoir une place. Mais ce grand avion n'allait pas à La Mecque, il transportait le ministre de l'Aviation à New Delhi. On refusa aux hadjis, vêtus de blanc, de monter à bord. Furieux, ils frappèrent le personnel et montèrent en courant les marches de l'avion. Ils trouvèrent le ministre, qui s'était installé avec deux de ses collaborateurs. Les pèlerins le tirèrent dans l'allée centrale et le frappèrent jusqu'à ce que mort s'ensuive.

Aimal fut l'un des premiers à entendre parler de l'affaire. Le lobby de l'hôtel bouillait, les gens voulaient des détails.

— Un ministre battu à mort par des pèlerins ? Qui se tenait dans l'ombre ?

Les théories de la conspiration se succédaient et lui parvenaient.

— Début d'une révolte armée ? Révolte ethnique ? Tadjiks qui veulent tuer les Pachtounes ? Vengeance personnelle ? Ou uniquement des pèlerins désespérés ?

Soudain, le lobby devint plus détestable encore.

Le murmure des voix, les visages graves, les visages agités, Aimal n'avait qu'une envie : pleurer.

Il retourna dans la chambre triste, s'assit derrière la table, mangea un Snickers. Il lui restait quatre heures avant de rentrer à la maison. L'homme de ménage vint balayer le sol et vider la corbeille à papier.

— Tu as l'air tellement triste, Aimal.

— *Jigar khoon*, répondit-il.

Cela signifie « mon cœur saigne » en dari et est une expression de profond désarroi.

— Tu le connaissais ? demanda l'homme de ménage.

— Qui ça ?

— Le ministre.

— Non. Ou plutôt si, un peu.

Il semblait plus approprié que son cœur saignât pour le ministre que pour sa propre enfance gâchée.

Le menuisier

Mansur entre à bout de souffle dans le magasin de son père. À la main, il tient un petit paquet.

— Deux cents cartes postales ! halète-t-il. Il a essayé de voler deux cents cartes postales !

Son visage est couvert de sueur. Il a fait les derniers mètres en courant.

— Qui ça ?

Son père repose sa calculatrice sur le comptoir, inscrit les chiffres dans son livre de comptes puis se tourne vers lui.

— Le menuisier !

— Le menuisier ? s'étonne-t-il. Tu es sûr ?

Fier, comme s'il avait sauvé les affaires de son père d'un dangereux groupe mafieux, le fils délivre l'enveloppe brune.

— Deux cents cartes postales, répète-t-il encore. Il allait partir et j'ai trouvé qu'il avait l'air un peu bizarre. Comme c'était son dernier jour, j'ai pensé que c'était pour ça. Il m'a demandé s'il y avait autre chose qu'il puisse faire. Il m'a dit qu'il avait besoin de travail. Je lui ai répondu que j'allais te poser la question, parce que les étagères étaient terminées. C'est alors que j'ai vu quelque chose étinceler dans la poche de sa veste. Je lui ai demandé ce que c'était. Il m'a répondu « quoi ? », il avait l'air complètement perturbé. Je lui ai dit « Dans ta poche » et il a répondu « C'est quelque chose que j'avais sur moi. » Je lui ai demandé de me montrer ce que c'était. Il a refusé. À la fin, j'ai moi-même sorti le paquet de sa poche. Le voici ! Il a essayé de nous voler des cartes ! Mais ça, ça ne marche pas, parce que je surveille, moi !

Mansur a un peu enjolivé l'histoire. Au moment où Jalaluddin allait partir, il était comme d'habitude assis à somnoler. C'est Abdur, le factotum, qui a attrapé le menuisier. Abdur l'avait vu prendre les cartes. « Tu ne vas pas montrer à Mansur ce que tu as dans la poche ? » lui avait-il alors demandé. Jalaluddin s'était contenté de poursuivre sa route.

Le factotum est un Hazara démuni, il appartient donc au groupe ethnique qui se trouve au bas de l'échelle à Kaboul. Il ne s'exprime que rarement. « Montre tes poches à Mansur », avait-il lancé au menuisier. C'est seulement à ce moment-là que Mansur avait réagi et tiré les cartes des poches de Jalaluddin. À présent, il est impatient d'obtenir la reconnaissance de son père.

Las, Sultan se contente de passer tranquillement en revue le tas de cartes :

— Hum. Où est-ce qu'il est maintenant ?

— Je l'ai renvoyé chez lui, mais je l'ai prévenu qu'il ne s'en sortirait pas aussi facilement !

Sultan reste muet. Il se souvient du jour où le menuisier est venu le voir dans son magasin. Ils venaient du même village et avaient presque été voisins. Jalaluddin n'avait pas changé depuis qu'ils étaient garçons, mince comme un fil avec de grands yeux globuleux apeurés. Peut-être était-il encore un peu plus maigre qu'avant, et voûté, bien qu'il n'eût que quarante ans. Il venait d'une famille pauvre, mais bien considérée. Son père aussi avait été menuisier jusqu'à ce qu'il s'abîmât la vue, quelques années auparavant, et ne pût plus travailler.

Sultan s'était réjoui de pouvoir l'employer. Jalaluddin travaillait bien et Sultan avait besoin de nouvelles étagères. Jusqu'à présent, il avait eu dans ses magasins des rayonnages classiques, où les livres étaient droits et dont on pouvait lire la tranche. Les étagères couvraient les murs et des rayonnages occupaient en outre le milieu de la pièce, mais il avait besoin de présentoirs, car il avait fait imprimer tant de titres qu'il devait pouvoir en montrer la couverture, sur des étagères inclinées, avec une planchette devant. Alors, son magasin ressemblerait à ceux de l'Occident. Ils étaient convenus d'un salaire de quatre dollars par jour et le lendemain, Jalaluddin revint avec son marteau, sa scie, son mètre, ses clous et les premières planches.

L'entrepôt derrière la boutique fut transformé en atelier de menuiserie. Tous les jours, Jalaluddin avait usé du marteau et du clou, entouré d'étagères de cartes postales. Ces cartes étaient la plus grosse source de revenus de Sultan. Il les imprimait à bas prix au Pakistan et les vendait cher. En règle générale, Sultan choisissait des motifs qui lui plaisaient, sans se soucier des crédits photographiques ou graphiques. Il trouvait une image, l'amenait au Pakistan et l'imprimait. Certains photographes lui avaient en outre donné des photos sans exiger d'argent. Les cartes se vendaient bien. Le plus grand groupe d'acheteurs était celui des soldats de la force de paix internationale. Lorsqu'ils patrouillaient à Kaboul, ils s'arrêtaient souvent à la librairie de Sultan pour en acheter. Cartes de femmes en burkha, d'enfants jouant sur des tanks, reines du passé aux robes osées, bouddhas de Bamiyan avant et après leur dynamitage par les taliban, chevaux de *bouzkachi*, enfants en costumes folkloriques, paysages sauvages, Kaboul hier et aujourd'hui. Sultan savait sélectionner les motifs et les soldats sortaient fréquemment avec une dizaine de cartes chacun.

Le salaire quotidien de Jalaluddin correspond précisément à neuf cartes postales. Elles s'empilent en nombre dans l'arrière-boutique, entourées ou non d'élastiques, dans des caisses, sur des étagères, dans des boîtes.

— Tu as dit deux cents ? – Sultan reste songeur. – Tu crois que c'est la première fois ?

— J'en sais rien, il a dit qu'il avait pensé les payer, mais qu'il avait oublié.

— Oui, c'est ça. Qu'il essaie donc de nous faire avaler ça !

— Quelqu'un a dû lui demander de les voler, suggère Mansur. Il n'est pas assez malin pour arriver à revendre ces cartes lui-même et il n'avait sûrement pas l'intention de les coller au mur.

Il est peu de gens dont il soit aussi facile de se moquer que d'un voleur qui s'est fait pincer.

Sultan jure. Il n'a pas de temps à perdre pour ce genre de choses. Dans deux jours, il va partir en Iran, pour la première fois depuis de nombreuses années.

Il a beaucoup de choses à régler, mais il doit s'occuper de cette affaire d'abord. Nul ne peut le voler et s'en tirer à si bon compte.

— Surveille le magasin, je vais aller chez lui. Il faut que nous allions au fond de cette affaire.

Sultan emmène Rasul, qui connaît bien le menuisier. Ils se rendent en voiture à Deh Khudaïdad. Un nuage de poussière suit la voiture à travers tout le village, jusqu'à ce qu'ils arrivent au chemin qui mène à la maison de Jalaluddin.

— Souviens-toi que nul ne doit apprendre quoi que ce soit au sujet de cette histoire, il est inutile que toute la famille ait honte, rappelle Sultan à Rasul.

Près du magasin de village au coin, là où le chemin tourne, se tient un groupe d'hommes, parmi lesquels Faïz, le père de Jalaluddin. Il leur sourit, serre la main de Sultan, l'embrasse.

— Entrez donc boire le thé, les invite-t-il chaleureusement, ignorant manifestement le vol des cartes postales.

Les autres hommes aussi aimeraient toucher deux mots à Sultan, lui qui a su s'élever et devenir quelqu'un.

— Nous voulions juste parler à ton fils, explique Sultan. Peux-tu aller le chercher ?

Le vieil homme se met en route. Il revient avec Jalaluddin, qui marche deux pas derrière lui et lance un regard tremblant à Sultan.

— Nous avons besoin de toi au magasin, pourrais-tu venir faire un tour avec nous ?

Jalaluddin accepte.

— Vous viendrez prendre le thé une autre fois alors, crie le père lorsqu'ils partent.

— Tu sais de quoi il s'agit, dit sèchement Sultan une fois qu'ils sont tous deux à l'arrière de la voiture et que Rasul roule hors du village.

Ils sont en route pour aller voir Mirdzjan, le frère de Wakil, qui est policier.

— Je voulais juste les regarder, j'allais les rendre, je voulais juste les montrer à mes enfants, elles étaient si belles.

Le menuisier se tient dans un coin, les épaules enfoncées dans le siège, comme s'il s'efforçait de prendre le moins de place possible. Il a les mains nouées entre ses jambes. De temps en temps, il plante ses ongles dans ses os. Quand il parle, il lance furtivement des regards angoissés à Sultan et évoque un poulet apeuré et malingre. Sultan est adossé au siège et l'interroge calmement.

— Il faut que je sache combien de cartes tu as pris !

— Je n'ai pris que celles que vous avez vues.

— Je ne te crois pas.

— C'est pourtant vrai.

— Si tu n'avoues pas en avoir pris plus, je te dénonce à la police.

Le menuisier attrape la main de Sultan et la couvre de baisers. Sultan l'arrache à sa prise.

— Arrête ça, ne te comporte pas comme un imbécile !

— Sur Allah, sur mon honneur et ma conscience, je n'en ai pas pris d'autres. Ne me mets pas en prison, s'il te plaît, je vais te rembourser, je suis un honnête homme, pardonne-moi, j'ai été stupide, pardonne-moi. J'ai sept petits enfants, deux de mes filles ont la polio. Ma femme est de nouveau enceinte et nous n'avons rien à manger. Mes enfants sont en train de décliner, ma femme pleure tous les jours parce que ce que je gagne ne suffit pas pour tous nous nourrir. Nous mangeons des pommes de terre et des légumes bouillis, nous n'avons même pas les moyens d'acheter du riz. Ma mère achète des restes à l'hôpital et dans les restaurants, parce que de temps en temps ils ont du riz. Parfois ils vendent leurs restes au marché. Ces derniers jours, nous n'avons même pas eu de pain. En plus, je nourris les cinq enfants de ma sœur, son mari n'a pas de travail, et puis je vis avec mes vieux père, mère et grand-mère.

— Le choix t'appartient, avoue que tu en as pris plus et tu échapperas à la prison, rétorque Sultan.

La conversation tourne en rond. Le menuisier se plaint de sa pauvreté, et Sultan exige qu'il avoue un vol plus important et lui raconte à qui il a vendu les cartes.

Ils ont traversé tout Kaboul et sont de nouveau à la campagne. Rasul les conduit à travers les rues boueuses et dépasse des gens qui se dépêchent de rentrer avant que la nuit ne tombe. Quelques chiens errants se battent pour un os. Des enfants courent pieds nus. Un homme à vélo essaie de garder son équilibre, sa femme en burkha en amazone sur le porte-bagages. Un vieil homme en sandales lutte avec une charrette d'oranges, ses pieds s'enfoncent dans les profondes traces de pneus créées par les pluies torrentielles des derniers jours. Le chemin de terre que les pas avaient rendu si dur est devenu une artère d'ordures, de restes de nourriture et de déchets

animaliers que la pluie a extirpés des passages et des
bords de chemins.

Rasul s'arrête devant un portail. Sultan le prie
d'aller frapper. Mirdzjan sort, les salue tous amicale-
ment et les invite à monter. Lorsque les hommes
montent lourdement l'escalier, on entend le frou-
frou de jupes légères. Les femmes de la maison se
cachent. Certaines derrière des portes à demi closes,
d'autres derrière un rideau. Une jeune fille regarde
à travers une fente de la porte pour voir qui arrive
si tard. Nul homme hors de la famille ne doit les
voir. C'est le fils aîné qui sert le thé que ses sœurs
et sa mère ont préparé dans la cuisine.

— Alors ? demande Mirdzjan.

Il est assis en tailleur dans sa tunique traditionnelle et son pantalon ample assorti, tenue imposée à
tous les hommes par les taliban. Mirdzjan l'adore,
petit et rond, il se sent bien dans ces vêtements
larges. À présent en revanche, il est forcé de revêtir
une tenue qu'il n'apprécie pas, le vieil uniforme de
la police afghane, utilisé avant les taliban. Après
cinq ans dans un placard, il est devenu fort étroit. Il
est en outre chaud, car seul l'uniforme d'hiver, en
lourde bure, a survécu au stockage. Les uniformes
sont fabriqués sur le modèle russe et conviennent
mieux à la Sibérie qu'à Kaboul. Mirdzjan transpire
donc en ces journées pré-estivales où la température
atteint souvent vingt à trente degrés.

Sultan lui explique en deux mots la situation.
Comme dans un interrogatoire, Mirdzjan les laisse
s'exprimer tour à tour. Sultan est à côté de lui, Jalaluddin juste en face. Il opine avec compréhension en
réaction à ce qu'il entend et conserve un ton léger et

modéré. On propose du thé et des caramels mous à Sultan et Jalaluddin, qui se coupent la parole.

— C'est pour ton bien que nous résolvons l'affaire ici au lieu de t'emmener à la vraie police, souligne Mirdzjan.

Jalaluddin baisse la tête, joint ses mains et finit par bredouiller des aveux, pas à Sultan, mais à Mirdzjan.

— J'en ai peut-être pris cinq cents, mais je les ai toutes à la maison, vous allez les récupérer. Je ne les ai pas touchées.

— Voyez-vous ça, commente le policier.

Mais Sultan n'est pas satisfait.

— Je suis sûr que tu en as pris plus. Avoue ! À qui les as-tu vendues ?

— Il vaut mieux pour toi que tu avoues tout maintenant, explique Mirdzjan. S'il y a un interrogatoire de police, ça se passera vraiment autrement, sans thé ni caramels, ajoute-t-il d'un air énigmatique en regardant directement Jalaluddin.

— Mais c'est tout à fait vrai. Je ne les ai pas revendues. Sur Allah, je le jure, dit-il en les regardant l'un après l'autre.

Sultan insiste, les paroles sont répétées, il est temps de partir. Le couvre-feu de 22 heures approche et Sultan doit avoir le temps de déposer le menuisier avant de rentrer. Quiconque conduit après le couvre-feu est arrêté. Certains ont même été tués parce que les soldats se sentaient menacés par les voitures qui passaient.

Ils s'installent en silence dans la voiture. Rasul somme le menuisier de dire toute la vérité.

— Sinon tu n'en auras jamais fini avec cette histoire, Jalaluddin.

Lorsqu'ils arrivent, le menuisier part chercher les cartes postales. Il revient vite avec un petit paquet. Les cartes sont emballées dans un tissu à motifs orange et verts. Sultan les sort et regarde les photos avec admiration, elles sont revenues à qui de droit et vont retourner dans les étagères. Mais d'abord Sultan va s'en servir comme preuves. Rasul conduit Sultan à la maison. Déconfit, le menuisier reste au coin où le chemin mène à sa maison.

Quatre cent quatre-vingts cartes postales. Assis sur leurs nattes, Eqbal et Aimal comptent. Sultan se livre à une estimation du nombre de cartes que le menuisier peut avoir prises. Les cartes sont ornées de motifs différents. Dans l'arrière-boutique elles sont emballées par centaines.

— Si des paquets ont disparu, c'est difficile à vérifier, mais s'il en manque une dizaine par paquet, il est possible qu'il n'ait ouvert que certains paquets et ait pris quelques cartes dans chaque, raisonne Sultan. On comptera demain.

Le lendemain matin, tandis qu'ils comptent, le menuisier se tient soudain à la porte. Il s'arrête au seuil, encore plus voûté qu'avant. Soudain, il se précipite sur Sultan et se met à baiser ses pieds. Sultan le relève et siffle :

— Ressaisis-toi, homme ! Je ne veux pas de tes prières !

— Pardonne-moi, pardonne-moi, je vais te rembourser, je vais te rembourser, mais j'ai des enfants qui ont faim à la maison !

— Je dis aujourd'hui la même chose qu'hier, je n'ai pas besoin de ton argent, mais je veux savoir à qui tu les as vendues. Combien en as-tu pris ?

Faïz, le vieux père de Jalaluddin, est venu lui aussi. Il est sur le point de se prosterner aux pieds de Sultan, mais celui-ci le relève avant qu'il n'ait atteint le sol, il est inconvenant que quelqu'un baise ses chaussures, surtout un vieux voisin.

— Il faut que tu saches que j'ai passé la nuit à le frapper. J'ai tellement honte. Je l'ai toujours éduqué pour qu'il devienne un travailleur honnête, et aujourd'hui, aujourd'hui, j'ai un voleur pour fils ! dit-il en lançant un regard de côté en direction de son fils qui tremble dans un coin.

Le menuisier voûté ressemble à un enfant qui aurait volé et menti et se fait gronder.

Sultan raconte tranquillement au père ce qui s'est passé, il explique que Jalaluddin a ramené des cartes postales chez lui et qu'il a maintenant besoin de savoir combien il en a vendu et à qui.

— Donne-moi une journée et je lui ferai tout avouer, dans la mesure où il y a plus à avouer, prie Faïz.

Les coutures de ses chaussures sont défaites en plusieurs endroits. Il n'a pas de chaussettes et son pantalon est maintenu par une ficelle. Les manches de sa veste sont complètement élimées. Il a le même visage que son fils, juste un peu plus sombre, plus compact et plus ramassé. Tous deux sont frêles et maigres. Le père reste sans bouger devant Sultan, qui lui non plus ne sait que faire, la présence du vieillard le gêne, il pourrait être son propre père.

Enfin, Faïz bouge, il fait quelques pas assurés vers

l'étagère près de laquelle se tient son fils. Quand il arrive, son bras vole comme l'éclair, et là, au beau milieu du magasin, il bat son fils.

— Espèce de minable, voleur, tu es une honte pour la famille, tu n'aurais jamais dû naître, tu es un vaurien, un voyou, crie le père en le frappant des jambes et des mains.

Il enfonce son genou dans le ventre de son fils, lui donne un coup de pied dans la cuisse, lui frappe le dos. Jalaluddin se contente de recevoir les coups, il est replié et protège sa poitrine de ses bras, tandis que son père le passe à tabac. Finalement, il se dégage et sort du magasin en courant. Il atteint le seuil en trois longues enjambées et disparaît dans l'escalier puis la rue.

Le bonnet en peau de mouton de Faïz est par terre, tombé pendant la lutte. Il le ramasse, le tapote un peu et le remet. Il se redresse, salue Sultan et sort. Par la fenêtre, Sultan l'observe qui vacille en enfourchant sa vieille bicyclette, regarde à droite et à gauche avant de pédaler pour rentrer au village, avec la raideur et la lenteur de la vieillesse.

Une fois la poussière retombée après cet épisode embarrassant, Sultan retourne à ses calculs, imperturbable.

— Il a travaillé ici pendant quarante jours. Admettons qu'il ait pris deux cents cartes par jour, ça en fait huit mille. Je suis sûr qu'il a volé au moins huit mille cartes postales, dit-il en regardant Mansur, qui se contente de hausser les épaules.

C'était une véritable souffrance de voir ce pauvre menuisier tabassé par son père. Mansur se contre-fiche des cartes postales. Il trouve qu'ils devraient

oublier toute cette histoire, à présent qu'ils ont récu-
péré les cartes.

— Il n'a pas assez de tête pour les revendre,
oublie ça, suggère-t-il.

— Ça pourrait bien être un vol de commande. Tu
sais, tous les propriétaires de kiosques qui sont venus
nous acheter des cartes postales, ça fait un moment
qu'ils ne sont pas venus. Je pensais qu'ils en avaient
suffisamment, mais vois-tu, ils ont en fait acheté des
cartes bon marché au menuisier. Et il est assez bête
pour les avoir vendues à prix cassés. Qu'est-ce que
tu en penses ?

Mansur hausse de nouveau les épaules. Il connaît
son père et sait qu'il souhaite aller au fond de cette
affaire. Il comprend aussi que c'est lui qui va hériter
de cette tâche, car son père va partir en Iran et sera
absent pendant plus d'un mois.

— Et si toi et Mirzdjan vous enquêtiez un peu
pendant mon absence ? La vérité finira bien par éclater un jour. Nul ne vole Sultan, dit-il le regard
sévère. Il aurait pu ruiner toute mon affaire. Imagine,
il vole des milliers de cartes postales, qu'il revend à
des kiosques et des librairies dans tout Kaboul. Ils
les vendent bien moins cher que moi, les gens
commencent à aller chez eux au lieu de venir chez
moi. Je perds tous les soldats qui viennent pour des
cartes postales, tous ceux qui achètent aussi des
livres, et puis j'ai la réputation d'être plus cher que
les autres. À la fin, je pourrais faire faillite.

Mansur écoute d'une oreille distraite les théories
du désastre égrenées par son père. Il est furieux
d'hériter d'une mission supplémentaire à effectuer
en son absence. En plus des livres à enregistrer, des

nouvelles caisses envoyées par les imprimeries du Pakistan à constamment aller chercher, de la paperasse que cela implique d'avoir une librairie à Kaboul, du chauffeur qu'il doit être pour ses frères et de sa propre boutique qu'il doit surveiller, en plus de tout cela, il va aussi falloir qu'il joue les inspecteurs de police.

— Je vais m'en occuper, dit-il brièvement.

Toute autre réponse est exclue.

— Ne te laisse pas attendrir, ne te laisse pas attendrir, sont les dernières paroles de Sultan avant de s'envoler pour Téhéran.

Son père parti, Mansur oublie toute l'histoire. Cela fait bien longtemps qu'il en a terminé avec la période pieuse qui a suivi son pèlerinage. Elle a duré une semaine. Il ne ressortait rien des prières cinq fois par jour. Sa barbe se mettait à le démanger et tous disaient qu'il avait l'air négligé. Il n'aimait pas porter la tunique ample.

Si je n'arrive pas à avoir des pensées autorisées, je peux aussi bien laisser tomber le reste, s'était-il dit, renonçant à la crainte de Dieu aussi vite qu'il l'avait adoptée.

Le pèlerinage à Mazar n'avait finalement été rien d'autre que des vacances.

Le premier soir de l'absence de son père, il a prévu une fête avec deux copains. Ils ont acheté au marché noir de la vodka ouzbèke, du cognac arménien et du vin rouge pour des sommes astronomiques.

— C'est ce qu'on trouve de mieux. Tout est à

quarante degrés, le vin est même à quarante-deux degrés, a précisé le vendeur.

Les garçons ont payé quarante dollars par bouteille, ignorant que c'est le vendeur lui-même qui avait ajouté deux petits traits sur le vin de table français, le faisant ainsi passer de douze à quarante-deux degrés. C'est le degré qui compte. La plupart des clients sont de jeunes garçons qui, à l'abri du regard sévère de leurs parents, boivent pour se saouler.

Mansur n'a jamais bu d'alcool, l'une des choses les plus défendues par l'islam. Les deux camarades de Mansur ont commencé à boire en début de soirée, un mélange de cognac et de vodka, après deux verres de ce cocktail, ils sont restés à chanceler dans la lugubre chambre d'hôtel qu'ils avaient louée afin que leurs parents ne les voient pas. Mansur n'était pas encore là, parce qu'il devait reconduire ses petits frères à la maison. Lorsqu'il est arrivé, ses camarades hurlaient et voulaient sauter du balcon. Ensuite, ils sont partis en courant pour vomir.

Mansur a alors changé d'avis, l'alcool n'était pas très tentant en fin de compte. Si boire rendait malade, il pouvait aussi bien s'en abstenir.

La boisson est un problème peu répandu en Afghanistan. Ils sont rares à prendre le risque de passer de l'alcool en fraude et les onéreuses bouteilles se vendent bien à l'abri, dans les arrière-boutiques. Il n'en est toutefois pas toujours allé ainsi. Pendant l'époque libérale où Zaher Shah dirigeait le pays, on pouvait commander un cocktail dans les bars et restaurants et pendant l'occupation soviétique, la vodka arrivait en masse, vendue bon marché par les soldats. Puis vinrent la guerre civile et le régime moudjahed et les islamistes mirent en place des peines sévères pour la vente, l'achat et la consommation d'alcool. Les taliban instaurèrent des peines plus sévères encore.

Les deux garçons un peu plus âgés ont continué de nasiller et ont formé des projets inquiétants. Il y avait une Japonaise qu'ils aimaient beaucoup, une belle et jeune journaliste. Ils se demandaient s'ils n'allaient pas l'inviter dans leur chambre, elle logeait dans le même hôtel. Ils ont conclu que le moment était mal choisi, mais l'un d'eux avait un sombre plan. Pendant un an, il avait travaillé dans la pharmacie de son père et lorsqu'il était parti, il avait emporté quantité de médicaments. Au bout d'un moment, il retrouve les somnifères.

— Nous pourrons l'inviter un jour où nous serons sobres et mettre ça dans son verre et quand elle s'endormira, nous pourrons même coucher avec elle sans qu'elle ne s'en aperçoive !

Ses camarades apprécient l'idée.

— Ça, il ne faut pas que nous oubliions de le faire un jour, ajoute-t-il.

Chez Jalaluddin, personne n'arrive à dormir. Les enfants sont couchés par terre et pleurent sans bruit. Les vingt-quatre dernières heures ont été les pires de leur vie : ils ont vu leur bon père battu par leur grand-père et traité de voleur. C'est comme si tout était sens dessus dessous. Dans la cour, le père de Jalaluddin fait les cent pas.

— Comment ai-je pu avoir un fils pareil, qui répand la honte sur toute la famille ! Qu'est-ce que j'ai fait de mal ?

Le fils aîné, le voleur, est assis sur une natte dans une chambre. Il ne peut pas s'allonger parce que son dos est couvert de lacérations rouges, suites des coups que son père lui a donnés avec une branche épaisse. Ils sont tous deux rentrés à la maison après la séance dans la librairie. D'abord le père, à vélo, puis le fils, à pied. Le père a ensuite repris là où il s'était arrêté dans le magasin, sans résistance de la part de son fils. Tandis qu'il se faisait fouetter le dos sous une pluie d'insultes, la famille était restée en spectatrice terrifiée. Les femmes s'efforçaient d'éloigner les enfants, mais ils n'avaient nulle part où aller.

La maison est construite autour d'une cour, l'un des murs sert de clôture contre le chemin à l'extérieur. Le long de deux des murs se trouve une terrasse en maçonnerie et derrière elle les chambres aux grandes fenêtres couvertes d'une nappe en plastique donnant sur la cour – une chambre pour le menuisier, sa femme et leurs sept enfants, une pour la mère, le père et la grand-mère, une pour la sœur, son mari et leurs cinq enfants, une salle à manger et une cuisine avec un four en terre, un réchaud et quelques étagères.

Les nattes sur lesquelles les enfants du menuisier se regroupent sont un enchevêtrement de chiffons et de lambeaux de vêtements. À certains endroits il y a du carton, à certains endroits du plastique et à d'autres plusieurs épaisseurs de jute. Les deux filles atteintes de polio ont des rails sur un pied et chacune sa béquille. Deux autres souffrent d'eczéma dévorant sur tout le corps, avec des croûtes grattées jusqu'au sang.

Ce n'est pas avant que les camarades de Mansur ne se soient levés deux fois chacun pour vomir que, de l'autre côté de la ville, les enfants de la famille du menuisier s'endorment.

Lorsque Mansur se lève, il est envahi par un sentiment de liberté enivrant. Il est libre ! Sultan est parti. Le menuisier est oublié. Mansur chausse ses lunettes de soleil achetées à Mazar et file à cent à l'heure dans les rues de Kaboul, dépassant des ânes lourdement bâtés et des chèvres crasseuses, des mendiants et des soldats musclés venus d'Allemagne. Il brandit un doigt d'honneur aux Allemands tandis qu'il saute et racle les innombrables trous de l'asphalte, il jure et fait bondir plusieurs piétons sur le bas-côté. Mansur laisse derrière lui quartier après quartier de la mosaïque perturbée des ruines grêlées et des maisons délabrées de Kaboul.

— Il faut qu'il ait des responsabilités, ça lui forgera le caractère, avait déclaré Sultan.

Dans la voiture, Mansur grimace. Dorénavant c'est Rasul qui devra chercher les caisses et livrer les messages, dorénavant Mansur ne va faire que s'amuser jusqu'au retour de son père. Hormis conduire ses frères aux magasins tous les matins – afin de prévenir tout risque de délation – il ne va rien faire du tout. Son père est la seule personne que Mansur craigne. Jamais il n'ose protester contre Sultan, il est le seul qu'il respecte, en tout cas face à face.

Le but de Mansur est de rencontrer des filles. Ce n'est pas chose facile à Kaboul, où la plupart des familles les surveillent comme de précieux trésors.

Il a une idée lumineuse et s'inscrit en cours d'anglais pour débutants. Ses années d'école au Pakistan lui ont permis d'atteindre un bon niveau d'anglais, mais il s'imagine que c'est dans le cours des débutants qu'il trouvera les filles les plus jeunes et les plus jolies. Il n'a pas tort. À la fin du premier cours, il a déjà trouvé sa favorite. Avec précaution il essaie de bavarder avec elle. Un jour, elle le laisse même la reconduire chez elle. Il la prie de venir au magasin, mais elle ne vient jamais. Il ne la voit qu'en cours. Il achète un téléphone portable pour qu'ils puissent s'appeler et il lui montre comment le mettre en mode « vibration » plutôt que « sonnerie », afin que sa famille ne s'aperçoive de rien. Il lui promet mariage et beaux cadeaux. Un jour il lui raconte qu'il ne pourra pas la voir parce qu'il doit jouer les chauffeurs pour un ami étranger de son père. Il invente cette histoire d'étranger pour se donner un air important. L'après-midi même elle le voit conduire une autre jeune fille dans la ville. Elle est sans pitié et le traite de scélérat, de salaud et ne veut plus jamais le revoir. Elle ne revient plus jamais en cours, ne répond plus au téléphone. Elle lui manque, mais il trouve avant tout dommage qu'elle n'assiste plus au cours alors qu'elle désirait tant apprendre l'anglais.

L'étudiante est vite oubliée. Parce que ce printemps-là rien dans la vie de Mansur n'est éternel ni authentique. Un jour il est invité à une fête dans les environs de la ville. Il a des connaissances qui louent une maison tandis que le propriétaire monte la garde dans le jardin.

— Nous avons fumé du scorpion séché, raconte Mansur avec enthousiasme à un camarade le lendemain. Nous l'avons réduit en poudre et mélangé avec du tabac. Ça nous a complètement embrumé le cerveau et un peu énervés aussi. J'étais le dernier à m'endormir. C'était une fête bien cool, se vante-t-il.

Abdur, le factotum, a compris que Mansur cherchait une fille et lui propose de rencontrer une de ses parentes. Le jour suivant une fille hazara atteinte d'un strabisme est installée dans le canapé du magasin, mais avant que Mansur n'ait eu le temps de faire plus ample connaissance, son père l'avertit qu'il rentrera le lendemain. Mansur est instantanément dégrisé. Il n'a absolument rien fait de ce que son père lui avait demandé. Il n'a pas enregistré les livres, il n'a pas rangé l'arrière-boutique, il n'a pas dressé les nouvelles listes de commandes, il n'est pas allé chercher les colis qui se sont accumulés dans l'entrepôt. Il n'a pas sacrifié la moindre pensée à l'affaire du menuisier.

Sharifa sautille autour de lui.

— Qu'est-ce qu'il y a mon garçon ? Tu es malade ?

— Rien ! rugit-il.

Elle insiste.

— Rentre au Pakistan avec ta grande gueule, crie Mansur. Depuis que tu es revenue, il n'y a que des problèmes ici.

Sharifa se met à pleurer.

— Comment ai-je pu avoir des fils pareils ? Qu'est-ce que j'ai fait de mal ? Ils ne veulent même pas que leur mère soit auprès d'eux !

Sharifa hurle et houspille sa progéniture, Latifa se met à pleurer. Bibi Gul reste assise à se balancer.

Bulbula regarde dans le vide. Sonya essaie de consoler Latifa. Lèila fait la vaisselle. Mansur claque la porte de la chambre qu'il partage avec Yunus. Yunus ronfle déjà. Il souffre d'une hépatite B et passe ses journées à dormir et à prendre des médicaments. Ses yeux sont jaunes et son regard encore plus terne et triste que d'habitude.

Au retour de Sultan, le lendemain, Mansur est si nerveux qu'il évite son regard ; mais son angoisse est injustifiée puisque Sultan s'intéresse surtout à Sonya. C'est seulement le jour suivant, au magasin, qu'il demande à son fils s'il a fait tout ce qu'il lui avait dit. Avant même qu'il ne réponde, son père lui donne de nouvelles instructions. Le voyage de Sultan en Iran a été fort réussi, il a retrouvé ses anciens collaborateurs et bientôt des caisses et des caisses de livres arriveront. Il est néanmoins une chose qu'il n'a pas oubliée : l'affaire du menuisier.

— Tu n'as rien découvert ? – Sultan regarde son fils d'un air étonné. – Tu cherches à miner mes activités ? Demain tu iras le dénoncer à la police. Son père était censé apporter les aveux au bout d'un jour et maintenant, ça fait un mois ! S'il n'est pas derrière les barreaux à mon retour du Pakistan, tu ne seras plus mon fils, menace-t-il. Celui qui empiète sur mon territoire ne sera jamais heureux, clame-t-il avec force.

Sultan doit repartir au Pakistan dès le lendemain. Mansur soupire de soulagement. Il craignait que l'une ou l'autre de ses amies ne passe au magasin. Que serait-il arrivé si elle était allée le voir et lui avait parlé pendant que son père était dans le magasin ? Il faut qu'il leur décrive son père, elles pourraient alors regarder un peu dans les étagères et sortir d'un pas tranquille s'il était là. De toute façon, son père ne s'adresse jamais aux clientes en burkha.

Le lendemain, Mansur se rend au ministère de l'Intérieur pour porter plainte contre le menuisier et, avec l'aide de Mirdzjan, il obtient les tampons nécessaires en quelques heures, les montre au poste de police local de Deh Khudaïdad, cahute en pisé délabrée avec un certain nombre de policiers armés devant. Il désigne ensuite la maison du menuisier à un officier de police en civil, qui va l'arrêter le soir même.

Le lendemain matin, avant le lever du jour, deux femmes et deux enfants tambourinent sur la porte de la famille Khan. Ivre de sommeil, Leila ouvre. Les femmes ne sont que pleurs et lamentations. Elle met un certain temps à comprendre qu'il s'agit de la grand-mère et de la tante du menuisier.

— S'il vous plaît, pardonnez-le, pardonnez-le, disent-elles. S'il vous plaît, au nom de Dieu, crient-elles.

La vieille grand-mère va sur ses quatre-vingt-dix ans, elle est petite et desséchée, son menton pointu et poilu lui donne un visage de souris. Elle est la mère du père du menuisier, qui a passé les dernières semaines à essayer de lui faire cracher la vérité.

— Nous n'avons rien à manger, nous sommes affamés, regardez les enfants. Mais nous allons rembourser les cartes postales.

Leila ne peut faire autrement que de les inviter à entrer. La petite grand-mère souris se jette aux pieds des femmes de la famille, qui sont réveillées par les lamentations et arrivent dans la pièce. Elles semblent toutes touchées par cette misère profonde qui s'abat soudain sur le salon. Les femmes sont accompagnées d'un petit garçon de deux ans et de l'une des filles atteintes de polio. Avec beaucoup de difficultés, elle s'assied par terre. Sa jambe raide munie de rails reste étendue. Elle écoute avec gravité ce qui se dit.

Jalaluddin n'était pas à la maison lorsque la police est venue, celle-ci a donc emmené le père et l'oncle à la place. Les policiers ont annoncé qu'ils reviendraient le chercher le lendemain. Tôt le matin, avant leur arrivée, les deux vieilles femmes sont venues implorer, pour leur parent, la pitié et le pardon de Sultan.

— S'il a volé quelque chose, c'est pour sauver sa famille, regardez-les, regardez ces enfants, maigres comme des clous. Pas de vêtements corrects, rien à manger.

À Microyan les cœurs s'attendrissent, mais la visite ne suscite aucune compassion. Quand Sultan se met une idée en tête, il n'est rien que les femmes de la famille Khan puissent faire. Encore moins quand cela concerne le magasin.

— Nous vous aurions volontiers aidées, mais il n'est rien que nous puissions faire. C'est Sultan qui décide, disent-elles. Et puis Sultan n'est pas à la maison.

Pleurs et hurlements se poursuivent. Elles savent que c'est vrai mais ne peuvent renoncer à leur espoir. Leila apporte des œufs au plat et du pain frais. Elle a fait bouillir du lait pour les deux enfants. Lorsque Mansur entre dans la pièce, elles fondent sur lui pour lui baiser les pieds. Il se libère à coups de pied. Elles savent que, en l'absence de son père, c'est lui qui détient le pouvoir ; mais Mansur a décidé de faire ce que lui avait demandé son père.

— Depuis que Sultan a confisqué ses outils de menuiserie, il ne peut plus travailler. Cela fait plusieurs semaines que nous n'avons pas mangé convenablement. Nous avons oublié le goût du sucre, pleure la grand-mère. Le riz que nous achetons est presque pourri. Les enfants maigrissent de plus en plus. Regarde, ils n'ont plus que la peau sur les os. Chaque jour, Jalaluddin est battu par son père. Je n'aurais jamais cru que j'élèverais un voleur.

Les femmes de Microyan promettent de faire tout leur possible pour convaincre Sultan, bien qu'elles sachent que c'est peine perdue.

Lorsque la grand-mère, la tante et les enfants atteignent le village en vacillant, la police est déjà passée chercher Jalaluddin.

L'après-midi Mansur vient témoigner. Il est assis sur une chaise à la table du commissaire, les jambes croisées. Sept policiers écoutent l'interrogatoire du commissaire. Il n'y a pas assez de chaises, deux policiers sont obligés d'en partager une. Le menuisier est accroupi par terre. L'assemblée des policiers est éclectique, certains en chauds uniformes d'hiver, certains en vêtements traditionnels, d'autres en uniformes verts de soldats de la police. Il ne se passe pas grand-chose dans ce poste, cette affaire de vol de cartes postales revêt donc une importance certaine. L'un des policiers reste sur le pas de la porte sans parvenir à décider s'il va la suivre ou non.

— Il faut que tu dises à qui tu les as vendues ou

alors tu vas atterrir à la prison centrale où sont les vrais criminels.

Les mots « prison centrale où sont les vrais criminels » jettent un froid. Le menuisier se recroqueville par terre et semble désemparé. Il noue ses mains. Elles sont marbrées de milliers de petites et grandes coupures, les cicatrices dessinent des zigzags sur ses paumes. La lumière crue du soleil qui entre par la fenêtre et l'éclaire révèle où couteaux, scies et poinçons ont entaillé la peau. C'est comme s'il était incarné par ses mains, non son visage, à présent qu'il regarde mollement les sept hommes dans la pièce. Comme si cette affaire ne le concernait pas. Au bout d'un moment il est renvoyé – dans sa cellule d'un mètre carré. Pièce dans laquelle il ne peut pas s'allonger, mais seulement rester debout ou accroupi.

C'est à la famille de Mansur de décider du sort de Jalaluddin. Les Khan peuvent retirer ou maintenir leur plainte. S'ils choisissent de la maintenir, il poursuivra son chemin dans le système et ce sera trop tard pour l'innocenter, ce sera alors à la police de décider.

— Nous pouvons le garder ici pendant soixante-douze heures, après vous devrez vous décider, indique le commissaire.

Il estime que Jalaluddin doit être puni, selon lui, la pauvreté n'est pas une raison pour voler.

— Beaucoup de gens sont pauvres. S'ils ne sont pas punis quand ils volent, notre société finira par devenir complètement amorale. Il est indispensable de créer l'exemple quand les règles sont transgressées.

Ce commissaire au verbe haut discute avec Mansur, que le doute commence à envahir. Lorsqu'il apprend que Jalaluddin peut être condamné à six ans de prison pour vol de cartes postales, il pense à ses enfants, à leurs regards affamés, à leurs vêtements usés. Il songe à sa propre vie, combien elle est facile, comment en quelques jours il est capable de dépenser autant d'argent que la famille du menuisier en un mois entier.

Un énorme bouquet de fleurs en plastique occupe presque la moitié du bureau. Les fleurs se sont depuis longtemps couvertes d'une épaisse couche de poussière, mais elles éclairent encore la pièce. Manifestement les policiers du poste de Deh Khudaïdad aiment la couleur, les verts sont menthe, la lampe est rouge, très rouge. Comme dans tous les bureaux officiels de Kaboul, un grand portrait de Massoud, le héros de guerre, orne le mur.

— N'oublions pas que sous les taliban, on lui aurait coupé la main, rappelle le commissaire avec emphase. C'est arrivé à des gens qui avaient commis des délits moindres.

Le commissaire raconte l'histoire d'une femme du village devenue parent unique après la mort de son mari.

— Elle était très pauvre. Son fils cadet n'avait pas de chaussures et avait froid aux pieds. C'était l'hiver et il ne pouvait pas sortir. L'aîné, à peine adolescent, a volé une paire de chaussures pour son petit frère. Il a été pris en flagrant délit et on lui a coupé la main droite. Ça, c'était trop sévère, estime le commissaire. Mais ce menuisier, il a montré qu'il avait une mentalité de voyou en volant plusieurs fois. Quand on vole pour faire manger ses enfants, on ne vole qu'une fois, affirme-t-il.

Le commissaire montre à Mansur toutes les preuves confisquées dans le placard derrière lui. Couteaux à lame pliante, couteaux de cuisine, canifs, couteaux à cran d'arrêt, pistolets, lampes de poche, et même un jeu de cartes ont été confisqués. Les jeux d'argent sont passibles de six mois de prison.

— Ce jeu de cartes a été saisi parce que le perdant avait frappé le vainqueur et s'était enfui avec ce couteau-ci. Ils avaient bu et il a donc été condamné pour coups et blessures à l'arme blanche, boisson et jeu, raconte-t-il en riant. L'autre joueur a échappé aux condamnations parce qu'il était devenu invalide, ce qui doit bien être une punition suffisante !

— Quelle est la peine pour boisson ? se renseigne Mansur, un peu inquiet.

Il sait que d'après la charia, c'est un péché grave sévèrement puni. D'après le Coran, la peine est de quatre-vingts coups de fouet.

— Honnêtement, j'ai l'habitude de fermer les yeux sur ce genre de choses. Quand il y a un mariage, je dis que c'est un jour libre, mais que tout doit rester au sein de la famille.

— Et l'adultère ?

— S'ils sont mariés, ils sont tués à coups de pierres. S'ils sont célibataires, la peine est de cent coups de fouet et ils doivent se marier. Si l'un des deux est marié et que c'est l'homme, alors que la femme est célibataire, il doit la prendre pour seconde épouse. Si elle est mariée et lui célibataire, la femme est tuée et l'homme fouetté et emprisonné. Mais d'habitude je ferme les yeux là-dessus aussi. Il peut s'agir de femmes, de veuves qui ont besoin d'argent, alors j'essaie de les aider, de les remettre sur le droit chemin.

— Oui, tu veux dire des prostituées. Mais qu'est-ce qui arrive aux gens normaux ?

— Un jour nous avons surpris un couple dans une voiture. Nous, enfin les parents les ont forcés à se marier. Mais c'était bien comme ça, tu ne trouves pas ?

— Hum, marmonne Mansur, qui ne pourrait concevoir d'épouser l'une de ses copines.

— Nous ne sommes tout de même pas des taliban, il faut que nous évitions de jeter des pierres sur les gens. Les Afghans ont suffisamment souffert comme ça.

Le commissaire donne un délai de trois jours à Mansur. Il est encore temps de gracier le pêcheur, mais s'ils vont plus loin dans le système judiciaire, il sera trop tard.

Songeur, Mansur quitte le poste de police. Il n'est pas d'humeur à retourner au magasin et rentre déjeuner à la maison, ce qu'il ne fait presque plus jamais. Il se jette sur une natte et, heureusement pour la paix du foyer, le repas est prêt.

— Enlève tes chaussures, Mansur, lui dit sa mère.

— Merde !

— Mansur, tu dois obéir à ta mère, poursuit Sharifa.

Mansur l'ignore et s'installe par terre, un pied en l'air, croisé sur l'autre. Il garde ses chaussures. Sa mère fait la moue.

— D'ici demain il faut que nous décidions ce que nous allons faire du menuisier, dit Mansur.

Il allume une cigarette, déclenchant ainsi les larmes de sa mère. Il n'aurait jamais pu en allumer une devant son père, jamais. Mais dès que son père sort de la maison, il aime à fumer et à provoquer sa mère avant, pendant et après les repas. La fumée se fige dans le petit salon. Bibi Gul s'est longtemps plainte de son impolitesse envers sa mère, elle dit depuis longtemps qu'il doit lui obéir et ne pas fumer. Ce jour-là, toutefois, l'envie prend le dessus, elle tend la main et chuchote presque :

— Je peux en avoir une ?

Un silence total se fait. Grand-mère va-t-elle se mettre à fumer ?

— Maman, crie Leila en lui arrachant la cigarette des doigts.

Mansur lui en donne une autre, Leila quitte la pièce en signe de protestation. Heureuse, Bibi Gul tire sur sa cigarette et rit en silence. Assise ainsi avec, bien en l'air, sa cigarette dont elle tire de grandes bouffées, elle va jusqu'à interrompre son balancement.

— Comme ça je mange moins, explique-t-elle. Libère-le, conclut-elle après avoir savouré sa cigarette. Il a déjà eu son châtiment avec les coups de son père et la honte, en plus, il a rendu les cartes postales.

— Tu as vu ses enfants ? Comment vont-ils s'en sortir sans les revenus de leur père ? la soutient Sharifa.

— Nous pourrions être responsables de la mort de ses enfants, dit Leila, qui est revenue après que sa mère a écrasé sa cigarette. Imagine qu'ils tombent malades et n'aient pas les moyens d'aller chez le médecin, ils mourraient à cause de nous, ou alors ils pourraient mourir parce qu'ils n'ont pas assez à manger. Et puis le menuisier lui-même pourrait mourir en prison. Il y en a beaucoup qui ne survivent pas pendant six ans, c'est plein de maladies contagieuses, de tuberculose et d'autres maladies.

— Fais preuve de compassion, dit Bibi Gul.

Mansur appelle Sultan au Pakistan depuis son nouveau téléphone portable. Il lui demande la permission de libérer le menuisier. Il n'y a pas un bruit dans la pièce, tous suivent la conversation. Ils entendent la voix de Sultan rugir depuis le Pakistan :

— Il voulait détruire mes affaires, miner les prix ! Je l'ai bien payé, il n'avait pas besoin de voler. C'est un voyou ! Il est coupable et il faut le frapper pour qu'il dise la vérité. Je ne laisse personne détruire mes affaires.

— Il pourrait écoper de six ans de prison ! Ses enfants pourraient être morts quand il sortira, crie Mansur à son tour.

— Qu'il se prenne soixante ans de prison ! Je m'en moque. Il faut le battre jusqu'à ce qu'il avoue à qui il a vendu les cartes.

— Tu dis ça parce que tu as le ventre plein ! Je pleure rien qu'en pensant à la maigreur de ses enfants. Sa famille est complètement finie.

— Comment oses-tu contredire ton père ! hurle Sultan dans le combiné.

Dans la pièce tous reconnaissent cette voix et savent qu'il est maintenant tout rouge et tremble de tous ses membres.

— Quel genre de fils es-tu ? Il faut que tu fasses tout ce que je te dis, tout ! Qu'est-ce qui ne va pas avec toi ? Pourquoi es-tu si impoli avec ton père ?

La lutte interne à laquelle il est en proie transparaît sur le visage de Mansur. Il a toujours obéi aux ordres de son père, il n'a jamais agi autrement, enfin en ce qui concerne ce dont son père a connaissance. Il n'est jamais entré en révolte ouverte contre lui, et il n'ose pas, il n'ose pas risquer que le courroux de son père se retourne contre lui.

— D'accord, papa, conclut Mansur avant de raccrocher.

Toute la famille reste silencieuse. Mansur jure.

— Il a un cœur de pierre, soupire Sharifa.

Sonya se tait.

Tous les jours, matin et soir, la famille du menuisier vient les voir. Parfois, c'est sa grand-mère, d'autres fois sa mère, sa tante ou sa femme. Elles emmènent toujours certains de leurs enfants. Chaque fois, on leur fait la même réponse. C'est Sultan qui décide. Quand il reviendra, tout s'arrangera certainement. Tout en sachant que ce n'est pas vrai, que le jugement de Sultan est déjà tombé.

À la fin, les Khan n'ont plus la force d'ouvrir la porte à cette pauvre famille. Ils restent sans faire de bruit et prétendent qu'il n'y a personne à la maison. Mansur se rend au poste de police local et demande un report, il veut attendre le retour de son père, qui pourra ainsi s'occuper de l'affaire lui-même. Mais le commissaire ne peut pas attendre plus longtemps. On ne peut pas loger les prisonniers pendant plus de quelques jours dans cette petite pièce d'un mètre

carré. Ils enjoignent une fois encore le menuisier
d'avouer qu'il a pris plus de cartes postales et de
dire à qui il les a vendues, mais comme avant il
refuse. Jalaluddin est menotté et conduit hors de la
petite maison en pisé.

Le poste de police local ne disposant pas de voitures, c'est Mansur qui doit conduire le menuisier au
commissariat principal de Kaboul.

Devant se tiennent le père, le fils et la grand-mère
du menuisier. À l'arrivée de Mansur, ils s'approchent avec hésitation. Mansur trouve cette situation
épouvantable. En l'absence de Sultan il endosse le
rôle de sans-cœur vis-à-vis de la famille du
menuisier.

— Je suis obligé de faire ce que mon père me dit,
s'excuse-t-il, avant de chausser ses lunettes de soleil
et de s'installer dans la voiture.

Grand-mère et petit-fils rentrent chez eux. Le père
enfourche son vélo déglingué et suit la voiture de
Mansur. Il ne renonce pas et veut suivre son fils
aussi loin que possible. Ils aperçoivent sa silhouette
droite qui disparaît derrière eux.

Mansur conduit plus lentement que d'habitude. Il
pourrait s'écouler de nombreuses années avant que
le menuisier ne revoie ces rues.

Ils arrivent au commissariat central, l'un des bâtiments les plus haïs sous les taliban. C'était le repaire
de la police religieuse, dans le ministère des Bonnes
Mœurs. C'est ici qu'elle conduisait les hommes dont
la barbe était trop courte, le pantalon trop court, les
femmes qui s'étaient promenées dans la rue seules
ou avec des hommes étrangers à leur famille, les
femmes qui étaient fardées sous leur burkha. Ils pou-

vaient passer des semaines au sous-sol avant d'être envoyés dans d'autres prisons ou libérés. Lors du départ des taliban, comme la prison préventive était ouverte et les détenus libérés, on trouva des câbles et des cannes utilisés comme instruments de torture. Les hommes étaient nus quand on les battait, les femmes conservaient un drap autour d'elles pendant les séances de torture. Avant les taliban, le bâtiment avait été investi par les impitoyables services de renseignement du régime soviétique, puis par les forces de police chaotiques des moudjahidin.

Le menuisier monte les lourdes marches jusqu'au quatrième étage. Il tente de mettre Mansur de son côté et l'implore d'un regard craintif. C'est comme si ses yeux s'étaient davantage agrandis pendant sa petite semaine de détention. Ses globes suppliants sortent presque de son visage :

— Pardonne-moi, pardonne-moi. Je travaillerai gratuitement pour vous jusqu'à la fin de mes jours. Pardonne-moi !

Mansur regarde droit devant lui, il ne doit pas faiblir maintenant. Sultan a choisi et Mansur ne peut le contredire. Il pourrait être déshérité, jeté hors de la maison. Déjà il a le sentiment que Sultan lui préfère désormais son frère. C'est Eqbal que l'on laisse suivre des cours d'informatique, c'est à Eqbal que Sultan a promis un vélo. Si Mansur le contredit maintenant, Sultan pourrait en venir à rompre tous leurs liens. Il ne veut pas courir ce risque à cause du menuisier, quelle que soit la pitié qu'il éprouve à son égard.

Ils sont assis à attendre l'interrogatoire et l'enregistrement de la plainte. Le système veut que l'accusé reste en prison jusqu'à ce que soit prouvée sa culpabilité ou son innocence. N'importe qui peut porter plainte contre quelqu'un et le faire ainsi emprisonner.

Mansur expose les faits. Le menuisier reste accroupi par terre. Il a de longs orteils tordus. Ses ongles ont d'épaisses bordures noires. Sa veste et son pull pendent en loques sur son dos. Son pantalon bâille aux hanches.

À son bureau, l'homme consigne scrupuleusement les deux dépositions. Il forme des lettres élégantes sur une feuille posée sur un carbone.

— Pourquoi aimes-tu tant les cartes postales de l'Afghanistan ?

Le policier rit, il trouve l'affaire un peu étrange. Sans attendre la réponse du menuisier, il poursuit.

— Raconte à qui tu les as vendues, nous savons tous que tu ne les as pas volées pour les envoyer à ta famille.

— Je n'en ai pris que deux cents et Rasul m'en a donné quelques-unes, tente le menuisier.

— Rasul ne t'a donné aucune carte, c'est un pur mensonge, dit Mansur.

— Tu te souviendras de cette pièce comme de l'endroit où l'occasion t'a été donnée de dire la vérité, dit le policier.

Jalaluddin avale sa salive, fait craquer ses jointures et soupire de soulagement lorsque le policier se tourne de nouveau vers Mansur pour l'interroger sur les tenants et aboutissants de cette affaire. Derrière le policier se dresse l'une des montagnes de Kaboul. Elle est constellée de maisonnettes qui s'accrochent à la falaise, hachurée de sentiers en zigzag.

Par la fenêtre, le menuisier aperçoit des hommes qui, telles des fourmis, montent et descendent. Les maisons sont faites des matériaux que l'on peut trouver dans ce Kaboul décimé par la guerre. Quelques plaques de tôle ondulée, un morceau de jute, un peu de plastique, quelques briques, les restes d'autres ruines.

Soudain le policier vient s'installer à côté de lui et s'accroupit lui aussi par terre.

— Je sais que tu as des enfants qui ont faim et je sais que tu n'es pas un criminel. Je te donne une dernière chance. Il ne faut pas que tu la laisses passer. Si tu me racontes à qui tu as vendu les cartes, je te libère. Si tu ne me le dis pas, tu passeras plusieurs années en prison.

Mansur écoute distraitement, c'est la centième fois que l'on prie le menuisier de dire à qui il les a vendues. Peut-être dit-il la vérité, peut-être ne les a-t-il pas vendues. Mansur regarde l'heure et bâille. Soudain un nom s'échappe de la bouche de Jalaluddin. Si bas qu'il est à peine audible.

Mansur se lève d'un bond. L'homme dont Jalaluddin a prononcé le nom possède un kiosque au marché, il vend des calendriers, des stylos et des cartes. Des cartes pour les fêtes religieuses, les mariages, les fiançailles et les anniversaires – et des cartes postales avec des motifs d'Afghanistan. Ces cartes, il les a toujours achetées à la librairie de Sultan, mais il n'est pas venu depuis un certain temps. Mansur se souvient bien de lui parce qu'il se plaignait toujours à tort et à travers de leur prix.

C'est comme si un bouchon avait sauté, mais Jalaluddin continue de trembler quand il parle.

— Il est venu un après-midi alors que j'allais quitter le travail. Nous avons bavardé un peu et puis il m'a demandé si j'avais besoin d'argent. Et c'était le cas. Ensuite il a demandé si je pouvais aller lui chercher quelques cartes postales. D'abord j'ai refusé, mais il m'a parlé de l'argent que j'obtiendrais. J'ai pensé à mes enfants à la maison. Je n'arrive pas à nourrir ma famille avec mon salaire de menuisier. J'ai pensé à ma femme qui, à trente ans, commence déjà à perdre ses dents. J'ai pensé à tous les regards lourds de reproches que l'on me lance à la maison parce que je ne gagne pas assez. J'ai pensé aux habits et aux chaussures que mes enfants n'ont jamais, j'ai pensé au médecin que nous n'avons pas les moyens de payer pour nos malades, à la mauvaise nourriture qu'ils mangent. Ensuite je me suis dit que si je n'en prenais que quelques-unes, pendant que je travaillais à la librairie, je pourrais résoudre certains de mes problèmes. Sultan ne le remarquerait pas. Il a tant de cartes postales et il a tant d'argent. Et puis j'ai pris quelques cartes que j'ai vendues.

— Il faut que nous y allions pour saisir les preuves, dit le policier avant de se lever et d'ordonner au menuisier et à Mansur de l'accompagner.

Ils roulent jusqu'au marché et au kiosque à cartes postales. Un garçon se tient dans le petit espace.

— Où est Mahmoud ? demande le policier en civil.

Mahmoud est en train de déjeuner. Le policier montre au garçon sa plaque et demande à voir ses cartes postales. Le garçon les laisse entrer dans le kiosque par le côté, dans le conduit étroit entre les murs, les piles de marchandises et le comptoir. Mansur et un policier raflent les cartes postales des étagères, toutes celles qui sont imprimées par Sultan sont déposées dans un sac. À la fin, ils en ont plusieurs milliers. Mais il reste difficile de faire la distinction entre celles que Mahmoud a achetées légalement et celles qu'il a obtenues par Jalaluddin. Ils emmènent le garçon et les cartes au commissariat.

Un policier reste pour attendre Mahmoud. Son kiosque est fermé. Ce jour-là, on ne peut acheter à Mahmoud ni cartes de remerciements ni images de fiers guerriers.

Lorsque, enfin, Mahmoud arrive, ses mains exhalant une forte odeur de kébab, les interrogatoires reprennent. Mahmoud commence par nier avoir jamais vu le menuisier et affirme avoir tout acheté légalement à Sultan, Yunus, Eqbal et Mansur. Ensuite il change d'explication et dit que si, en fait, le menuisier est venu le voir un jour, mais qu'il ne lui a rien acheté.

Le propriétaire du kiosque aussi doit passer la nuit en préventive. Mansur peut enfin partir. Dans le couloir se trouvent le père, l'oncle, le neveu et le fils du menuisier. Ils marchent à sa rencontre, le rattrapent et, médusés, le regardent les dépasser en toute hâte. Il n'a pas le courage de les voir encore une fois. Jalaluddin a avoué, Sultan va être content, l'affaire est résolue. Le vol et la revente sont prouvés, l'affaire pénale peut commencer.

Il pense à ce qu'a dit le commissaire.

— C'est ta dernière chance. Si tu avoues, nous te libérerons et tu pourras rentrer dans ta famille.

Mansur se sent mal. Il se dépêche de sortir. Il

songe à la dernière chose que lui a dite Sultan avant de partir.

— J'ai risqué ma vie pour développer mes magasins, j'ai été emprisonné, j'ai été battu. Je me tue au travail pour créer quelque chose pour l'Afghanistan et ce putain de menuisier arrive et se met à rogner sur mon œuvre. Alors il faut qu'il subisse son châtiment. Ne t'attendris pas toi non plus, Mansur, ne t'attendris pas.

Dans une maison en pisé décatie de Deh Khudaïdad, une femme est assise à regarder dans le vide. Ses enfants les plus jeunes pleurent, ils n'ont rien mangé et attendent le retour de leur grand-père. Peut-être aura-t-il acheté quelque chose à manger. Ils se précipitent sur lui lorsqu'il passe le portail avec son vélo. Il n'a rien dans les mains. Rien sur son porte-bagages. Ils s'arrêtent à la vue de son visage sombre. Ils restent sans rien dire un instant avant de sangloter en s'accrochant à lui :

— Où est papa ? Quand est-ce que papa va rentrer ?

Ma mère, Oussama

Tajmir tient le Coran contre son front, l'embrasse et lit un verset au hasard. Il l'embrasse de nouveau, le range dans la poche de sa veste et regarde par la fenêtre. La voiture est sur le point de sortir de Kaboul. Elle roule vers l'est, vers les zones frontalières agitées entre l'Afghanistan et le Pakistan, là où les partisans des taliban et d'Al-Qaida sont encore nombreux, là où les Américains pensent que des terroristes se cachent – dans ce paysage de montagne inaccessible, là où ils battent le terrain, interrogent la population locale, dynamitent des grottes, cherchent des caches d'armes, trouvent des cachettes, bombardent, tuent quelques civils – dans leur chasse aux terroristes et au grand trophée dont ils rêvent : Oussama ben Laden.

C'est dans cette région qu'a eu lieu l'opération *Anaconda*, la grande offensive contre Al-Qaida de ce printemps, lorsque les forces spéciales internationales sous commandement américain se sont livrées à de durs combats contre les disciples survivants d'Oussama ben Laden en Afghanistan. Plusieurs soldats d'Al-Qaida se trouveraient encore dans ces zones frontalières, zones dont les dirigeants n'ont jamais reconnu un gouvernement central, mais règnent selon la loi des tribus. Dans la ceinture pachtoune des deux côtés de la frontière, les Américains et les autorités centrales ont de la peine à infiltrer les villages. Les experts du renseignement pensent que si Oussama ben Laden et le mollah Omar sont encore en vie et se trouvent en Afghanistan, c'est ici qu'ils se cachent.

C'est eux que Tajmir doit essayer de trouver. Il doit en tout cas trouver quelqu'un qui connaît quelqu'un qui a vu ou croit avoir vu des gens qui leur ressemblaient. Contrairement à son compagnon de voyage, Tajmir espère que leurs recherches seront totalement infructueuses. Tajmir n'aime pas le danger. Il n'aime pas aller dans les zones tribales où à tout moment des combats risquent d'éclater. Sur la banquette arrière, les vestes pare-balles et les casques sont prêts.

— Qu'est-ce que tu lisais, Tajmir ?

— Le Saint Coran.

— Oui, ça je l'ai vu, mais tu lisais quelque chose en particulier ? Je veux dire une « *traveller-section* » ou un truc de ce goût-là ?

— Non, je ne l'ouvre jamais à un endroit particulier, je l'ouvre juste au hasard. Là, je suis tombé sur le verset où celui qui obéit à Dieu et à son messager entre dans les jardins du Paradis où coulent les ruisseaux, tandis que celui qui leur tourne le dos subit un châtiment douloureux. Je lis un peu le Coran quand j'ai peur de quelque chose ou que je suis triste.

— *Oh, yeah*, dit Bob en reposant sa tête contre la fenêtre.

Clignant des yeux, il voit disparaître les rues couvertes de suie de Kaboul.

Ils roulent face au soleil matinal, si brûlant que Bob est obligé de fermer les yeux.

Tajmir pense à sa mission. Il a été embauché comme interprète par un grand magazine américain. Avant, sous les taliban, il travaillait pour une organisation humanitaire. Il était responsable de la distribution de farine et de riz aux pauvres. Lorsque les étrangers de l'organisation sont partis après le 11 septembre, il était seul à assumer cette responsabilité.

Les taliban faisaient barrage à tout ce qu'il entreprenait. Les distributions cessèrent et un jour, une bombe frappa le lieu de distribution habituel. Tajmir remercie Dieu d'avoir mis fin à la distribution. Et si le lieu avait été rempli de femmes et d'enfants qui venaient désespérément chercher de la nourriture...

Il a l'impression que le temps où il s'occupait d'aide humanitaire est bien loin. Lorsque les journalistes ont afflué à Kaboul, il a été sélectionné par ce magazine américain, où on lui proposait un salaire quotidien correspondant à ce qu'il percevait normalement pour quinze jours de travail. Il a pensé à sa propre famille, qui avait besoin d'argent, et a quitté son emploi pour devenir interprète, dans un anglais inventif et bizarre.

Tajmir est l'unique soutien de sa famille, qui à l'échelle afghane est petite. Il vit avec sa mère, son père, sa sœur adoptive, sa femme et Bahar, qui a un an, dans un petit appartement de Microyan, non loin de Sultan et sa famille. Sa mère est la sœur aînée de

Sultan, cette sœur mariée pour procurer de l'argent destiné à financer sa scolarité.

Feroza fut la plus sévère des mères. Dès son plus jeune âge, elle allait interdire à Tajmir de jouer dehors avec les autres enfants. Il devait s'amuser calmement, sans bruit, dans le salon sous surveillance et en grandissant, il devait faire ses devoirs. Il devait toujours rentrer directement après la classe et n'avait jamais le droit d'aller chez un camarade ou d'en ramener un à la maison. Tajmir ne protestait jamais, il n'était pas possible de protester contre Feroza ; parce que Feroza frappait, et elle frappait fort.

— Elle est pire qu'Oussama ben Laden, explique Tajmir à Bob, quand il doit expliquer un retard ou le fait qu'il doive subitement interrompre une mission.

À ses nouveaux amis américains, il a raconté des histoires effrayantes au sujet d'« Oussama ». Ils imaginaient une furie en burkha, mais lorsqu'ils l'ont rencontrée, en visite chez Tajmir, ils n'ont vu qu'une petite femme amène au regard curieux, aux yeux mi-clos. Sur la poitrine, elle portait un grand médaillon en or avec la profession de foi islamique, qu'elle était immédiatement allée acheter lorsque Tajmir était rentré avec son premier salaire américain. Feroza sait exactement combien il gagne et Tajmir doit tout lui donner, ensuite elle lui verse de l'argent de poche quand il en a besoin. Tajmir leur a montré les impacts de chaussures et autres objets qu'elle lui a lancés et qui ont atteint le mur. Aujourd'hui il en rit, le tyran Feroza est devenu une histoire drôle.

Feroza espérait que Tajmir aurait un avenir brillant, chaque fois qu'elle se procurait quelque argent, elle l'inscrivait à un cours, cours d'anglais, cours supplémentaire de maths, cours d'informatique. L'analphabète qui avait été mariée pour apporter de l'argent à sa famille devait être une mère honorée et respectée, ce qui passait par la réussite de son fils.

Son père, Tajmir le voyait moins. C'était un homme gentil et un peu timide, souvent malade. Dans ses bons jours, il se rendait en tant que négociant en Inde ou au Pakistan, parfois il ramenait de l'argent, parfois non.

S'il arrivait à Feroza de battre Tajmir, elle ne se montra jamais violente envers son mari. Même si on savait qui menait le foyer. Avec les ans, Feroza était devenue une femme énergique, ronde comme un petit pain, ses épaisses lunettes en équilibre sur son nez ou suspendues autour de son cou. Son mari, lui, était devenu gris et maigre, faible et fragile comme une branche sèche.

Comme son mari s'émiettait, Feroza devint chef de famille. Tajmir resta le seul fils de Feroza, qui ne parvint cependant pas à taire son désir d'avoir d'autres enfants. Elle se rendit dans l'un des orphelinats de Kaboul.

C'est là qu'elle a trouvé Kheshmesh, laissée devant l'orphelinat enveloppée dans une taie d'oreiller maculée. Elle la prit et l'éleva comme la sœur de Tajmir ; mais si celui-ci semble sorti du même moule que sa mère, le même visage rond, le même gros ventre, la même démarche chancelante – il en va autrement de Kheshmesh.

Kheshmesh est une petite fille agitée et indomptable, maigre comme un clou, le teint nettement plus mat que les autres membres de la famille. Kheshmesh a quelque chose de sauvage dans le regard,

comme si sa vie intérieure était plus intéressante que
tout ce qui peut se passer dans le monde réel. Pendant les fêtes de famille, elle court en tous sens
comme une vive pouliche, au grand désespoir de
Feroza. Tandis que Tajmir obéissait et se pliait à la
volonté de sa mère lorsqu'il était enfant, Kheshmesh
finit systématiquement par se salir, avoir les cheveux
ébouriffés et s'écorcher. En revanche, nul n'est plus
dévoué que Kheshmesh quand elle est d'humeur
calme, nul ne couvre sa mère de baisers plus tendres,
nul ne la serre plus fort dans ses bras. Où que Feroza
aille, Kheshmesh l'accompagne. Telle une mince
petite ombre derrière sa solide mère.

En tant que second enfant, Kheshmesh a appris
tôt ce qu'étaient les taliban. Un jour, Kheshmesh et
un ami furent battus par un taleb dans la cage d'escalier. Ils avaient joué avec son fils, qui était tombé et
s'était méchamment blessé. Le père les avait alors
tous deux attrapés et frappés durement avec une
canne. Il en résulta qu'ils ne voulurent plus jamais
jouer avec le petit garçon. Les taliban étaient ceux
qui l'avaient empêchée d'aller à l'école avec les garçons, ils interdisaient aux gens de chanter ou de
taper dans leurs mains, interdisaient de danser. Les
taliban étaient ceux qui l'empêchaient de sortir avec
ses poupées. Représentations d'êtres vivants, poupées et peluches étaient bannis. Quand la police religieuse effectuait ses razzias et brisait postes de
télévision et lecteurs de cassettes, elle emportait
volontiers les jouets des enfants si elle les trouvait.
Elle leur arrachait bras et têtes ou les détruisait sous
le regard médusé des enfants.

La première chose que Kheshmesh fit lorsque

Feroza annonça la fuite des taliban, fut de sortir avec sa poupée préférée pour lui montrer le monde. Tajmir rasa sa barbe. Feroza trouva une cassette poussiéreuse et un vieux lecteur et se dandina dans l'appartement en chantant :

— Maintenant nous allons faire la fête pour oublier ces cinq années perdues !

Feroza n'eut pas d'autre enfant dont s'occuper. Juste après l'adoption de Kheshmesh, la guerre civile éclata et Feroza se réfugia au Pakistan avec la famille de Sultan. Lorsqu'elle revint de son exil, il était temps de trouver une épouse pour Tajmir, ce qui ne lui laissait pas le loisir de chercher d'autres filles abandonnées dans les hôpitaux.

Comme tout le reste de sa vie, la mère de Tajmir décida aussi quelle femme il épouserait. Tajmir, lui, était profondément épris d'une jeune fille rencontrée à son cours d'anglais au Pakistan. Ils étaient en quelque sorte des amoureux, même s'ils ne s'étaient jamais ni tenu la main ni embrassés. C'est à peine s'ils s'étaient retrouvés seuls, mais ils n'en restaient pas moins des amoureux, qui s'écrivaient des billets doux et de longues lettres d'amour. Tajmir n'osa jamais parler à Feroza de cette fille qu'il rêvait d'épouser. Elle était apparentée au héros de guerre Massoud et Tajmir savait que sa mère prendrait peur à l'idée de toutes les histoires auxquelles ils risquaient de se trouver mêlés. De toute façon, qui que fût son élue, Tajmir n'aurait jamais osé confier à sa mère qu'il était amoureux. Il n'avait pas été éduqué pour réclamer quoi que ce fût et n'avait jamais raconté à Feroza ce qu'il ressentait. Cette soumission, il l'envisageait comme du respect.

— J'ai trouvé la fille que tu vas épouser, annonça un jour Feroza.

— D'accord, répondit Tajmir.

Sa gorge se noua, mais pas une protestation n'en sortit. Il savait qu'il ne lui restait plus qu'à écrire une lettre à son petit nuage d'amoureuse pour lui expliquer que tout était terminé.

— Qui est-ce ?

— C'est ta cousine issue de germain, Khadija, tu ne l'as pas vue depuis longtemps. Elle est bonne travailleuse et de bonne famille.

Tajmir se contenta de hocher la tête. Deux mois plus tard il rencontra Khadija pour la première fois. Lors des fiançailles. Ils passèrent toute la fête assis l'un à côté de l'autre sans échanger un mot. Elle, je pourrai l'aimer, pensa-t-il.

Khadija ressemble à une chanteuse de jazz parisienne des années vingt. Ses cheveux sont noirs et ondulés, séparés par une raie sur le côté, et se terminent juste au-dessus des épaules. Sa peau est blanche, poudrée, et elle est toujours maquillée en noir, avec du rouge à lèvres rouge. Elle a des pommettes dessinées, une grande bouche et semble avoir passé sa vie à poser un long fume-cigarette à la main. Selon le canon afghan, elle n'est pourtant pas considérée comme belle, bien trop mince, bien trop menue. En Afghanistan, les femmes rondes, joues rondes, hanches rondes, ventres ronds, répondent à l'idéal féminin.

— Maintenant, je l'aime, raconte Tajmir.

Ils approchent de Gardez et Tajmir a raconté toute l'histoire de sa vie à Bob, le journaliste américain.

— *Wow*, commente-t-il. *What a story. So you really love your wife now ? What about the other girl ?*

Tajmir n'a pas la moindre idée de ce que l'autre fille est devenue. D'ailleurs, il n'y pense même pas. À présent il vit pour sa petite famille. Il y a un an, Khadija et lui ont eu une fille.

— Khadija avait tellement peur d'avoir une fille, raconte-t-il à Bob. Khadija a toujours peur de quelque chose, et cette fois, c'était d'avoir une fille. Je lui ai dit, ainsi qu'à tout le monde, que je souhaitais avoir une fille. Que plus que tout, je souhaitais une fille. Comme ça, si c'était une fille, personne ne dirait « quel dommage ! », parce que c'était ce que j'espérais, et si c'était un garçon, personne ne dirait quoi que ce soit, parce qu'ils seraient tous contents de toute façon.

— Hum.

Bob s'efforce de comprendre la logique de son raisonnement.

— Maintenant, Khadija a peur de ne pas retomber enceinte, parce que nous essayons, mais ça ne marche pas. Alors je lui dis que, en fait, un seul enfant suffit, que c'est bien d'avoir un seul enfant. En Occident, beaucoup de gens n'en ont qu'un. Comme ça, si nous n'avons pas d'autres enfants, tout le monde dira que de toute manière nous n'en souhaitions pas d'autres et si nous en avons d'autres, tout le monde sera content.

— Hum.

Ils s'arrêtent à Gardez pour acheter des boissons et des cigarettes. Quand Tajmir travaille, il fume sans interruption. Un paquet, deux paquets. Mais il

doit faire attention à ce que sa mère ne s'en aperçoive pas, jamais il ne pourrait allumer une cigarette
en sa présence. Cela ne serait tout simplement pas
possible. Ils achètent une cartouche de cigarettes *Hi-
lite* à dix cents le paquet, un kilo de concombres,
vingt œufs et du pain. Ils sont en train d'éplucher les
concombres et d'écailler les œufs lorsque Bob
s'écrie soudain « stop ! ».

Au bord de la route une trentaine d'hommes sont
assis en cercle. Ils ont posé leurs kalachnikovs par
terre devant eux, et portent leurs munitions en ban-
doulière.

— C'est les hommes de Padsha Khan ! s'exclame
Bob. Arrête la voiture !

Bob entraîne Tajmir avec lui et se dirige vers les
hommes. Au milieu d'eux se trouve Padsha Khan
en personne, le plus grand seigneur de guerre des
provinces de l'Est, l'un des plus fervents opposants
de Hamid Karzaï.

Lors de la fuite des taliban, Padsha Khan a été
nommé gouverneur de la province du Paktia, réputée
être l'une des plus agitées d'Afghanistan. En tant
que gouverneur de la région où les réseaux d'Al-
Qaida ont toujours des partisans, Padsha Khan est
devenu un homme important pour les services de
renseignement américains. Ils devaient pouvoir col-
laborer avec quelqu'un sur le terrain et tel seigneur
de guerre n'était ni pire ni meilleur que tel autre. La
mission de Padsha Khan était de découvrir où les
soldats des taliban et d'Al-Qaida se trouvaient.
Ensuite il devait désigner ces lieux aux Américains.
À cette fin, on l'avait équipé d'un téléphone-satellite, dont il faisait un usage fréquent. Il appelait sans

cesse les Américains pour les tenir informés des déplacements d'Al-Qaida dans la région. Et les Américains faisaient feu. Sur un village ici, un autre là. Sur les chefs de tribus en route vers Kaboul pour assister à la cérémonie d'investiture de Karzaï. Sur une ou deux fêtes de mariage. Sur un groupe d'hommes dans une maison, les propres alliés des Américains. Nul n'avait quoi que ce fût à voir avec Al-Qaida, mais ils avaient en commun d'être les ennemis de Padsha Khan. Les protestations locales contre ce gouverneur absolu, qui soudain se trouvait en possession de bombardiers F52 et de chasseurs F16 pour résoudre ses conflits tribaux locaux, se firent si fortes que Karzaï n'eut d'autre recours que de le démettre de ses fonctions.

Padsha Khan ne trouva donc rien de mieux à faire que de démarrer sa propre petite guerre. Il lança des missiles sur les villages où se trouvaient ses ennemis et les différentes factions se livrèrent à des combats ouverts. Finalement il dut renoncer, pendant un moment. Bob le cherche depuis longtemps, et il est là, assis dans le sable, entouré d'un groupe d'hommes barbus.

Padsha se lève en les voyant. Il salue brièvement Bob, mais embrasse chaleureusement Tajmir et le serre contre lui.

— Comment ça va, mon ami ? Tu vas bien ?

Ils se sont souvent rencontrés pendant l'opération *Anaconda*. Tajmir traduisait, c'est tout. Ami de Padsha Khan, il ne l'a jamais été.

Padsha Khan a l'habitude de diriger la région comme sa propre arrière-cour, avec ses trois frères. Il n'y a pas plus d'une semaine, il déclenchait une grêle de missiles sur la ville de Gardez, à présent, c'est au tour de Khost, où se trouve déjà un nouveau gouverneur, un sociologue qui a passé les dix dernières années en Australie. Il se cache, par peur des hommes de Padsha Khan.

— Mes hommes sont prêts, explique Padsha Khan à Tajmir, qui traduit à Bob, qui prend ses notes avec fébrilité. Maintenant, nous sommes en train de discuter de ce que nous allons faire, poursuit-il en les regardant. On le prend maintenant, on attend ? Vous allez à Khost ? Alors il faut que vous disiez à mon frère de se débarrasser du nouveau gouverneur en vitesse. Dites-lui qu'il faut qu'il l'emballe et le renvoie à Karzaï !

Padsha Khan fait le geste d'emballer et d'envoyer. Tous les hommes regardent leur dirigeant, puis Tajmir, puis le blond Bob, qui prend ses notes.

— Écoutez, dit Padsha Khan.

Qu'il estime être le seigneur légitime des trois provinces que les Américains suivent avec un regard d'aigle ne fait pas l'ombre d'un doute. Le seigneur de guerre se sert de la jambe de Tajmir pour souligner ses opinions, il dessine des cartes, des routes et des fronts sur sa cuisse. À chaque déclaration dont il est satisfait, il la claque avec force. Tajmir traduit comme un automate. Sur ses pieds grimpent les plus grosses fourmis qu'il ait jamais vues.

— Karzaï menace d'envoyer l'armée la semaine prochaine. Que vas-tu faire ? l'interroge Bob.

— Quelle armée ? Karzaï n'a aucune armée ! Il a deux cents gardes du corps entraînés par les Britanniques. Nul ne peut me battre dans ma propre région, affirme Padsha Khan en regardant ses hommes.

Leurs sandales sont éculées, leurs vêtements vieux, les seules choses qui sont récemment entretenues et brillent sont leurs armes. Certaines crosses sont couvertes de rangs de perles colorés. Certains des plus jeunes ont orné leur kalachnikov de petits autocollants. Sur un autocollant rose, des lettres rouges indiquent « *kiss* ».

Nombre de ces hommes se battaient dans le camp des taliban il y a seulement un an.

— On ne peut pas nous posséder, on peut seulement nous louer, disent les Afghans eux-mêmes à propos de leurs fréquents virements de bord en situation de guerre.

Aujourd'hui ils sont les hommes de Padsha Khan, parfois loués aux Américains. Mais pour eux l'essentiel est la lutte contre celui que Padsha Khan considère à tout instant comme son ennemi. La chasse à Al-Qaida vient au second rang.

— Il est fou, dit Tajmir lorsqu'ils sont de nouveau dans la voiture. C'est des hommes comme lui qui font que l'Afghanistan ne sera jamais en paix. Pour lui, le pouvoir a plus d'importance que la paix. Il est assez fou pour mettre en péril la vie de milliers de gens juste pour rester au pouvoir. Dire que les Américains collaborent avec un homme pareil.

— S'ils ne devaient travailler qu'avec des gens qui n'ont pas de sang sur les mains, ils n'en trouveraient pas beaucoup dans ces provinces, réplique Bob. Ils n'ont pas le choix.

— Mais ils ne se soucient plus de chercher les taliban pour les États-Unis, maintenant ils ont dirigé leurs armes les uns contre les autres, objecte Tajmir.

— Hum. *I wonder if there will be any serious fighting*, demande Bob, plus à part soi qu'à Tajmir.

Tajmir et Bob ont deux conceptions complètement différentes du voyage réussi. Bob veut de l'action, plus il y en a, mieux c'est. Tajmir veut rentrer aussi vite que possible. Dans quelques jours Khadija et lui fêteront leurs deux ans de mariage, il espère pouvoir être de retour à cette occasion. Alors il surprendra Khadija avec un beau cadeau. Bob rêve de titres chocs sur papier glacé. Comme quelques semaines plus tôt, lorsque Tajmir et lui ont manqué d'être tués par une grenade. Elle ne les a pas atteints, mais a touché la voiture derrière eux. Ou lorsqu'ils ont dû courir se cacher dans la nuit parce qu'on les prenait pour l'ennemi en route pour Gardez et que les balles sifflaient autour d'eux. Ces choses-là excitent Bob, comme de passer la nuit dans une tranchée, tandis que Tajmir maudit son nouvel emploi. Le seul aspect positif de ces voyages, c'est la prime de guerre : Feroza ignore son existence et il peut donc garder l'argent pour lui.

Cette région d'Afghanistan est celle dont Tajmir et la plupart des Kaboulis se sentent les moins proches. Ces zones sont considérées comme sauvages et violentes. Ici vivent ceux qui ne peuvent s'accommoder d'aucun gouvernement central. C'est ici que Padsha Khan et ses frères peuvent diriger une région entière. Il en a toujours été ainsi. La loi du plus fort.

Ils traversent un paysage désertique stérile. Ici et là ils aperçoivent des nomades et leurs chameaux, qui, calmes et fiers, balancent sur les dunes. À certains endroits ils ont planté leurs grandes tentes couleur de sable. Les femmes, en jupes virevoltantes colorées, évoluent entre les tentes. Les femmes du peuple kouchi ont la réputation d'être les plus libres d'Afghanistan. Les taliban eux-mêmes n'ont pas essayé de leur imposer la burkha, tant qu'elles restaient en dehors des villes. Ce peuple nomade a énormément souffert ces dernières années. La guerre et les mines les ont contraints à modifier leurs itinéraires millénaires et à se déplacer au sein de zones bien plus restreintes. La sécheresse a décimé une grande partie de leurs chèvres et chameaux, morts de faim.

Dans ce camaïeu de brun, le paysage se dénude constamment. En bas le désert, en haut la montagne. Les falaises se zèbrent de noir, un regard plus attentif permet de distinguer des moutons qui, serrés les uns contre les autres, en file, essaient de trouver de la nourriture sur les corniches.

Ils approchent de Khost. Tajmir déteste cette ville. C'est là que le mollah Omar, dirigeant taleb, a trouvé ses partisans les plus fidèles. Khost et la région environnante ont à peine remarqué que les taliban avaient pris le pouvoir. Pour eux, la différence était minime. Ici, les femmes ne travaillaient de toute façon pas dehors et les filles n'allaient pas à l'école. Elles avaient, aussi loin que remontent leurs souvenirs, toujours porté la burkha, obligation instituée non par l'État, mais par leurs familles.

Khost est une ville sans femmes, en tout cas à la surface. Tandis que les femmes de Kaboul commençaient d'enlever leur burkha au cours du premier printemps suivant la chute des taliban, et que l'on pouvait même parfois les voir dans les restaurants, il n'y avait quasiment aucune femme visible à Khost, pas même cachée sous une burkha. Elles vivent enfermées dans les arrière-cours, n'ont pas le droit de sortir, ni de faire des courses, et ne peuvent que rarement rendre visite à quelqu'un. Ici on vit en respectant une *purdah* stricte, ségrégation totale entre les femmes et les hommes.

Tajmir et Bob se rendent directement chez Kamal Khan, le petit frère de Padsha Khan. Il occupe la résidence du gouverneur, tandis que celui-ci, récemment désigné, vit dans une sorte d'assignation à résidence auto-imposée chez le commissaire de police. Le jardin fleuri du gouverneur grouille d'hommes du clan Khan. Des soldats de tous âges, des petits garçons maigres aux hommes grisonnants, y sont allongés ou s'y promènent. L'atmosphère est tendue.

— Kamal Khan ? demande Tajmir.

Deux soldats les escortent auprès du commandant, assis parmi des hommes. Il accepte l'interview et ils s'asseyent. Un petit garçon apporte du thé.

— Nous sommes prêts pour combattre. Jusqu'à ce que le faux gouverneur quitte Khost et que mon frère retrouve ses fonctions, il n'y aura pas de paix.

Les hommes approuvent d'un signe de tête. L'un d'eux énergiquement, il s'agit du sous-commandant, sous Kamal Khan. Il est assis en tailleur par terre à boire du thé et à écouter. Pendant tout ce temps il câline un autre soldat. Ils se tiennent fermement, leurs deux mains enlacées sur les genoux de l'un. De nombreux soldats lancent des regards enjôleurs à Tajmir et Bob.

Dans certaines régions d'Afghanistan, particulièrement dans le Sud-Est, l'homosexualité est répandue et tacitement acceptée. De nombreux commandants ont plusieurs jeunes amants et on aperçoit souvent des hommes âgés se promenant avec une poignée de jeunes garçons. Ceux-ci glissent souvent des fleurs dans leurs cheveux, derrière leur oreille ou dans leur boutonnière. L'homosexualité est souvent expliquée par le respect strict de la *purdah* précisément dans les régions de l'est et du sud du pays. Souvent on voit des groupes de garçons sautiller et se dandiner. Leurs yeux sont soulignés d'épais traits de khôl et leur démarche rappelle celle des travestis de l'Occident. Ils fixent du regard, flirtent et marchent en se déhanchant et en roulant des épaules.

Ces commandants ne se contentent pas de leur homosexualité, la plupart ont aussi une épouse et de nombreux enfants. Mais ils sont rarement chez eux et vivent dehors parmi les hommes. Ces jeunes amants sont souvent à l'origine de grands drames, les combats de vengeance sanglante ne sont pas rares, fruit de la jalousie causée par un amant ayant mené une double vie. À une occasion deux commandants avaient engagé un combat avec deux tanks dans le bazar dans le cadre de leur lutte pour un amant. La bataille s'est soldée par la mort de plusieurs douzaines de personnes.

Kamal Khan, bel homme d'une vingtaine d'années, prétend avec assurance que c'est encore le clan Khan qui est légitimement habilité à diriger la province.

— Le peuple est de notre côté. Nous nous battrons jusqu'au dernier homme. Ce n'est pas que nous voulions le pouvoir, affirme-t-il. C'est le peuple, c'est le peuple qui nous veut. Et il nous mérite. Nous ne faisons que nous conformer à ses souhaits.

Derrière lui deux araignées à pattes longues grimpent sur le mur. Kamal Khan sort un petit sachet crasseux de la poche de sa veste, il y garde quelques cachets qu'il met dans sa bouche.

— Je suis un peu souffrant, dit-il avec des yeux mendiant la compassion.

Il s'agit des hommes qui sont fermement opposés au Premier ministre Hamid Karzaï. Des hommes qui continuent de régner suivant la loi des seigneurs de guerre et refusent les ordres de Kaboul. Que des civils meurent compte peu. Il est ici question de pouvoir, et le pouvoir signifie deux choses : l'honneur – que la tribu des Khan garde le pouvoir dans la province – et l'argent, le contrôle d'une contrebande florissante et les revenus douaniers perçus légalement.

Si le magazine américain porte tant d'intérêt au conflit local de Khost, ce n'est pas avant tout parce que Karzaï menace de lancer l'armée contre les seigneurs de guerre. D'ailleurs cela n'aura sans doute pas lieu, car comme le disait Padsha Khan :

— S'il envoie l'armée, des gens seront tués et Karzaï sera jugé responsable.

Non, la véritable raison, c'est la présence de forces américaines dans la région. Ces forces spéciales secrètes qu'il est quasiment impossible d'approcher. Les agents secrets qui fouillent la montagne à la chasse à Al-Qaida, c'est sur eux que le magazine veut faire un papier, un papier exclusif : *La chasse à Al-Qaida*. Ce que Bob préférerait, c'est trouver Oussama ben Laden. Ou pour le moins le mollah Omar. Les Américains assurent leurs arrières du mieux qu'ils peuvent en collaborant avec les deux camps de ce conflit local, à savoir les frères Khan et leurs ennemis. Les deux camps reçoivent de l'argent des Américains, partent en excursion avec eux, reçoivent des armes des Américains, du matériel de communication, de renseignement. Car ils ont de bons contacts des deux côtés, dans les deux camps se trouvent d'anciens partisans des taliban.

L'ennemi numéro un des frères Khan s'appelle Mustapha. Il est commissaire à Khost. Mustapha collabore aussi bien avec Karzaï qu'avec les Américains. Après que ses hommes eurent récemment tué quatre hommes du clan Khan dans un échange de tirs, Mustapha a dû se barricader à l'intérieur du poste de police pendant plusieurs jours. Les Khan avaient prévenu que les quatre premiers qui quitteraient le poste seraient tués. Lorsqu'ils arrivèrent à court de vivres et d'eau, ils convinrent de négocier. Ils obtinrent une prolongation. Cela ne signifie pas grand-chose, quatre des hommes de Mustapha sont condamnés à mort, l'exécution peut se produire à tout moment. Le sang se venge par le sang, et cette menace, avant même l'exécution des meurtres proprement dite, peut être une torture suffisante.

Après que Kamal Khan et son petit frère Wasir Khan ont décrit Mustapha comme un criminel, assassin de femmes et d'enfants, qui doit être éliminé, Tajmir et Bob les remercient et sont raccompagnés au portail par deux jeunes garçons aux allures de nymphes des mers du Sud. Leurs cheveux bouclés ornés de grandes fleurs jaunes, leurs tailles soulignées de larges ceintures serrées, ils regardent Tajmir et Bob avec intensité. Ils ne savent sur qui fixer leur regard, le frêle et blond Bob ou le solide Tajmir au visage de matou ronronnant.

— Prenez garde aux hommes de Mustapha, disent-ils. Ils ne sont pas fiables et vous trahissent dès que vous tournez le dos. Et ne sortez pas une fois la nuit tombée ! Ils vous voleraient !

Les deux voyageurs se rendent directement chez l'ennemi. Le poste de police se trouve à quelques encablures de la résidence occupée du gouverneur et sert aussi de prison. C'est une forteresse avec des murs d'un mètre d'épaisseur. Les hommes de Mustapha leur ouvrent les lourdes portes en fer et ils entrent dans une cour ; là aussi ils sont accueillis par la plus exquise des odeurs de fleurs. Mais chez Mustapha, les soldats ne s'en sont pas parés, elles s'épanouissent uniquement sur les arbres et arbustes. Il est aisé de distinguer les soldats de Mustapha des Khan : ils sont vêtus d'uniformes brun sombre, de petites casquettes carrées et de lourdes bottes. Nombre d'entre eux ont le nez et la bouche couverts d'un foulard et portent des lunettes de soleil. Leurs visages dissimulés les rendent plus effrayants encore.

Tajmir et Bob sont conduits dans la forteresse à travers des cages d'escaliers exiguës et des couloirs étroits. Dans une pièce au fond de l'édifice se trouve Mustapha. À l'instar de son ennemi Kamal Khan il est entouré d'hommes armés. Mêmes armes, mêmes barbes, mêmes regards, même image de La Mecque au mur. Seule différence, le commissaire est installé sur une chaise derrière une table et non assis par terre. Il n'est en outre aucun garçon ici dont les cheveux soient parés de fleurs. Les seules fleurs sont un bouquet de jonquilles en plastique posé sur la table du commissaire, des jonquilles jaune, rose et vert fluorescents. À côté du vase, le Coran est enveloppé dans une étoffe verte et un drapeau afghan miniature se dresse sur un petit socle.

— Nous avons Karzaï de notre côté et nous allons nous battre. Les Khan ont dévasté cette région pendant assez longtemps comme ça, maintenant nous allons mettre fin à la barbarie !

Autour de lui, les hommes approuvent d'un signe de tête.

Tajmir traduit et traduit, les mêmes menaces, les mêmes propos. Pourquoi Mustapha est mieux que Padsha Khan, comment Mustapha va créer la paix. En fait, il est assis là à traduire la raison pour laquelle la paix ne se fera jamais complètement en Afghanistan.

Mustapha a participé à de nombreuses missions de reconnaissance avec les Américains. Il raconte qu'ils ont surveillé des maisons convaincus que ben Laden ou le mollah Omar s'y trouvaient, mais qu'ils n'ont jamais rien trouvé. Les missions de reconnaissance des Américains se poursuivent mais elles sont entourées d'une multitude de secrets et Bob et Tajmir n'en apprennent pas davantage. Bob aimerait les accompagner une nuit. Mustapha se contente de rire.

— Non, c'est top secret, c'est ainsi que le veulent les Américains. Tu peux insister autant que tu voudras, jeune homme, ça ne changera rien.

— Ne sortez pas après le crépuscule, ordonne fermement Mustapha lorsqu'ils prennent congé. Les hommes de Khan vous attaqueraient.

Bien mis en garde par les deux camps, ils se rendent à la halte kébab de la ville – une grande pièce avec des coussins disposés sur des banquettes basses. Tajmir commande *palao* et kébab, Bob des œufs durs et du pain. Il craint les bactéries et les parasites. Ils mangent rapidement et se hâtent de retourner à l'hôtel avant que le crépuscule ne s'annonce. Tout peut arriver dans cette ville et mieux vaut agir en conséquence.

Une lourde grille devant les portes du seul hôtel est ouverte puis refermée derrière eux. Ils regardent la vue sur Khost, une ville aux boutiques fermées, aux policiers masqués et aux sympathisants d'Al-Qaida. Un passant lance un regard en coin à Bob, c'est assez pour que Tajmir se sente mal à l'aise. Dans cette région, la tête des Américains est mise à prix. Cinquante mille dollars pour qui en tue un.

Ils montent sur le toit pour installer le téléphone-satellite de Bob. Un hélicoptère les survole. Bob essaie de deviner sa destination. Une dizaine de soldats de l'hôtel les entourent, ils observent les yeux écarquillés le téléphone sans fil dans lequel parle Bob.

— Il parle à l'Amérique ? se renseigne celui qui semble être le chef, un grand échalas vêtu d'un turban, d'une tunique et de sandales.

Tajmir acquiesce. Les soldats suivent Bob du regard. Tajmir reste debout à papoter avec eux. Leur seule préoccupation est le téléphone et son fonctionnement. L'un d'eux déclare avec tristesse :

— Tu sais ce que c'est notre problème ici ? Nous

savons tout du fonctionnement d'une arme, mais rien de celui d'un téléphone.

Après la conversation avec l'Amérique, ils redescendent. Les soldats leur emboîtent le pas.

— C'est ceux-là qui sont censés nous attaquer dès que nous aurons le dos tourné ? chuchote Bob.

Les soldats se promènent avec chacun leur kalachnikov. Certains ont fixé de longues baïonnettes sur leurs armes. Tajmir et Bob s'installent dans un canapé du lobby. Au-dessus d'eux est accrochée une singulière photo. C'est une grande affiche encadrée de New York, avec les deux tours du World Trade Center toujours érigées. Mais ce n'est pas le véritable ciel de New York, car derrière les immeubles se dressent d'énormes montagnes. Au premier plan, on a inséré un grand parc vert ponctué de fleurs rouges. New York ressemble à une petite ville en briques, au pied d'un immense massif montagneux.

Ondulée, ses couleurs fanées, cette photo semble être là depuis longtemps. Elle a dû être accrochée avant que l'on ait su que ce motif serait grotesquement associé à l'Afghanistan et à la poussiéreuse ville de Khost et donner ainsi au pays davantage de ce dont il n'avait pas besoin : des bombes.

— Est-ce que vous savez de quelle ville il s'agit ? demande Bob.

Les soldats secouent la tête. Ayant à peine vu autre chose qu'une maison en pisé à un étage, ils peuvent difficilement concevoir que cette photo représente une ville réelle.

— C'est New York, explique Bob. L'Amérique. Ça c'est les deux tours sur lesquelles Oussama ben Laden a envoyé deux avions.

Les soldats bondissent. Ces deux tours, ils en ont entendu parler. Elles sont là ! Ils les désignent du doigt. C'est à ça qu'elles ressemblaient ! Dire qu'ils sont passés devant la photo tous les jours sans le savoir !

Bob a emporté l'un de ses magazines et leur montre une photo d'un homme dont tout Américain sait qui il est.

— Vous savez qui c'est ? demande-t-il.

Ils secouent la tête.

— C'est Oussama ben Laden.

Les soldats écarquillent les yeux et lui arrachent le magazine et s'agglutinent. Tous veulent voir.

— Il ressemble à ça ?

Ils sont fascinés tant par l'homme que par le magazine.

— Terroriste, disent-ils en pointant du doigt et en ricanant.

À Khost on ne trouve ni journaux ni magazines et ils n'ont jamais vu de photos d'Oussama ben Laden, l'homme qui est la raison pour laquelle les Américains et Tajmir et Bob se trouvent dans leur ville.

Les soldats se rassoient et sortent un gros morceau de haschich qu'ils proposent à Bob et Tajmir. Tajmir le sent et décline :

— Trop fort, sourit-il.

Les deux voyageurs vont se coucher. Toute la nuit les mitrailleuses crépitent. Le lendemain ils réfléchissent à une solution et à l'angle du papier.

Ils restent à marcher dans Khost et à jeter des regards en coin. Nul ne les emmène dans des opérations importantes ou à la chasse à Al-Qaida dans les grottes. Tous les jours, ils passent s'enquérir des nouvelles auprès des ennemis jurés Mustapha et Kamal Khan.

— Attendez que Kamal Khan soit guéri, leur dit-on à la résidence occupée du gouverneur.

— Rien de nouveau aujourd'hui, répond l'écho au commissariat.

Padsha Khan s'est volatilisé. Mustapha est pétrifié derrière ses fleurs fluorescentes. Pas l'ombre des forces spéciales américaines. Rien ne se passe. Rien d'autre que le claquement des tirs toutes les nuits et les hélicoptères qui volent en cercle autour d'eux. Ils sont dans l'une des régions les plus anarchiques du monde et ils s'ennuient. Finalement Bob décide de rentrer à Kaboul. Tajmir est ivre de joie intérieure, loin de Khost, de retour à Microyan. Il va acheter un gros gâteau pour l'anniversaire de mariage.

Il est heureux de rentrer chez son propre Oussama, petit, rond et myope, de rentrer chez cette mère qu'il aime plus que tout.

Cœur brisé

Depuis plusieurs jours Leila reçoit des lettres. Des lettres qui la font frissonner de peur, qui accélèrent son rythme cardiaque, et qui vident sa tête de toute autre préoccupation. Après les avoir lues, elle les déchire et les jette dans le poêle.

Ces lettres la font aussi rêver. Rêver d'une autre vie. Les phrases donnent à ses pensées un léger élan et son existence se pimente d'un peu de suspense haletant. Les deux sont neufs pour Leila. Un monde s'est soudain ouvert dans son esprit dont elle ignorait l'existence.

— Je veux voler ! Je veux partir ! crie-t-elle un jour en balayant le sol. Dehors ! crie-t-elle en faisant tourner le balai dans la pièce.

— Qu'est-ce que tu as dit ?

Sonya lève la tête du sol où, le regard absent, elle suivait du doigt les motifs du tapis.

— Rien, répond Leila.

En elle, elle se dit qu'elle n'en peut plus. Que cette maison est une prison.

Elle qui d'habitude n'aime pas sortir a le sentiment qu'elle *doit* le faire. Elle va au marché. Un quart d'heure plus tard elle rentre avec une botte d'oignons et est accueillie avec suspicion.

— Tu sors juste pour acheter des oignons ? Ça te plaît tant de te montrer que tu vas au bazar quand nous n'avons en fait besoin de rien ? – Sharifa est d'humeur chagrine. – La prochaine fois tu enverras l'un des petits garçons.

La responsabilité des achats incombe en fait aux hommes et aux femmes âgées. Ce n'est pas bien pour une jeune fille de s'arrêter négocier avec un commerçant masculin ou avec des hommes. Tous ceux qui ont une échoppe ou un magasin sont des hommes et sous les taliban, c'est les autorités qui ont interdit aux femmes d'aller seules au marché – aujourd'hui c'est Sharifa qui, dans sa sombre insatis-faction, le lui interdit.

Leila ne répond pas. Comme si elle se souciait de parler avec un vendeur d'oignons ! Elle utilise la botte d'oignons entière en cuisinant, dans le seul but de prouver à Sharifa qu'elle en a réellement besoin.

Elle est dans la cuisine au retour des garçons. Elle entend Aimal faire claquer sa langue derrière elle et se rétracte. Son cœur bat plus vite. Elle lui a demandé de ne pas amener d'autres lettres. Mais Aimal lui glisse de nouveau une lettre et un paquet dur. Elle les cache sous sa robe et se hâte de les enfermer dans son coffre.

Pendant le repas, elle se glisse hors de la pièce pour aller dans celle où elle garde ses trésors. Les mains tremblantes elle ouvre son coffre et déplie le billet. « Chère L. Il faut que tu me répondes mainte-nant. Mon cœur brûle pour toi. Tu es si belle, veux-tu me délivrer de ma tristesse ou devrai-je vivre dans l'obscurité pour toujours ? Ma vie est entre tes mains. S'il te plaît, envoie-moi un signe. Je veux te rencontrer, donne-moi une réponse. Je veux partager ma vie avec toi. K. »

Le paquet contient une montre à cadran bleu et bracelet argenté. Elle l'essaie mais la repose vite. Jamais elle ne pourra la porter. Que répondrait-elle si les autres lui demandaient qui la lui a donnée ? Toute seule, elle rougit, et si ses frères l'apprenaient, ou sa mère. Quelle horreur, quelle honte ! Sultan comme Yunus la condamneraient. En recevant ces lettres, elle commet un acte tout à fait amoral.

« Ressens-tu la même chose que moi ? » a-t-il écrit. En fait, elle ne ressent rien du tout. Elle est morte de peur. C'est comme si une nouvelle réalité lui apparaissait. Pour la première fois de sa vie, quelqu'un exige d'elle une réponse. Quelqu'un veut savoir ce qu'elle ressent, ce qu'elle pense. Mais elle ne pense rien du tout, elle n'a pas l'habitude d'avoir une opinion. Et elle se persuade qu'elle ne ressent rien parce qu'elle sait qu'elle ne doit rien ressentir. Les sentiments sont une honte, a appris Leila.

Karim, lui, ressent. Il l'a vue une fois. C'était le jour où elle était allée à l'hôtel avec Sonya apporter le déjeuner de Sultan et des garçons. Karim n'avait eu d'elle qu'un bref aperçu, mais quelque chose en elle lui avait indiqué qu'elle était faite pour lui. Ce visage rond et pâle, cette belle peau, ces yeux.

Karim vit seul dans une chambre d'hôtel et travaille pour une chaîne de télévision japonaise. C'est un garçon seul. Sa mère a été tuée par un éclat de grenade qui a atterri dans leur arrière-cour pendant la guerre civile. Son père s'est rapidement remarié avec une autre femme, que Karim n'aimait pas et qui ne l'aimait pas non plus. Elle n'avait que faire des enfants de la première épouse et les battait quand le père ne la voyait pas. Karim ne s'est jamais plaint. Son père l'avait choisie elle et pas eux. Après l'école, il a travaillé pendant quelques années dans la pharmacie que son père gérait à Jalalabad, mais au bout d'un moment, il n'a plus eu la force de vivre avec sa nouvelle famille. Sa sœur cadette a été mariée à un homme de Kaboul et Karim a déménagé pour aller s'installer chez eux. Il a étudié quelques matières à l'université et lorsque les taliban ont fui et que des hordes de journalistes ont investi les hôtels et pensions de Kaboul, Karim s'est présenté et a proposé ses connaissances en anglais au plus offrant. Il a eu de la chance et a été embauché par une société qui ouvrait un bureau à Kaboul et a obtenu un contrat de longue durée avec un bon salaire. On lui a payé une chambre à l'hôtel, où Karim a fait la connaissance de Mansur et du reste de la famille Khan. Il aimait la famille, sa librairie, son savoir, son prosaïsme. Une bonne famille, se disait-il.

Il a suffi d'un aperçu de Leila et c'était fait. Mais Leila n'est jamais revenue à l'hôtel, il lui avait d'ailleurs déplu d'y aller cette fois-là. Ce n'est pas un bon endroit pour une jeune femme, se disait-elle.

Il n'avait personne à qui parler de son obsession, Mansur se serait contenté de rire, dans le pire des cas il aurait pu lui nuire. Pour Mansur rien n'était sacré et il ne se souciait pas particulièrement de sa tante. Seul Aimal était au courant et Aimal se taisait. Aimal était le messager de Karim.

Karim pensait que s'il se liait d'amitié avec Mansur, il pourrait rentrer dans la famille par son intermédiaire. Il avait eu de la chance et un jour Mansur l'invita à dîner. Il est habituel de présenter ses amis à sa famille et Karim était l'un des amis de Mansur les plus respectables. Karim fit de son mieux pour être apprécié, charmant, à l'écoute. Il les inonda de compliments sur la cuisine, il était particulièrement important que la grand-mère l'apprécie, parce que c'est elle qui aurait le dernier mot en ce qui concernait Leila. Mais celle pour qui il était vraiment venu, Leila, ne se montra jamais. Elle resta dans la cuisine à faire le repas. Sharifa et Bulbula l'apportaient. Un jeune homme qui ne fait pas partie de la famille a rarement l'occasion de voir les filles non mariées. Une fois le repas pris, le thé bu, au moment où tous allaient se coucher, il eut un nouvel aperçu d'elle. Du fait du couvre-feu, les invités du dîner restaient souvent dormir, et c'est Leila qui devait transformer la salle à manger en chambre à coucher. Elle déplia les nattes, trouva les couvertures et les oreillers et prépara une natte supplémentaire pour Karim. Elle était incapable de penser à autre chose qu'au fait que l'auteur des lettres se trouvait dans l'appartement.

Il pensait qu'elle avait terminé et allait entrer pour prier avant que les autres ne se couchent, mais elle était encore là, penchée au-dessus de la natte, ses longs cheveux tressés dans le dos, couverts d'un simple petit foulard. Il fit demi-tour à la porte, surpris et émoustillé. Leila n'avait pas remarqué sa présence. Karim conserva l'image d'elle penchée sur la natte toute la nuit durant. Le lendemain il ne vit pas même son ombre, même si elle lui avait préparé de l'eau pour faire sa toilette, lui avait cuit des œufs au plat, lui avait préparé du thé. Elle avait même ciré ses chaussures pendant qu'il dormait.

Le jour suivant il envoya sa sœur rendre visite aux femmes de la famille Khan. Elle rencontra Leila. Quand quelqu'un se fait de nouveaux amis, il n'y a pas que les amis qui soient présentés à la famille, mais souvent aussi les parents de celui-ci, or c'est la sœur de Karim qui était sa plus proche parente. Elle savait la fascination que Leila exerçait sur Karim et allait maintenant l'observer un peu et faire la connaissance de sa famille. Lorsqu'elle revint, elle raconta à Karim ce qu'il savait déjà.

— Elle travaille bien et dur. Elle est jolie et saine. Sa famille est tranquille et comme il faut. Elle est un bon parti.

— Mais qu'est-ce qu'elle a dit ? Comment était-elle ? De quoi avait-elle l'air ?

Karim ne se lassait pas d'entendre les réponses de sa sœur, même ses descriptions de Leila, bien trop fades à son goût.

— C'est une jeune fille convenable, je te dis, conclut-elle finalement.

Comme Karim n'avait plus sa mère, c'est sa sœur cadette qui devait aller présenter pour lui la demande en mariage. Mais il était encore trop tôt, elle devait d'abord faire plus ample connaissance avec la famille, puisqu'ils n'étaient unis par aucun lien de parenté. S'il en allait autrement, on lui opposerait immanquablement un refus.

Après la visite de la sœur, toute la famille se mit à plaisanter avec Leila au sujet de Karim. Leila feignait l'indifférence quand ils la taquinaient. Elle prétendait s'en moquer, même si le feu brûlait en elle. Tant qu'ils n'apprenaient pas l'existence des lettres. Elle était en colère parce que Karim l'avait mise en danger. Elle brisa la montre avec une pierre et la jeta.

Elle était avant tout dévorée par la crainte que Yunus ne le découvre. Dans la famille, il était celui qui prônait avec la plus grande ferveur le respect d'un mode de vie strictement islamique, sans pour autant s'y conformer lui-même. Il était en outre le membre de la famille qu'elle préférait. Elle craignait qu'il ne se mette à penser du mal d'elle s'il apprenait qu'elle avait reçu des lettres. Lorsqu'un jour on lui avait proposé un emploi à temps partiel du fait de ses connaissances en anglais, Yunus avait refusé qu'elle l'accepte. Il ne pouvait se résoudre à ce qu'elle travaillât dans un bureau où se trouvaient aussi des hommes.

Leila se souvenait de leur conversation au sujet de Jamila. Sharifa lui avait raconté comment la jeune fille avait été étouffée.

— Quoi ? avait éclaté Yunus. Tu veux dire celle qui est morte parce que le ventilateur électrique avait court-circuité.

Yunus ignorait que l'histoire du ventilateur électrique n'était que mensonge, que Jamila avait été assassinée parce qu'elle avait eu la visite de son amant pendant la nuit. Leila révéla l'histoire.

— Terrible, terrible, terrible.

Leila opinait.

— Comment a-t-elle pu faire une chose pareille ? avait-il ajouté.

— Elle ? s'était exclamée Leila.

Elle avait mal interprété l'expression de son visage et cru qu'elle traduisait le choc, la colère et la tristesse qu'il ressentait à l'idée que Jamila avait été étouffée par ses propres frères, alors qu'il s'agissait en fait du choc et de la colère dus au fait qu'elle avait pris un amant.

— Son mari était beau et riche, avait-il dit, encore tout tremblant de colère. Quelle honte. Et c'était un Pakistanais pour couronner le tout. Cela me confirme dans mon idée qu'il faudra que ma femme soit toute jeune. Jeune et intacte. Et il faudra que je lui serre la bride, s'était-il renfrogné.

— Et le meurtre alors ?

— Son crime à *elle* a été commis en premier.

Leila aussi veut être jeune et intacte. Elle est terrifiée à l'idée que son secret ne soit trahi. Elle ne saisit pas la différence d'échelle entre être infidèle à son mari et recevoir des lettres d'un garçon. Les deux sont interdits, les deux sont mal, les deux sont une honte s'ils sont découverts. À présent qu'elle s'est mise à voir en Karim son sauveur, loin de la famille, elle craint que Yunus ne refuse de lui apporter son soutien s'il la demande en mariage.

Pour elle, il ne s'agit pas d'être amoureuse. Elle l'a à peine vu, tout juste regardé à travers un rideau et aperçu par la fenêtre lorsqu'il est arrivé avec Mansur. Et le peu qu'elle a vu lui a plu, sans plus.

— Il a l'air d'un gamin, avait-elle dit à Sonya un peu plus tard. Il est petit et mince et a un visage puéril.

Mais il est bien éduqué, il semble gentil et n'a pas de famille. C'est pourquoi il est son sauveur, parce qu'il peut sans doute la sortir de cette vie qui sera

autrement la sienne. Le point le plus positif étant
qu'il n'a pas de grande famille, elle ne risque donc
pas de devenir servante. Il la laisserait faire des
études ou travailler. Ils ne seraient que tous les deux,
peut-être pourrait-il partir quelque part, peut-être à
l'étranger.

Ce n'était pas que Leila n'avait eu aucun prétendant, elle en avait déjà eu trois. Tous étaient des
parents, des parents dont elle ne voulait pas. L'un
était le fils d'une tante, analphabète et chômeur,
paresseux et bon à rien.

Le deuxième était le fils de Wakil, un grand
dadais. Il ne travaillait pas et aidait seulement son
père de temps en temps dans ses convoyages.

— Quelle chance tu as, tu vas avoir un mari avec
deux doigts, la taquinait Mansur.

Le fils de Wakil, qui avait perdu trois doigts dans
l'explosion d'une batterie qu'il avait mal manipulée,
Leila n'en voulait pas non plus. Shakila, sa grande
sœur, avait fait pression en faveur de ce mariage.
Elle avait envie d'avoir Leila dans les parages, mais
Leila savait qu'elle continuerait d'être une servante.
Elle serait toujours placée sous le commandement de
son aînée et le fils de Wakil devrait toujours obéir
aux ordres de son père.

Alors je n'aurai pas à laver les vêtements de treize
personnes, mais de vingt, se disait-elle.

Shakila serait la valeureuse femme au foyer et elle
serait la servante. De nouveau.

Elle ne s'éloignerait pas mais serait encore prison-
nière de la famille, à évoluer comme Shakila avec
des poulets, des poules et des enfants courant en permanence dans ses jupes.

Le troisième était Khaled. Khaled était son cousin germain – un jeune garçon beau et calme. Un garçon avec qui elle avait grandi et qu'elle appréciait à peu près. Il était gentil et avait de beaux yeux chaleureux. Mais restait sa famille, une famille épouvantable. Une grande famille d'environ trente personnes. Son père, un vieil homme sévère, venait de sortir de prison, il avait été accusé d'avoir collaboré avec les taliban. Leur maison avait été pillée pendant la guerre civile, à l'instar de la plupart des maisons de Kaboul, et lorsque les taliban arrivèrent et mirent de l'ordre, le père de Khaled porta plainte contre quelques moudjahidin du village. Ils furent arrêtés et restèrent longtemps en prison. À la fuite des taliban, ces hommes retrouvèrent le pouvoir dans le village et se vengèrent en envoyant le père de Khaled en prison.

— C'est bien fait pour lui, qui a été assez bête pour porter plainte, commentèrent quelques personnes.

Le père de Khaled était connu pour son caractère imprévisible. En outre il avait deux épouses qui passaient leur temps à se disputer et pouvaient à peine rester ensemble dans la même pièce. À présent, il envisageait de prendre une troisième épouse.

— Elles sont devenues trop vieilles pour moi, il faut que j'en trouve une qui me maintienne jeune, avait expliqué le septuagénaire.

Leila n'avait pas la force ne serait-ce que de s'imaginer ce que ce serait d'arriver dans ce chaos qui lui faisait office de famille, et puis Khaled n'avait pas d'argent, ils ne pourraient donc jamais s'installer ensemble.

À présent, le destin a eu la bonté de lui offrir

Karim. Cette nouvelle vie un peu dangereuse lui donne l'impulsion dont elle a besoin et une raison d'espérer. Elle refuse de renoncer et continue de chercher un moyen d'aller au ministère de l'Éducation pour s'enregistrer comme enseignante. Lorsque l'évidence se fait qu'aucun homme de la maison ne l'aidera, Sharifa la prend en pitié. Elle promet de l'accompagner. Mais le temps passe et elles ne peuvent jamais y aller. Il leur manque juste un rendez-vous. Leila perd de nouveau espoir, et puis, d'une manière singulière, la situation semble s'améliorer.

La sœur de Karim lui avait raconté les problèmes de Leila pour se faire enregistrer comme enseignante. Après plusieurs semaines de travail acharné, et parce qu'il connaît le bras droit du ministre, Karim organise une rencontre entre Leila et Rasul Amin, le nouveau ministre de l'Éducation. Leila obtient l'autorisation de sa mère parce qu'elle peut à présent obtenir l'emploi d'enseignante auquel elle aspire. Par bonheur Sultan est à l'étranger et Yunus non plus ne lui met pas de bâtons dans les roues. C'est comme si tout allait comme elle voulait. Elle passe la nuit à remercier Dieu et à prier pour que tout aille bien, la rencontre avec Karim comme celle avec le ministre.

Karim va passer la prendre à 9 heures. Leila essaie puis rejette tous ses vêtements. Elle essaie les vêtements de Sonya, ceux de Sharifa, les siens. Après le départ des hommes de la maison, les femmes s'installent par terre tandis que Leila arrive avec de nouvelles tenues.

— Trop serrée !

— Trop de motifs !

— Trop de paillettes !

— Transparente !

— Mais elle est sale !

À chaque fois, quelque chose qui ne va pas. Leila manque de vêtements, le spectre s'étend des vieux pulls, usés et boulochés aux chemises brillantes avec des imitations d'or, mais elle n'a rien d'ordinaire. Les rares fois où elle achète des vêtements, c'est à l'occasion d'un mariage ou de fiançailles, et elle choisit alors systématiquement ce qu'elle trouve de plus clinquant. Finalement elle opte pour un chemisier blanc de Sonya et une grande jupe noire. C'est sans grande importance puisque de toute façon, elle va s'envelopper d'un grand foulard qui la couvrira de la tête aux hanches. Mais elle laisse son visage découvert, car Leila a cessé de porter la burkha. Elle s'était promis qu'au retour du roi, elle ôterait son voile, car l'Afghanistan serait alors devenu un pays moderne. Le matin d'avril où Zaher Shah a posé le pied sur le sol afghan, après trois décennies d'exil, elle a définitivement accroché sa burkha à son clou et s'est promis qu'elle ne mettrait plus jamais ce vêtement puant. Sonya comme Sharifa l'ont suivie. Pour Sharifa, c'était facile, elle avait passé la plus grande partie de sa vie d'adulte le visage découvert, pour Sonya, c'était plus dur, elle était passée de l'enfance au statut de femme sous la burkha et rechignait à l'enlever. Finalement, c'était Sultan qui lui avait interdit de la porter.

— Je ne veux pas d'une femme préhistorique, tu es la femme d'un homme libéral, pas d'un fondamentaliste.

En bien des domaines, Sultan était un libéral.

Lorsqu'il était en Iran, il avait acheté des vêtements occidentaux pour Sonya et lui. Il parlait volontiers de la burkha comme d'une cage opprimante et se réjouissait de ce que le nouveau gouvernement comptait des femmes parmi ses ministres. De tout son cœur il souhaitait que l'Afghanistan devienne un pays moderne et il savait parler avec chaleur de la libération des femmes. Mais au sein de sa famille, il restait le patriarche autoritaire.

Lorsque Karim arrive enfin, Leila est enveloppée dans son foulard et se tient devant le miroir, avec dans les yeux une lueur qu'ils n'ont jamais connue. Sharifa sort avant elle. Leila est nerveuse et marche la tête baissée. Sharifa s'assied devant, Leila derrière. Elle le salue brièvement. Tout s'est bien passé, elle est encore tendue, mais une partie de sa nervosité s'est dissipée. Il semble totalement inoffensif. Il a l'air gentil, un peu étrange.

Karim parle avec Sharifa de la pluie et du beau temps, de ses fils, du travail. Elle lui pose des questions sur sa famille, son travail. Sharifa aussi entend reprendre son emploi d'enseignante. Contrairement à Leila, ses papiers sont en ordre et il faut juste qu'elle se réenregistre. Leila a un jeu éclectique d'attestations, certaines de son école au Pakistan, d'autres des cours d'anglais qu'elle a suivis. Elle n'a aucune formation d'enseignante, n'a pas même terminé le lycée, mais sans elle l'école où elle postule un emploi n'aura jamais de professeur d'anglais.

Au ministère, ils passent plusieurs heures à attendre leur entrevue avec le ministre. Autour d'eux sont assises de nombreuses femmes, dans les coins, le long des murs, en burkha, sans burkha. D'autres sont debout à faire la queue devant la multitude de guichets. Des formulaires leur sont jetés qu'elles rendent remplis. Celles qui font la queue houspillent les employés derrière les guichets et les employés houspillent celles qui font la queue. Il règne ainsi une certaine égalité, des hommes houspillent des femmes et des femmes houspillent des hommes. Certains d'entre eux, apparemment des employés du ministère, courent avec des piles de papiers, ils semblent tourner en rond. Tous crient. Une très vieille femme desséchée tourbillonne, elle s'est manifestement perdue, sans toutefois que quiconque vienne l'aider. Épuisée, elle s'assied donc dans un coin et s'endort. Une autre est assise à pleurer.

Karim sait mettre le temps d'attente à profit. À un moment donné, il reste même en tête-à-tête avec Leila alors que Sharifa est partie se renseigner à quelque sujet à un guichet où la file est longue.

— Quelle est ta réponse ?

— Tu sais que je ne peux pas te répondre.

— Mais que veux-tu ?

— Tu sais que je ne peux pas avoir de désir.

— Mais est-ce que je te plais ?

— Tu sais que je ne peux pas avoir d'opinion à ce sujet.

— Tu répondras oui si je te demande en mariage ?

— Tu sais que ça n'est pas moi qui réponds.

— Veux-tu que nous nous revoyions ?

— Ça, je ne le peux pas.

— Pourquoi est-ce que tu ne peux pas être aimable ? Je ne te plais pas ?

— C'est ma famille qui décidera si tu me plais ou non.

Leila commence à s'agacer de ce qu'il puisse avoir ainsi l'outrecuidance de lui poser ces questions, puisque, quoi qu'il en soit, c'est sa mère et Sultan qui décideront. Il est pourtant évident qu'il lui plaît. Il lui plaît parce qu'il est un sauveur. Mais elle ne ressent rien pour lui. Comment pourrait-elle alors répondre à sa question ?

Ils passent des heures à attendre. Enfin c'est leur tour. Derrière un rideau se trouve le ministre. Il les salue brièvement avant de prendre les documents que lui tend Leila et de les signer sans un regard. Il signe sept documents puis les renvoie.

C'est ainsi que fonctionne la société afghane, il faut connaître quelqu'un pour s'en sortir, système paralysant. Rien ne se passe sans les bonnes signatures et attestations. Leila a pu rencontrer le ministre, un autre devra composer avec la signature d'une personne moins éminente. Toutefois, comme le ministre passe une grande partie de sa journée à signer les documents de gens qui ont versé des dessous-de-table pour pouvoir accéder à lui, sa signature se déprécie de jour en jour.

Leila se figure que maintenant qu'elle a obtenu la signature du ministre, le chemin vers l'enseignement devrait être plus praticable, or il lui reste encore d'innombrables nouveaux bureaux, guichets et boxes à visiter. Dans l'ensemble, c'est Sharifa qui parle tandis que Leila reste assise le regard fixé au sol. Dire qu'il est si difficile de s'enregistrer comme enseignant alors que l'Afghanistan crie son manque de professeurs. Dans de nombreux endroits, l'école et les livres scolaires existent, mais personne n'est là pour enseigner, avait dit le ministre. Lorsque Leila arrive au bureau où se déroulent les examens pour les nouveaux professeurs, ses papiers sont complètement froissés par toutes les mains qui les ont manipulés.

Il lui faut passer un oral pour prouver son aptitude à enseigner. Dans une pièce deux hommes et une femme sont assis à une table. Après avoir pris note de son nom, de son âge et de sa formation, ils lui posent quelques questions.

— Est-ce que tu connais la profession de foi islamique ?

— Il n'y a pas de dieu hormis Dieu et Mahomet est son Prophète, récite Leila.

— Combien de fois par jour un musulman doit-il prier ?

— Cinq.

— La bonne réponse c'est six, non ? teste la femme derrière la table, sans que Leila se laisse déstabiliser.

— Peut-être pour vous, mais pour moi, c'est cinq.

— Et combien de fois par jour pries-tu ?

— Cinq fois par jour, ment Leila.

Puis viennent des problèmes de mathématiques. Qu'elle résout. Puis une formule de physique. Dont elle n'a jamais entendu parler.

— Mais n'allez-vous pas m'interroger en anglais ?

Ils secouent la tête.

— Non, parce qu'alors, tu pourrais dire ce que tu veux, rient-ils avec méchanceté.

Aucun d'entre eux ne parle anglais. Leila a le sentiment qu'ils espèrent que ni elle ni aucun des autres candidats à l'enseignement n'obtiendront d'emploi. Après l'examen et de longues délibérations, ils découvrent qu'il lui manque un document.

— Reviens quand tu auras ce document.

Après huit heures au ministère, ils rentrent, découragés. Face à ces fonctionnaires, la signature du ministre en personne n'était d'aucun secours.

— Je renonce, peut-être que je n'ai pas envie d'être enseignante, après tout, conclut Leila.

— Je vais t'aider, répond Karim en souriant, et de promettre : maintenant que j'ai commencé, je vais aller jusqu'au bout.

Leila sent son cœur se réchauffer un tout petit peu.

Le lendemain Karim part à Jalalabad parler avec les membres de sa famille. Il leur raconte Leila, sa famille et leur explique qu'il souhaite la demander en mariage. Ils approuvent et à présent il ne reste plus qu'à envoyer sa sœur. Cela s'éternise un peu. Karim craint un refus et il a en outre besoin d'argent pour le mariage, l'équipement, une maison. De plus, ses relations avec Mansur se rafraîchissent quelque peu. Depuis plusieurs jours, Mansur l'ignore et se contente de le saluer d'un bref signe de tête. Karim lui demande un jour s'il a fait quelque chose de mal.

— Il faut que je te dise quelque chose à propos de Leila, répond Mansur.

— Quoi ?

— Non, en fait, je ne peux pas te le dire. Désolé.

— Mais qu'est-ce qu'il y a ? – Karim reste bouche bée. – Elle est malade ? Elle a un autre amoureux ? Quelque chose ne va pas avec elle ?

— Je ne peux pas te dire ce que c'est, parce que si tu le savais, tu ne voudrais jamais l'épouser. Maintenant, il faut que j'y aille.

Chaque jour, Karim insiste pour que Mansur lui dise ce qui ne va pas avec Leila. Chaque jour, Mansur se dérobe. Karim n'est que prières et supplications, puis colère et mauvaise humeur, mais Mansur refuse toujours de répondre.

Mansur avait été mis au courant des lettres par Aimal. À l'origine, il n'avait rien contre le fait que Karim obtienne Leila, bien au contraire, mais Wakil aussi avait eu vent de l'admiration de Karim. Il avait demandé à Mansur de tenir Karim à distance de Leila. Mansur avait dû faire ce que le mari de sa tante lui disait. Wakil faisait partie de la famille, pas Karim.

Wakil avait aussi menacé Karim directement.

— Je l'ai choisie pour mon fils. Leila fait partie de notre famille et ma femme souhaite qu'elle épouse mon fils, et moi aussi, et cela plaira aussi à Sultan et à sa mère, il vaut mieux, pour ton propre bien, que tu te tiennes à l'écart.

Karim ne pouvait pas répondre grand-chose à Wakil, qui était plus âgé que lui. Son seul salut serait que Leila se batte pour lui. Mais y avait-il quelque chose qui n'allait pas avec Leila ? Était-ce vrai, ce que Mansur disait ?

Karim se mit à se poser des questions sur toute cette demande en mariage.

Entre-temps, Wakil et Shakila viennent en visite à Microyan. Leila disparaît dans la cuisine pour préparer le repas. Après leur départ, Bibi Gul annonce :

— Ils ont demandé ta main pour Saïd.

Leila s'immobilise, comme pétrifiée.

— J'ai répondu que ça me convenait, mais qu'il fallait d'abord que je t'en parle, ajoute Bibi Gul.

Leila a toujours suivi les conseils de sa mère. À présent elle se tait. Le fils de Wakil. Avec lui, elle aura exactement la même vie que celle qu'elle a actuellement – sauf qu'elle aura davantage de tâches à accomplir. Elle aura en outre un mari avec deux doigts, un mari qui n'a jamais ouvert un livre.

Bibi Gul trempe un morceau de pain dans l'huile de son assiette et le porte à sa bouche. Elle trouve un os dans l'assiette de Shakila et en suce la moelle tout en observant sa fille.

Leila sent sa vie, sa jeunesse, son espoir lui échapper – sans qu'il existe pour elle d'issue de secours. Elle sent son cœur se muer en une pierre lourde et empreinte de solitude, condamnée à se briser une fois pour toutes.

Leila fait demi-tour, elle avance de trois pas vers la porte, la referme doucement derrière elle et s'en va. Ne reste que son cœur brisé. Bientôt il se mêle à la poussière qui entre en tourbillonnant par la fenêtre, à la poussière qui habite les tapis. Ce soir, c'est elle qui le balaiera et le jettera dans la cour.

Postface

Toutes les familles heureuses le sont de la même manière, les familles malheureuses le sont chacune à leur façon.

Léon TOLSTOÏ, *Anna Karénine*

Quelques semaines après mon départ de Kaboul, la famille a éclaté. Après une dispute, les mots échangés entre Sultan et ses deux épouses d'un côté, et Leila et Bibi Gul de l'autre, étaient si graves qu'il eût été difficile de continuer à vivre sous le même toit. Lorsque Yunus est rentré à la maison, après la bagarre, Sultan l'a pris à part et lui a déclaré que tous – lui, ses sœurs et sa mère – devaient le traiter avec le respect qui lui était dû en tant qu'aîné et lui a rappelé qu'ils mangeaient le pain qu'il rapportait.

Le lendemain, avant l'aube, Bibi Gul, Yunus, Leila et Bulbula quittaient l'appartement avec pour tout bagage les vêtements qu'ils portaient. Aucun d'entre eux n'est revenu depuis. Ils se sont installés chez Farid, l'autre frère rejeté de Sultan, sa femme sur le point d'accoucher, et leurs trois enfants. Ils cherchent actuellement un logement.

— Les frères afghans ne sont pas gentils entre eux, conclut Sultan au téléphone depuis Kaboul. Il est temps que nous ayons des vies indépendantes.

Leila n'a pas eu de nouvelles de Karim. Ses relations s'étant refroidies avec Mansur, il lui était difficile de prendre contact avec la famille. De plus, Karim ne savait plus exactement ce qu'il voulait. Il a obtenu une bourse égyptienne pour aller étudier l'islam à l'université al-Azhar au Caire.

— Il va devenir mollah, ricane Mansur sur une ligne encombrée de parasites depuis Kaboul.

Le menuisier a été condamné à trois ans de prison. Sultan est impitoyable.

— Ce voyou ne peut pas évoluer en liberté dans la société. Je suis sûr qu'il a volé au moins vingt mille cartes postales. Ce qu'il disait au sujet de la pauvreté de sa famille, c'étaient des mensonges. J'ai calculé qu'il avait dû gagner beaucoup d'argent, mais il l'a caché.

Mariam, hantée par la peur de donner naissance à une fille, a eu Allah de son côté et a mis au monde un fils.

L'énorme contrat de livres scolaires de Sultan a tourné court. Oxford University a tiré la paille la plus longue, mais Sultan est satisfait.

— Ça aurait brûlé toute mon énergie, la commande était sans doute trop importante.

La librairie se porte comme un charme. Sultan a passé des contrats en or en Iran, il vend des livres aux bibliothèques des ambassades occidentales. Il essaie d'acheter l'un des cinémas désaffectés de Kaboul pour créer un centre avec librairie, salle de conférences et bibliothèque, où les chercheurs pourraient avoir accès à sa grande collection d'ouvrages. L'année prochaine, il promet d'envoyer Mansur en voyage d'affaires en Inde.

— Il faut qu'il apprenne ce que c'est que les responsabilités, ça lui forgera le caractère. Peut-être que j'enverrai les autres garçons à l'école.

Sultan accorde le vendredi à ses trois fils, libres de faire ce que bon leur semble. Mansur continue d'aller à ses fêtes et revient sans cesse à la maison avec de nouveaux récits. L'élue de son cœur est en ce moment la voisine du troisième.

Cependant, Sultan se fait du souci au sujet de la situation politique.

— C'est très dangereux. La Loya Jirga a conféré bien trop de pouvoir à l'Alliance du Nord, il n'y a aucun équilibre. Karzaï est trop faible, il ne parvient pas à diriger le pays. La meilleure solution serait que notre gouvernement soit composé de technocrates désignés par les Européens. Si nous les Afghans, nous ne sommes pas capables de désigner nos propres dirigeants, c'est que ça va mal. Les gens ne coopèrent pas du tout et le peuple souffre. En plus, nous n'avons pas encore retrouvé nos têtes pensantes, là où nos intellectuels devraient être, il n'y a que du vide.

Par ailleurs, Mansur a interdit à sa mère de travailler comme enseignante.

— C'est pas bien, c'est tout ce que je peux dire.

Sultan était d'accord pour qu'elle reprenne le travail, mais tant que Mansur, son fils aîné, le lui interdisait, il n'en était pas question. Les tentatives d'enregistrement comme enseignante de Leila n'ont pas abouti non plus.

Bulbula a finalement obtenu son Rasul. Sultan a choisi de rester à la maison et a refusé à ses femmes et à ses fils d'assister au mariage.

Sonya et Sharifa sont désormais les seules femmes de la maison de Sultan. Quand Sultan et ses fils travaillent, elles restent toutes les deux. Parfois comme mère et fille, parfois comme rivales. Dans quelques mois Sonya va accoucher. Elle prie Allah que ce soit un fils. Elle m'a demandé si je ne pouvais pas moi aussi prier pour elle.

— Imagine que ce soit encore une fille !

Une nouvelle petite catastrophe dans la famille Khan...

Table

Composition réalisée par NORDCOMPO

IMPRIMÉ EN ESPAGNE PAR LIBERDÚPLEX
Barcelone
Dépôt légal Éditeur : 65108 - 12/2005
Édition 8
LIBRAIRIE GÉNÉRALE FRANÇAISE - 31, rue de Fleurus - 75278 Paris Cedex 06
ISBN : 2 - 253 - 07283 - 4